PAYSAGE, MYTHE ET TERRITORIALITÉ : CHARLEVOIX AU XIXᵉ SIÈCLE

POUR UNE NOUVELLE APPROCHE DU PAYSAGE

GÉOGRAPHIE historique

Collection fondée et dirigée par Serge Courville

La collection « Géographie historique » regroupe des scientifiques reconnus et accueille tous les chercheurs préoccupés de donner une dimension spatiale à leurs analyses historiques, quelle que soit leur discipline. Elle rassemble des textes destinés à donner ses fondements à la géographie historique québécoise et à faire connaître l'expérience et l'espace québécois.

Titres parus

La cartographie au Québec, 1760-1840, par Claude BOUDREAU, 1994.

Introduction à la géographie historique, par Serge COURVILLE, 1995.

Espace et culture/Space and Culture, sous la direction de Serge COURVILLE et Normand SÉGUIN, 1995.

La sidérurgie dans le monde rural: les hauts fourneaux du Québec au XIXe siècle, par René HARDY, 1995.

Peuplement et dynamique migratoire au Saguenay, 1840-1960, par Marc ST-HILAIRE, 1996.

Le coût du sol au Québec, par Serge COURVILLE et Normand SÉGUIN, 1996.

Naviguer le Saint-Laurent à la fin du XIXe siècle. Une étude de la batellerie du port de Québec, par France NORMAND, 1997.

La bourgeoisie marchande en milieu rural (1720-1840), par Claude PRONOVOST, 1998.

Paysage, mythe et territorialité: Charlevoix au XIXe siècle. Pour une nouvelle approche du paysage, par Lynda VILLENEUVE, 1999.

Hors collection

Paroisses et municipalités de la région de Montréal au XIXe siècle (1825-1861), sous la direction de Serge COURVILLE, avec la collaboration de Jacques CROCHETIÈRE, Philippe DESAULNIERS et Johanne NOËL, 1988.

Entre ville et campagne: l'essor du village dans les seigneuries du Bas-Canada, par Serge COURVILLE, 1990.

Lynda Villeneuve

PAYSAGE, MYTHE ET TERRITORIALITÉ : CHARLEVOIX AU XIXe SIÈCLE

POUR UNE NOUVELLE APPROCHE DU PAYSAGE

Les Presses de l'Université Laval
Sainte-Foy, 1999

Les Presses de l'Université Laval reçoivent chaque année du Conseil des Arts du Canada et du ministère de la Culture et des Communications du Québec une aide financière pour l'ensemble de leur programme de publication.

Données de catalogage avant publication (Canada)

Villeneuve, Lynda, 1966-   .

Paysage, mythe et territorialité: Charlevoix au XIXᵉ siècle:
pour une nouvelle approche du paysage

(Géographie historique)

Présenté à l'origine comme thèse (de doctorat de l'auteur – Université Laval),
1998

Comprend des réf. bibliogr.

ISBN 2-7637-7636-1

1. Perception géographique – Québec (Province) – Charlevoix (Région). 2.
Géographie humaine – Québec (Province) – Charlevoix (Région). 3. Sol, Utilisation
du – Québec (Province) – Charlevoix (Région). 4. Charlevoix (Québec : Région) –
Conditions sociales – 19e siècle. 5. Représentations sociales – Québec (Province) –
Charlevoix (Région). 6. Paysage – Évaluation – Québec (Province) – Charlevoix
(Région). I. titre. II. Collection.

GF512.Q8V54 1999   304.2'09714'49   C99-940294-3

Conception de la page couverture
    Charaf El Ghernati

Révision linguistique
    Jacqueline Roy

Infographie
    Charaf El Ghernati

Photographie de la page couverture

    Charles Jones Way
    Cap-à-l'Aigle
    Huile sur toile 39,4 x 52,5 cm
    Collection Musée du Québec (78.51)
    Photographie: Jean-Guy Kérouac

Distribution de livres Univers
845, rue Marie-Victorin
Saint-Nicolas (Québec)
Canada G0S 3L0

Tél.:   (418) 831-7474   Téléc.: (418) 831-4021
       1 800 859-7474   http://www.ulaval.ca/pul

Table des matières

Introduction

La région de Charlevoix, malgré son isolement relatif et sa localisation géographique excentrique par rapport aux grands centres de la province, a suscité l'intérêt de plusieurs observateurs, étrangers pour la plupart, et ce, à partir du début du XIXᵉ siècle. Les représentations picturales et textuelles de ces observateurs constituent une forme d'appropriation du territoire colonial de la part des nouvelles autorités britanniques. À ce titre, le paysage dépeint par ces étrangers matérialise les jugements et les valeurs de l'élite britannique du paysage et de la société rurale du Bas-Canada. Ces représentations témoignent d'influences idéologiques diverses, particulières et milieu qui sont liées au romantisme britannique où se mêlent les nationalismes canadiens-français et canadiens-anglais à partir du milieu du siècle. Notre objectif est de tenter de mettre en évidence la nature de ces représentations différenciées d'un même espace et leur évolution à travers le temps. Ces représentations sont par la suite confrontées à la territorialité qui s'inscrit dans ce paysage, caractérisée par une adaptation des pratiques sociales et économiques d'une société européenne au nouveau contexte nord-américain.

Nous postulons que les diverses représentations du paysage élaborées au XIXᵉ siècle par des visiteurs d'origine étrangère ont donné lieu à la création d'un paysage mythique dans Charlevoix. Ce paysage est le résultat d'une projection sur le territoire d'idéologies, de mouvements artistiques et intellectuels ainsi que de problématiques de recherche largement empruntées à l'Europe. Les éléments de ce discours s'élaborent très tôt. Nous constatons que les symboles à la base de cette représentation sont définis dès le milieu du XIXᵉ siècle et qu'ils sont particulièrement visibles dans les représentations iconographiques. Les éléments du discours sur le paysage charlevoisien toujours véhiculés aujourd'hui sont les suivants. D'abord, on définit le paysage comme un univers essentiellement rural, français et catholique. Un isolement géographique et culturel y est également associé. Sur le plan sociologique, la société charlevoisienne est attachée aux valeurs ancestrales, unie par des liens communautaires serrés et par la foi catholique; bref, une société définie par les anthropologues comme traditionnelle, homogène (Dubé et Tremblay, 1989: 35-37), caractérisée par un immobilisme social. Nous postulons que cette définition constitue une récupération du discours véhiculé par les représentants de l'Empire britannique, qui furent les premiers et les plus nombreux à représenter ce paysage à la fois de manières picturale et textuelle. Des recherches récentes démontrent l'impact du discours du conquérant sur la formation de l'identité nationale canadienne-française au début du XIXᵉ siècle (Dumont, 1993: 133-138). Nous observons ce phénomène à l'échelle régionale dans Charlevoix. Le premier système de représentation qui a influencé la formation de l'identité du paysage est l'idéologie agriculturiste liée à la définition de l'identité de la nation canadienne-française de la part de la petite bourgeoisie libérale. Vient ensuite le romantisme qui est en plein essor en Angleterre au XIXᵉ siècle. Plus tard, la recherche de la «famille-souche» de l'école sociologique française de Frédéric Le Play imprimera également sa marque sur la représentation du paysage en récupérant les symboles définis dans la première moitié du XIXᵉ siècle et en les intégrant à un nouveau langage idéologique, alliant l'idéologie de survivance des Canadiens français à l'ultramontanisme de l'élite cléricoconservatrice de la seconde moitié du XIXᵉ siècle. Charlevoix devient alors un espace folklorisé, isolé et marginal, figé dans des pratiques sociales et économiques du XVIIᵉ siècle, image du paysage idéal du Québec, hérité directement de la Nouvelle-France.

Ces représentations de l'espace élaborées par différents langages révèlent cependant très peu d'indices sur les liens établis entre l'homme et le territoire et la façon dont ils s'actualisent dans le paysage. Des recherches antérieures sur la socio-économie locale ont fourni un tout autre portrait du paysage régional. Ce portrait est beaucoup plus nuancé que celui qui est élaboré par les représentations traditionnelles. Il s'appuie sur une compilation et une cartographie minutieuse de données nominatives. Ce portrait général d'un paysage à travers la structure spatiale de son économie à un moment particulier de son histoire laisse soupçonner une ouverture beaucoup plus grande sur l'extérieur et l'émergence d'éléments de modernité dans le paysage. Cette modernité s'exprime notamment par la présence d'un groupe de producteurs excédentaires concentré dans le bas des vallées fertiles du Gouffre et de la Malbaie, à proximité des moulins, des villages et des voies de transport fluviales. L'industrie forestière, la construction navale et la navigation entre Québec et Charlevoix sont également bien développées. Les villages sont en pleine croissance. Ces faits permettent déjà de supposer que, loin de constituer un bloc monolithique et figé dans des valeurs et des pratiques ancestrales, le paysage était traversé et marqué dans ses structures et ses pratiques par les bouleversements socio-économiques qui traversent le Bas-Canada au milieu du XIXᵉ siècle. Nous ne nions pas que cette région a rencontré des difficultés marquées au cours de cette période de transition de la socio-économie québécoise. Un fort mouvement migratoire vers le Saguenay au nord et vers les grands centres du Québec et de la Nouvelle-Angleterre dès le début de la décennie 1840-1850 en témoigne.

Notre objectif est d'aller au-delà du discours afin de mieux appréhender la territorialité régionale. Les concepts qui sont au centre de cette étude sont ceux de paysage, de représentation, de mythe, d'idéologie et de territorialité. Nous postulons que le discours élaboré sur la région depuis le début du XIXe siècle ne correspond pas à la réalité territoriale. Il correspond plutôt à un mythe, élaboré à partir de symboles issus de systèmes de représentation étrangers qui sont transposés sur le paysage charlevoisien. Ces symboles sont récupérés et réinterprétés par des langages nationalistes divers, ayant cependant pour but commun d'en faire un symbole du paysage national idéal du Québec. Le paysage est défini à travers les représentations d'abord en fonction de sa beauté et de son romantisme afin de satisfaire les besoins des citadins britanniques en mal d'aventure et de divertissement, puis à des fins d'élaboration et de propagande d'un discours identitaire québécois, s'articulant autour de la conservation des traits français et catholiques originaux de la collectivité et d'un mode de vie reposant essentiellement sur la pratique de l'agriculture familiale.

Par définition, l'idéologie est reliée au discours du groupe social dominant et en représente les valeurs et les intérêts. Elle explique, décrit, interprète et justifie la situation du groupe et ses objectifs en prétendant parler au nom de la collectivité. À partir de certaines valeurs largement partagées, elle tente de mobiliser cette collectivité en vue de l'action historique. Le mythe prend une part active dans l'élaboration et la diffusion des idéologies. Il en constitue d'ailleurs le cœur. Le mythe est absorbé par l'imaginaire collectif. Il associe des idées et des valeurs aux images et aux événements. Il explique et justifie les origines et l'évolution historique du groupe, en y ajoutant une coloration idéale et souvent mystique, surnaturelle. Il suggère également des actions à poursuivre en projetant ce passé dans l'avenir, en en faisant un idéal à atteindre. Ainsi l'idéologie dominante du XIXe siècle au Québec fait abondamment référence à l'histoire idéalisée de la Nouvelle-France caractérisée par la mission providentielle du peuple canadien-français. L'idéologie ruraliste s'y réfère également. C'est ce mythe fondateur du peuple canadien-français qui alimente les représentations du paysage charlevoisien à partir de la seconde moitié du XIXe siècle. Ces représentations s'alimentent également à celles qu'ont élaborées les Britanniques sur le paysage régional. Elles sont à la fois iconographiques et textuelles. Nous considérons ces représentations comme des véhicules d'idées et de valeurs individuelles et collectives exprimées sous une forme symbolique par des langages divers, qui sont reliés à autant de systèmes de représentation. Ces systèmes de représentation sont projetés sur l'espace. Ils sont par la suite absorbés et intégrés au paysage par ses occupants. Ainsi, les symboles traduits par un auteur peuvent être intégrés et interprétés en référence à un autre langage. Leur signification profonde peut en être modifiée.

Nous analyserons ces représentations d'une façon sémiotique, à travers le contenu des représentations d'abord. Nous examinerons les symboles qui les constituent et les messages globaux qui s'en dégagent. Nous replacerons également ces représentations dans leurs contextes historique, géographique et idéologique afin de les interpréter en fonction de leur contexte d'origine. Nous considérerons à cette fin le but et l'intention de la représentation, l'expertise de l'auteur, le médium utilisé, les goûts et les préférences du public, la place de cette représentation par rapport aux autres travaux de l'auteur, la provenance géographique et la condition sociale de l'auteur, la présence de normes ou de conventions, le contexte historique, les idéologies, la diffusion de l'œuvre, etc.

Nos sources sont nombreuses et variées. Il s'agit d'abord des représentations picturales de la région depuis le début du XIXᵉ siècle à 1900. Nous disposons à cet effet de 54 croquis, aquarelles, toiles, lithographies, etc., dont plusieurs furent publiés ou exposés au Canada, aux États-Unis et en Europe. Nous avons également examiné quatre récits de voyage, la plupart réalisés par les artistes de la première moitié du XIXᵉ siècle. Nous analyserons également la première étude de sociologie réalisée dans la région en 1861-1862 soit l'étude de Charles-Henri-Philippe Gauldrée-Boilleau sur le paysan de Saint-Irénée. Cette étude a eu un impact important sur la représentation du paysage charlevoisien jusqu'à tout récemment.

Nous tenterons, à l'aide de ces différentes représentations et études scientifiques, de dégager des paysages régionaux différenciés, se succédant et parfois se chevauchant dans le temps. Nous procéderons à partir des sources documentaires elles-mêmes pour définir la nature et l'évolution du paysage à travers ses représentations. Nous tenterons également de proposer un autre mode de lecture du paysage. À cette fin, nous confronterons les symboles et les messages véhiculés à travers les représentations à ceux qui sont obtenus à l'aide du langage de la territorialité. Pour ce faire, nous utiliserons des sources nominatives concernant la population locale. Nos sources de première main sont les recensements nominatifs de la région pour la période 1831-1871. Notre étude de la territorialité sera centrée sur cette période. Les raisons en sont les suivantes: 1) cette période marque une transition dans la socio-économie régionale qui traverse alors une période de mutation rapide, à la suite de nombreux changements structurels qui se produisent dans l'économie québécoise qui entre à cette époque dans l'ère du capitalisme industriel; 2) c'est également au cours de cette période que sont définis les principaux symboles qui sont encore utilisés aujourd'hui dans la représentation du paysage; 3) c'est également à ce moment que Charlevoix affirme sa vocation touristique à grande échelle qui a marqué le paysage jusqu'à aujourd'hui; 4) nous disposons d'une banque de données nominatives pour les recensements de cette période qui, jumelée à la carte ancienne et au premier cadastre officiel, nous permet d'obtenir une représentation fine du territoire et de ses structures socio-économiques. Ces informations nominatives, jumelées à des documents d'archives, nous permettent également de mettre au jour des dynamiques internes de la société.

Le portrait qui émerge de ces sources est très différent de celui qui est véhiculé par les représentations effectuées au XIXᵉ siècle. Il révèle un portrait beaucoup plus nuancé et diversifié des différentes activités qui s'insèrent dans le paysage. Il montre également que loin d'être caractérisée par un repli sur soi, la population charlevoisienne est soumise aux mêmes bouleversements socio-économiques qui traversent le Québec du milieu du XIXᵉ siècle. Il indique également que cette société a développé des mécanismes internes de réaction à ces bouleversements qui ne sont pas exclusifs à Charlevoix à cette époque, mais bien typiques des socio-économies de la périphérie de la vallée laurentienne, et même au-delà de celle-ci. La région est certes confrontée à des problèmes d'ordres structurel et conjoncturel. Elle mettra cependant en œuvre ses propres mécanismes de régulation afin d'y faire face. Ces mécanismes prennent notamment la forme d'une pluriactivité centrée autour de l'exploitation agricole, d'une forte émigration des jeunes en âge de s'établir et par une mise en valeur de son paysage à des fins touristiques.

Ce volume compte six parties distinctes. La première est consacrée à la présentation de la problématique, des sources et de la méthode à la base de cette analyse du paysage charlevoisien. La seconde a pour thème les premières représentations effectuées sur le territoire québécois qui sont à l'origine de l'appropriation physique du territoire charlevoisien. La population locale y a par la suite construit sa propre territorialité, en fonction de ses besoins et des possibilités offertes par l'environnement. Ce chapitre expose également la première lecture de cette territorialité particulière effectuée par des artistes et des fonctionnaires coloniaux au cours de la période 1800-1824. Les troisième et quatrième chapitres sont consacrés à la définition des liens particuliers établis entre l'homme, la société et le territoire et leur évolution au cours de la période 1831-1871 à travers les structures spatiales qui s'en dégagent. Le chapitre cinq expose les diverses représentations effectuées à partir du paysage résultant de cette symbiose homme-territoire de la période 1830-1858 ainsi que l'écart entre ces représentations et la structure spatiale de la socio-économie définie aux deux chapitres précédents. La dernière partie est consacrée aux représentations de la période 1861-1900 et les conséquences des représentations de la première moitié du XIXᵉ siècle: l'émergence du tourisme de villégiature. À travers ces six parties, nous analysons un paysage dans ses différentes composantes: esthétiques, idéologiques, sociales, économiques et géographiques.

L'étude des liens entre l'homme et le territoire révèle une nouvelle facette du paysage, différente mais complémentaire de celle révélée par les représentations picturales et textuelles et s'y alimentant en partie. Le paysage intègre les représentations qu'on y a construites. Les représentations influencent également la formation du paysage, de son identité et son évolution au même titre que les changements économiques qui se répercutent dans l'ensemble de la province. Le romantisme et les idéologies nationalistes canadiennes et québécoises, en représentant le paysage en tant qu'archétype du paysage national, contribueront au maintien du visage rural et traditionnel du paysage charlevoisien, qui deviendra littéralement « l'industrie » régionale par son apport économique important étroitement lié au mode de reproduction de la société rurale.

Ce volume constitue l'aboutissement de ma recherche doctorale en géographie (Villeneuve, 1998). Il a ainsi bénéficié de commentaires, d'appuis et de contributions diverses. Tout d'abord ceux de Serge Courville, codirecteur du Centre interuniversitaire d'études québécoises qui a agi à titre de directeur de la thèse, et de Brian S. Osborne (Département de géographie, Queen's University, Kingston) qui a supervisé une part importante de nos travaux concernant l'analyse des représentations du paysage charlevoisien. D'autres chercheurs ont également contribué à mes réflexions et analyses en commentant l'ensemble ou une partie de la thèse. Il s'agit de Marc Saint-Hilaire (Département de géographie, Université Laval), Marius Thériault (Département de géographie, Université Laval) et Gérard Bouchard (Institut de recherches sur les populations, Chicoutimi). Je tiens à les remercier chaleureusement de leur appui. Je remercie également le personnel de certains organismes publics et privés qui m'ont ouvert leurs collections et m'ont permis d'utiliser et de reproduire certaines de leurs pièces. Il s'agit des Archives nationales du Canada, de la Bibliothèque nationale du Canada et du Musée des beaux-arts du Canada à Ottawa, du Royal Ontario Museum de Toronto, du Musée de la civilisation, du Musée du Québec et des Archives nationales du Québec à Québec. Je suis également redevable au Fonds FCAR qui m'a fourni un important soutien financier par l'octroi d'une bourse doctorale. Je les en remercie sincèrement. Je tiens également à remercier ma mère Aline et mon conjoint Denis. Leurs encouragements et leur aide sous diverses formes dans les bons comme dans les mauvais moments m'ont permis de mener à bien ce projet. Des amis et compagnons d'études ont également été précieux. Ils m'ont aidé à vaincre l'isolement dans lequel nous plonge inévitablement la préparation d'une thèse et ils ont partagé avec moi les angoisses et les remises en questions qui surgissent en cours de route. Il s'agit de Michel, Louise, Josée, Marie-Josée, Claire et Lina.

Chapitre 1

Représentation et territorialité

Cette étude est centrée sur le problème de la représentation du paysage de la région de Charlevoix par rapport à la territorialité qui s'y exprime au cours du XIXe siècle. Cette région est située sur la rive nord du fleuve Saint-Laurent, à environ 100 km au nord-est de la ville de Québec. La paroisse de Petite-Rivière-Saint-François constitue la limite sud-ouest de la région qui s'étend jusqu'à Saint-Siméon au nord-est. Ce chapitre présente l'énoncé de notre problématique de recherche qui s'articule autour des notions de représentation du paysage et de territorialité. Nous y joignons une présentation de nos sources et de notre méthode d'analyse.

1.1 EXPOSÉ DE LA PROBLÉMATIQUE

L'objectif de cet ouvrage est de présenter l'évolution des représentations du paysage charlevoisien au XIXe siècle et de les confronter au paysage obtenu par une lecture plus sensible au concept de territorialité. Nous obtiendrons ainsi d'un côté le paysage qui résulte du discours des élites et, de l'autre, le paysage qui traduit les liens étroits établis entre le territoire et ses occupants au XIXe siècle. Plus généralement, notre objectif est de déterminer d'où provient l'image du paysage charlevoisien en tant que prototype de la stabilité, de l'homogénéité et de la tradition au Québec. Dans un deuxième temps, notre objectif est de vérifier si cette représentation correspond à la réalité, si elle témoigne de l'évolution des structures spatiales et des fonctions inscrites dans le paysage au cours du siècle. Nous désirons également déterminer dans un troisième temps si ce discours immobiliste a eu un impact sur la formation de l'identité du paysage et sur l'évolution de ses structures et de ses fonctions.

Nos hypothèses sont les suivantes: la représentation immobiliste et folklorique du paysage traduite par les représentations tant textuelles que picturales au XIX⁰ siècle est le résultat d'une projection sur le paysage de systèmes de représentations européens, principalement britanniques et français. Certaines études récentes ont démontré comment ces systèmes de représentation ont été récupérés par la société canadienne-française de la première moitié du XIX⁰ siècle et intégrés à la définition de sa propre identité (Bouchard, 1993; Courville, 1993; Dumont, 1993). Nous observons le même phénomène à une échelle plus grande, celle de la région de Charlevoix. Ces représentations correspondent à des discours conservateurs élaborés par les élites sociopolitiques à la fois britanniques et canadiennes-françaises de l'époque. Chacune emprunte à ses vis-à-vis certains éléments symboliques de son système de représentation. Il en résulte une récupération de symboles qui sont réinterprétés en référence à un autre contexte idéologique. Le résultat de cette dynamique est de créer à travers les représentations un paysage mythique faisant appel à la fois au mythe fondateur de la nation canadienne-française et de ses traits culturels spécifiques en Amérique du Nord, et à l'idéologie romantique britannique qui y voit un paysage rural typique de la diversité des paysages canadiens.

Nous postulons également que ces représentations ne correspondent pas au paysage tel qu'il est reflété par l'examen des relations entre la population et le territoire: celles-ci révèlent un paysage beaucoup plus nuancé et complexe, traversé par de nombreux changements socio-économiques qui le verront se modifier considérablement au milieu du XIX⁰ siècle, alors qu'ironiquement les représentations l'emprisonnent dans le passéisme et l'immobilisme. Le système de représentation énoncé plus haut a cependant, en retour, contribué à l'évolution de ce paysage en l'investissant d'une mythologie nationaliste (à la fois québécoise et canadienne) et romantique qui lui imprimera sa marque de manière durable. L'expression « mythologie nationaliste » réfère à l'attribution de valeurs et de traits culturels typiques du Canada français à certains éléments du paysage charlevoisien qui, à la longue, en feront un archétype du paysage canadien-français. Ces valeurs sont le caractère sauvage et romantique du paysage, le mode de vie sain et vertueux des habitants, leur ferveur religieuse et leur simplicité. Les symboles qui illustrent ces valeurs sont les hautes montagnes couvertes de forêts, le grand fleuve aux eaux tranquilles parsemé de petites embarcations à voile, l'agriculture familiale, le village et l'église. La région de Charlevoix est donc très tôt au XIX⁰ siècle investie de significations. Elle devient un lieu de mémoire collective. Les nombreuses représentations dont il sera l'objet à partir de la seconde moitié du XIX⁰ siècle témoignent de l'intérêt de ce paysage et de ses occupants en tant que référence pour la mémoire collective.

Le milieu du XIX siècle voit donc un changement majeur dans l'interprétation de l'identité du paysage charlevoisien. D'une campagne bas-canadienne quelconque par ses structures et ses fonctions telle qu'elle est illustrée par les premiers artistes de passage dans la région, elle est réinterprétée quelques décennies plus tard comme centrée sur elle-même et figée dans ses valeurs et ses coutumes ancestrales, comme si son évolution s'était arrêtée quelque part entre 1830 et 1850. De nombreux chercheurs se sont penchés sur cette période trouble de l'histoire socio-économique du Québec. Elle correspond à une période de changements structurels importants dans l'économie de la province, qui est alors investie par le grand capital industriel. Le visage social et économique du territoire change alors rapidement. Certaines aires géographiques connaissent un développement économique important alors que d'autres sont nettement défavorisées. Entre les deux, se situent des positions intermédiaires. Charlevoix est classé dans le groupe des secteurs qui n'ont pas réussi à s'intégrer à la nouvelle économie industrielle et qui se sont trouvés écartés des grands axes de développement industriel. Plusieurs facteurs ont été invoqués afin de rendre compte de cet échec apparent: l'éloignement des grands centres, les difficultés de communication imposées par le milieu géographique, le manque de capital régional, d'entrepreneurship, l'exode des jeunes, un esprit réfractaire au changement, l'isolement, etc. Dans la présente étude, notre ambition n'est pas de déterminer les causes de l'échec de l'implantation de la grande industrie dans Charlevoix en dehors du secteur forestier. Nous postulons toutefois que cette projection d'idéologies conservatrices sur le territoire, qui définissent sa personnalité en référence à ses traits issus de la civilisation rurale traditionnelle, a eu un effet certain sur le développement social et économique de la région. Le paysage naturel et social devient, à partir du milieu du XIXᵉ siècle, « l'industrie » première de la région alors qu'il est l'objet d'un intérêt croissant de la part des bourgeois canadiens et américains à la recherche de lieux grandioses et pittoresques, non touchés par les progrès de la civilisation industrielle. Les symboles attribués au paysage sont alors en complète opposition avec ceux de l'économie urbaine industrielle en pleine expansion dans les grands centres de la province. Ainsi, au-delà des désavantages d'ordre économique que représente Charlevoix pour un développement capitaliste industriel, les symboles attribués à son paysage en tant que mythe ont certainement eu un effet dissuasif sur ceux-là mêmes qui venaient profiter des eaux pures et du charme tranquille de ce coin du fleuve Saint-Laurent.

1.1.1 Le cadre théorique et conceptuel

Notre étude s'articule donc d'abord autour de la notion de paysage, entendu à la fois comme support matériel, comme témoin des structures spatiales et des faits de circulation qui s'expriment dans l'espace. Ces structures résultent du jeu des forces économiques et sociales en présence ainsi que des rapports particuliers de l'homme à l'espace et de l'homme à la société. Le paysage est également un moyen d'expression culturelle, une matière première perçue et décodée en fonction de codes symboliques divers élaborés par les sociétés. Cette définition est similaire à celle que J. M. W. Mitchell a élaborée en 1994 qui lie d'une façon très intime le paysage et la culture. Il le considère comme un «hiéroglyphe social» qui, à la manière de l'argent, établit une base commune à sa valeur par des conventions concernant son apparence (Mitchell, 1994: 5). La valeur du paysage est donc fondamentalement culturelle. Étant donné le rapport intime entre les conventions et le discours dominant des sociétés, le paysage devient un véhicule et une actualisation dans l'espace de ce discours lié au pouvoir. À cet effet, il est également tributaire de l'un des catalyseurs les plus importants de l'idéologie, le mythe, qui agit comme un modèle à la base du choix des valeurs et des idées liées à la définition d'une collectivité et à ses objectifs d'accomplissement en tant que société (Morissonneau, 1978: 7-11). Ainsi, le paysage est à la fois la matière première et le produit final. Il actualise les représentations formulées par le discours et sa symbolique particulière sous une forme matérielle.

La théorie de la représentation est centrale à nos travaux. Elle précise le contexte qui entoure la représentation picturale ou textuelle. Elle a été appliquée à l'histoire de l'art et à la communication visuelle par Erwin Panofski, John Goodman et Ernest Gombrich dans les années 1950 et 1960. Selon ces auteurs, la représentation est le résultat d'un processus complexe entre la perception des formes par les sens et leur interprétation en fonction du système symbolique particulier de l'individu. Il s'agit d'un processus essentiellement culturel, à partir de la perception sensorielle jusqu'à l'intégration de cette perception à l'expérience symbolique de l'individu. En conséquence, aucune représentation ne peut prétendre à une appréhension de la réalité globale d'un objet ou d'un ensemble d'objets. La représentation dite «fidèle ou réelle» de l'objet sous sa forme picturale ou textuelle correspond aux normes et aux conventions culturelles qui déterminent l'apparence de cette réalité. L'histoire de l'art, tant du paysage que du portrait ou des autres genres, doit accorder une place importante à l'histoire des cultures et des idéologies en plus de celle des techniques et de l'œuvre de l'artiste afin de prétendre à une compréhension de l'œuvre dans sa totalité. L'art du paysage est donc largement tributaire de l'histoire des idéologies et du rapport à l'espace qu'il reproduit à travers l'artiste. La provenance géographique et culturelle de ce dernier devient très importante dans une représentation particulière du paysage. La partie suivante définit plus en détails les mécanismes du processus de la représentation et de la variation culturelle du rapport à l'espace qu'elle implique.

Cet ouvrage présente une analyse du contenu des diverses représentations du paysage au XIX⁰ siècle afin d'en extraire les principaux messages. Nous voulons également déterminer les éléments qui sous-tendent ces visions particulières d'un paysage québécois par les arts et les sciences sociales du XIX⁰ siècle. Nous allons exposer de quelle manière ces représentations ont par la suite influencé la formation de l'identité du paysage et son évolution à travers la période. Nous présenterons également comment la convergence du Romantisme britannique et de l'idéologie cléricoconservatrice sur la représentation du paysage de la seconde moitié du XIX⁰ siècle a contribué à créer un paysage mythique dans Charlevoix. Ce paysage est celui du type idéal de la nation canadienne-française, qui s'appuie sur la pratique d'une agriculture de subsistance et d'un héritage culturel français et catholique. Son identité s'inspire également de son milieu naturel grandiose et sauvage, encore peu touché par le mouvement industriel qui modifie rapidement, à cette époque, l'identité des paysages québécois et canadiens. C'est l'apport du mouvement romantique qui dicte les règles de l'esthétique du paysage au cours de la seconde moité du XIX⁰ siècle.

Nous avons choisi la période 1800-1900 parce qu'elle permet d'obtenir une vision de l'évolution des représentations durant la période qui précède et qui suit la période charnière dans l'évolution du vécu territorial entre 1831 et 1871. Notre objectif étant de cerner l'effet de ces représentations sur la formation de l'identité régionale, il était donc important de couvrir la période qui précède l'émergence de cette identité au début du XIX⁰ siècle. Les aquarelles de Georges Heriot au tournant du XIX⁰ siècle sont l'une des premières représentations picturales du territoire[1]. Nous avons décidé d'interrompre notre étude à la fin du siècle. À ce moment, l'identité du paysage en tant que milieu naturel grandiose et sauvage, au mode de vie traditionnel et pittoresque, est clairement établie.

---

1. Les premières représentations datent de 1784 et elles ont été réalisées par le lieutenant James Peachey. Ce sont cependant des vues de la côte, prises du large à bord d'un navire. Elles sont avares de détails concernant les établissements humains.

1.1.2 Idéologie et art du paysage

Des études tendent de plus en plus à démontrer l'impact de l'art du paysage sur la création et la diffusion des idéologies. Celles qui ont été réalisées sur l'apparition de l'art du paysage en Europe au XVIIe siècle sont claires sur ce point (Mitchell, 1994; Daniels, 1993). Des recherches récentes découvrent le même phénomène dans le cadre d'études sur l'émergence de l'identité canadienne qui se produit à la fin du XIXe siècle (Osborne, 1988; 1995; Reid, 1979; Baker et Biger (dir.), 1992). Selon le professeur Osborne, les artistes ont joué un rôle majeur dans la définition de l'identité nationale. L'art constitue un véhicule puissant de diffusion des valeurs à l'intérieur d'une société. L'art du paysage est associé depuis ses origines à la formation de l'identité nationale et à la promotion de l'État. En contexte colonial, toutefois, le processus est différent. Les premières représentations du paysage sont le fait des représentants de l'empire qui y inscrivent leur vision du territoire et, de cette façon, se l'approprient symboliquement. Au Canada, les premières manifestations nationales à travers l'art datent de l'époque de la Confédération, durant la seconde moitié du XIXe siècle, alors qu'apparaît l'urgence de créer un sentiment d'appartenance au pays. L'art canadien devient alors un moyen d'affirmation et de propagande de l'unité nationale, en présentant un large panorama de ses paysages différenciés, en respectant toutefois les goûts artistiques du public victorien de l'époque. Au Québec, ces manifestations d'une identité nationale à travers l'art du paysage sont encore plus tardives. À l'exception de quelques toiles du peintre Joseph Légaré pendant la première moitié du XIXe siècle, il faut attendre le début du XXe siècle avec l'arrivée de peintres comme Clarence Gagnon, Marc-Aurèle de Foy Suzor-Côté et Marc-Aurèle Fortin pour qu'apparaisse un art du paysage plus sensible à l'expression d'une «territorialité québécoise qui témoigne d'une appartenance continentale autre qu'européenne» (Trépanier, 1995: 235). Cette territorialité s'exprime à travers la représentation de la paroisse rurale, en mettant en valeur les caractères témoignant des valeurs catholiques, françaises et agriculturistes visibles dans le paysage (Trépanier, 1995: 236). En ce sens, l'art du paysage récupère et contribue à diffuser l'idéologie agriculturiste dominante de l'époque au Québec.

Les quelques études qui intègrent la dimension idéologique de la représentation du paysage à travers l'art au Québec (Boulizon, 1984; Karel, 1995; Trépanier, 1995) tendent à démontrer le lourd héritage européen de cet art au cours du XIXe siècle, tant au chapitre des idéologies et des mouvements esthétiques que dans le style artistique que ces représentations affichent. En ce qui concerne la région de Charlevoix, un inventaire de l'art du paysage a été dressé par Raymond Vézina (1976) dans le cadre des travaux du groupe PAISAGE du département de géographie de l'Université Laval. Il s'agit d'une classification des œuvres par période et par style artistique. L'objectif de l'ouvrage était de dresser un inventaire de la production artistique pour la région. Vézina n'aborde cependant pas la question de l'impact de ces représentations sur l'identité régionale et sur ses prémices idéologiques. Quelques recueils des œuvres artistiques qui concernent la région de Charlevoix réalisées depuis la fin du XVIIIᵉ siècle ont été publiés. Ce sont les artistes et les styles artistiques qui sont au centre de ces études. Soulignons à cet effet celui de Victoria Baker publié en 1981 ainsi que celui de Richard Dubé et François Tremblay (1989). Ce dernier ouvrage a pour thème principal l'œuvre des peintres populaires de Charlevoix qui prolifèrent à partir de la décennie 1920-1930 sous l'impulsion de l'intérêt nouveau que suscite la culture populaire dans les milieux aisés. La thèse de doctorat d'Andrée Gendreau (1982) mérite également d'être soulignée. Il s'agit d'une analyse minutieuse de l'idéologie présente dans la production artistique dans Charlevoix au début du XXᵉ siècle. L'auteure met ces représentations en relation avec la socio-économie du territoire. Ses références sont toutefois liées aux représentations idéologiques traditionnelles élaborées à propos de la société charlevoisienne (Gauldrée-Boilleau, Raoul Blanchard, Arthur Buies, etc.). En conséquence, elles ne nous renseignent que très peu sur les liens réels établis entre l'homme et le territoire, le portrait socio-économique tiré des auteurs de l'époque et la production esthétique des artistes locaux s'alimentant au même discours. Son objectif n'est pas de confronter représentation et territorialité, mais d'utiliser les activités traditionnelles de la socio-économie locale en tant que « contexte social et idéologique constitutif du sens des œuvres » (Gendreau, 1982 : 104). Une base de données sur l'art du paysage au Québec est actuellement en construction au Laboratoire de géographie historique du Centre interuniversitaire d'études québécoises à l'Université Laval. En juillet 1996, cette banque de données contenait plus de 3 400 croquis, aquarelles et peintures de paysages québécois datant du Régime français à 1940. Il s'agit d'une étape préliminaire qui devrait mener à une étude géo-historique de ces représentations. Notre projet s'inscrit dans le cadre de cette problématique. Nous espérons que nos travaux permettront de mieux saisir les liens et les différences entre représentations et territorialité.

Très peu de chercheurs se sont intéressés à la question de la représentation de l'espace québécois. Mentionnons toutefois les travaux de Normand Séguin sur la signification de la paroisse dans l'organisation communautaire au Québec au XIXᵉ siècle (Séguin, 1995) et celle de Christian Morissonneau (1978) sur l'idéologie à la base du mouvement de colonisation au Québec au XIXᵉ siècle et au début du XXᵉ siècle. Notons également l'étude réalisée par Jacques Mathieu et Jacques Lacoursière (1991) sur les grands traits de la représentation mythique de l'espace québécois telle que construite par la mémoire collective au fil de l'histoire. Les auteurs y relèvent des éléments de permanence et de changement, mais aussi de nombreuses contradictions entre la dimension mythique et les pratiques actuelles en ce qui concerne l'espace. Les travaux de Serge Courville se concentrent sur le rang comme noyau d'expression des liens entre population et territoire au XIXᵉ siècle et comme centre de la vie de relation. Serge Courville et son équipe de chercheurs ont réalisé la première étude qui tente de mesurer l'impact du discours politicosocial dominant au XIXᵉ siècle sur la représentation de l'espace québécois. Ce groupe propose une nouvelle représentation de ce paysage au XIXᵉ siècle (Courville, Robert et Séguin, 1995). Ces recherches ouvrent de nouvelles perspectives dans l'étude des représentations du paysage au Québec à partir de sources documentaires peu utilisées jusqu'à maintenant tels la carte ancienne et les recensements nominatifs du XIXᵉ siècle.

1.1.3 Le cadre disciplinaire de la recherche

Notre approche scientifique se situe dans le cadre de la géographie humaniste. Cette géographie se concentre sur le vécu, sur l'expérience de l'individu dans son milieu. Elle tente notamment d'établir les mécanismes psychologiques et culturels, individuels et collectifs à la base de la perception de l'environnement par un individu et la façon dont il réagit et s'adapte à celui-ci. Les représentations du paysage à travers l'histoire s'inscrivent également dans ces préoccupations. Cette nouvelle géographie des représentations individuelles et collectives possède un caractère très multidisciplinaire. Elle fait appel à des concepts empruntés à de nombreuses disciplines comme la philosophie, la psychologie, l'histoire de l'art, la littérature, etc. En géographie historique, cette approche a donné lieu principalement à des études sur les représentations du paysage et la perception de l'environnement. Cette géographie s'attache à identifier les mécanismes à la base des représentations spatiales et la manière dont elles ont influencé l'évolution des paysages.

1.2 DÉFINITION DES CONCEPTS : PAYSAGE, REPRÉSENTATION, TERRITORIALITÉ

En plus des mécanismes à l'origine de la représentation d'un paysage, nous nous intéressons aux liens étroits noués entre l'homme et son territoire. Nous nous inspirons à cet effet de la notion de territorialité telle que Claude Raffestin la définit. Les liens homme-territoire sont caractérisés par une relation triangulaire : homme - territoire - société. Cette notion relève d'une problématique relationnelle. Elle fait une large place non seulement aux structures spatiales, aux maillages, mais également à la circulation, aux échanges : les nodosités et les réseaux inscrits à l'intérieur et entre les maillages. Raffestin définit la territorialité comme «un ensemble de relations prenant naissance dans un système tridimensionnel société-espace-temps en vue d'atteindre la plus grande autonomie possible compatible avec les ressources du système (Raffestin, 1980: 145).» Elle caractérise donc les relations qui s'inscrivent entre les sociétés, médiatisées par le territoire. Ces relations varient dans le temps. Il s'agit donc d'un système dynamique. La notion de pouvoir est également centrale dans une telle étude, celle-ci détermine la nature symétrique ou dissymétrique des relations et les gains ou pertes des acteurs. Nous tenterons de déterminer pour Charlevoix certains éléments de cette dynamique relationnelle société-territoire et ses modifications au cours de la période 1831-1871. Pour ce faire, nous utiliserons les données des recensements nominatifs de la période comme source principale. L'analyse de ces données dans une perspective structurale et relationnelle nous permettra de mieux comprendre la dynamique du paysage charlevoisien au XIXᵉ siècle et de mesurer l'écart entre cette représentation et celles que les élites sociopolitiques du XIXᵉ siècle ont formulé.

Cet ouvrage gravite autour des concepts suivants appliqués à la notion de paysage (figure 1.1). Il s'agit d'abord du concept de représentation, entendu dans le sens sémiotique du terme, soit celui de l'application d'un langage particulier à un objet visuel pour le projeter dans un espace linguistique, logicomathématique ou pictural (Raffestin, 1977: 123). Deux de ces langages particuliers seront définis et utilisés. D'abord l'idéologie, en tant que système de représentation investi de pouvoir sur l'espace et son corrolaire le mythe, qui a pour fonction de définir la symbolique profonde du paysage. Le second concept d'importance est celui de paysage, entendu dans le sens à la fois d'un support matériel et d'un moyen d'expression culturelle. Nous nous attarderons également à des concepts qui rendent compte du rapport particulier de l'homme au paysage et qui influencent la façon dont un individu se représente l'espace. Le premier se veut une façon de rendre compte de la dynamique interne de ce rapport. Il s'agit de la territorialité telle que Claude Raffestin l'a formulée à partir de 1977. Celui-ci

FIGURE 1.1

CADRE CONCEPTUEL: LE PROCESSUS DE LA COMMUNICATION

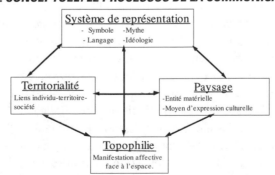

la définit comme étant le système de relations, entendu comme un processus d'échange ou de communication, qu'entretient une collectivité avec l'extériorité (le milieu) (Raffestin, 1977 : 130). Le deuxième est une manifestation d'ordre affectif de cette relation entre l'individu et l'environnement, la topophilie. Yi-Fu Tuan (1974 : 4) la définit comme étant un lien affectif développé entre un homme et un endroit ou une scène. Ces différents éléments sont liés les uns aux autres et s'influencent mutuellement par la circulation des idées sur et à travers l'espace et les sociétés. La présente partie définit ces concepts de façon plus détaillée tout en situant notre démarche épistémologique par rapport à ceux-ci.

1.2.1 Le paysage et sa lecture

Le terme «paysage» recouvre une réalité mouvante dans l'histoire. Le sens donné au terme depuis le XVIᵉ siècle reflète l'évolution même des sociétés occidentales. Le terme apparaît alors que les Européens commencent à s'intéresser à la contemplation de vues d'ensemble et de points de vue particuliers, naturels ou humanisés, en fonction de leur valeur esthétique. D'une façon générale, le paysage naît d'une nouvelle façon de «voir» l'espace, qui est associée à la modernisation de l'Europe qui voit apparaître l'État moderne et le sentiment d'appartenance nationale, l'urbanisation, le développement des voies de communications, de l'industrie, l'apparition du loisir, etc. L'impérialisme et le vaste mouvement d'exploration qui y est lié éveillent également la curiosité des classes supérieures pour le paysage. Selon Mitchell, le paysage est le produit du modernisme. Il est un symptôme de l'éveil et du développement du capitalisme (Mitchell, 1994 : 7). Il exprime aussi un rapport à l'altérité, à ce qui est extérieur à soi. Le concept de «paysage» n'apparaît véritablement qu'au XVIᵉ siècle alors qu'on trouve les premières descriptions littéraires de paysages en Europe de l'Ouest. Le terme est étroitement associé à sa représentation artistique en peinture, l'art du paysage. Selon Augustin Berque (1995) d'ailleurs, il est significatif que le terme paysage désigne à la fois l'environnement et sa représentation sous forme picturale. Le fait que nous ne sentions pas la nécessité de distinguer la chose de sa représentation résulte sans doute du fait que l'action est déterminée par l'image que l'homme s'est fait du paysage et non de l'objet lui-même. «Les sociétés aménagent leur environnement en fonction de l'interprétation qu'elles en font, et réciproquement elles l'interprètent en fonction de l'aménagement qu'elles en font (Berque, 1995 : 15).» Le paysage est donc le résultat de représentations différenciées actualisées dans l'espace. Ces formes deviennent à leur tour objet de représentations et de réinterprétations. Ce processus est également identifié par Raffestin (1980 : 130-135) qui souligne que l'espace devient territoire à partir du moment où l'acteur se l'approprie au moyen d'un code symbolique. Il signale à cet effet l'apparition de la géométrie euclidienne dans la représentation cartographique à la Renaissance. L'espace est donné, il est préexistant à toute représentation, à toute action.

L'action est motivée par l'image construite du paysage par cet acteur et non par l'expérience du terrain. Le paysage est donc le résultat d'une dynamique. Il évolue dans le temps selon les représentations qu'en font ses observateurs, qui auront à leur tour un impact sur l'évolution de ses formes. Cette définition est toute récente. Le paysage a englobé plusieurs réalités depuis sa naissance au XVIe siècle en Europe.

L'art du paysage fait son apparition au XVIIe siècle en Hollande et se répand à travers l'Europe impériale. Yi-Fu Tuan définit ainsi cet art : « *Landscape painting is an arrangement of natural and man-made features in rough perspective ; it organizes natural elements so that they provide an appropriate setting for human activity* (Tuan, 1974 : 122).» Il s'agit donc d'une représentation, la plupart du temps idéalisée, de l'environnement dans lequel l'homme évolue. Cette définition suggère également une manipulation de cet environnement. On «organise» l'espace, on le transforme pour le rendre conforme à l'idée qu'on s'en fait, de ce qu'il devrait être. Dès ses origines les plus anciennes donc, l'art du paysage constitue une représentation plus ou moins idéalisée de l'espace. Yi-Fu Tuan souligne également l'influence des peintres hollandais sur l'art du paysage européen, notamment sur des paysagistes comme Constable et Crome : « *The Dutch have strongly influenced the English painters in the direction of closer observation of nature and away from the dreamy romanticism of literary landscapes* (Tuan, 1974 : 124).» Il atteint le sommet de sa popularité au XIXe siècle alors qu'on le trouve dans tous les espaces coloniaux modernes. Des recherches récentes ont cependant démontré que son émergence en Hollande est très liée à la conjoncture politique, économique et sociale du pays. Selon Ann Jensen Adams (1994), l'art du paysage hollandais s'inscrivait à la fois en réponse et venait naturaliser des réformes profondes dans ces trois sphères de la vie nationale.

Le paysage est donc défini à l'origine comme un concept englobant divers éléments naturels et humanisés dans un panorama visuel. Il est apprécié selon les critères esthétiques d'une époque et d'une société particulières. Sa représentation dans les arts est très liée à ces perceptions collectives. Le développement des sciences au début du XIXe siècle a conduit à une perception et à une analyse très différente des paysages. Alors que la science de l'époque en est une de découverte et de classification des phénomènes observés, le paysage devient l'objet principal de cette grande curiosité scientifique. Le développement de cet intérêt pour le paysage fait suite à l'ère des grandes explorations du XVIe au XIXe siècle. La géographie en fait son objet d'étude principal. À l'origine, la géographie est une science descriptive, qui s'attache au «vu» du paysage. Elle localise les phénomènes, décrit le paysage en fonction de ses éléments constitutifs divisés en éléments physiques (rivière, forêt, plaine, montagne, etc.), humains (ville, port, etc.) et elle classifie les phénomènes observés. C'est la notion de découverte, liée à la fonction d'abord exploratrice de la géographie, telle qu'Alexander von Humboldt (1852) la pratique au début du XIXᵉ siècle. Le paysage est alors un assemblage d'éléments divers, fixes dans le temps, qui doivent être répertoriés, analysés et classés afin d'obtenir une compréhension globale de celui-ci. L'analyse s'effectue à partir d'une étude descriptive détaillée de ses composantes individuelles et de leurs influences mutuelles dans un espace. À la fin du XIXᵉ siècle, la nouvelle perspective morphofonctionnelle introduite en géographie par Paul Vidal de La Blache est à l'origine d'une géographie du paysage. Cette nouvelle façon de voir le paysage, qui intègre alors les composantes biophysiques et humaines de l'espace dans un même système, donne naissance aux notions de milieu, de genre de vie et de circulation. Le paysage devient alors « un fait de civilisation, les résultats intégrés des influences naturelles, historiques et sociales qui entourent la relation homme-nature dans un lieu donné » (Courville, 1995 : 15). Pour la première fois, l'homme est considéré comme une partie constituante du paysage et participe à son évolution.

De l'image statique et extérieure à une fonction purement esthétique à la Renaissance, le paysage devient un concept dynamique, un système global où interviennent les notions de changement, d'évolution, de fonction et de circulation. Il n'est plus une entité extérieure à l'individu, il l'englobe. Cette conception du paysage en tant que produit d'une évolution des relations établies entre l'homme et la nature, héritée des développements des sciences naturelles à la fin du XIXᵉ siècle, prévaudra pendant la première moitié du XXᵉ siècle. Les travaux du géographe américain Carl O. Sauer s'inscrivent dans cette problématique. Il définit la géographie en 1925 comme étant la science de l'observation directe du paysage, ayant pour objet de saisir l'ensemble de ses éléments constitutifs (biophysiques et anthropiques) et leurs interactions mutuelles (Sauer, [1925] 1963 : 320-321). Elle est une science de relation. Il endosse également la définition de Paul Vidal de La Blache qui affirme le rôle essentiel de l'homme en tant que partie intégrante et agent de transformation du paysage. Cette conception du paysage privilégie toujours le « vu ». De nouveaux courants d'analyse apparus depuis la décennie 1960-1970 ont introduit de nouvelles conceptions du terme « paysage ». Pendant les années 1970, le paysage devient un plan, un espace soumis aux règles d'un jeu de pouvoir, la simulation d'un jeu structural (Raffestin, 1977 : 127). La nouvelle géographie s'alimente de modèles mathématiques et d'idéologies marxistes. Le paysage y devient une entité théorique, théâtre de l'affrontement de forces économiques et politiques. Il est à la fois le terrain de luttes de pouvoir et son résultat (Raffestin, 1977 : 127). Une nouvelle notion prend donc place dans la définition du paysage, celle de « pouvoir ». L'évolution et l'apparence d'un paysage résultent en grande partie des luttes de pouvoir dont il est l'objet, tant au plan économique et politique que social.

Dans la décennie 1000 1000, on ajoute une nouvelle dimension au paysage à l'intérieur de la géographie humaniste. On définit alors le paysage en fonction du vécu des sociétés qui l'habitent. Le paysage devient une « image culturelle », une façon visuelle de représenter, de structurer ou de symboliser un environnement (Cosgrove et Daniels (dir.), 1988 : 1). L'analyse du paysage doit inclure non seulement sa forme concrète, mais également les diverses représentations qui en ont été offertes (picturales, écrites, verbales). Pour Cosgrove et Daniels, les représentations ne doivent pas être considérées comme des images extérieures au paysage, mais bien comme des images constituantes de sa signification. Ils affirment que toute étude d'un paysage transforme sa signification et y ajoute une nouvelle strate de représentation culturelle. Le paysage devient donc une entité dynamique. Non seulement il projette une image, mais il absorbe l'image de lui-même transformée par un code d'interprétation particulier. Son évolution est donc le résultat d'une dynamique particulière, qui prend la forme d'un dialogue constant entre les formes du paysage et les représentations qui en sont faites.

Récemment, W. J. T. Mitchell (1994 : 5-18) proposait une définition qui, a l'instar de celle de Cosgrove et de Daniels, considère le paysage comme un produit culturel. Il le définit d'abord comme un support physique concret, le résultat d'idées et d'actions qui se matérialisent dans un espace à travers le temps. Le paysage affiche par le fait même les relations de pouvoir présentes et passées dans cet espace en même temps qu'il constitue un instrument de pouvoir culturel. Mitchell présente également le paysage comme un média, un moyen d'expression culturelle. Il a alors pour fonction, par rapport aux idéologies, de naturaliser les constructions sociales et culturelles en représentant le monde des idées d'une façon matérielle dans l'espace. Le paysage est également une représentation. Celui-ci interpelle son occupant ou son observateur qui s'inscrit lui-même en relation par rapport à l'espace (Mitchell, 1994 : 1-2). Tout comme le langage ou la peinture, le paysage est rempli de symboles culturels. Il est un moyen de communication. Il réunit un ensemble de formes symboliques qui peuvent être utilisées et transformées afin d'exprimer des valeurs et des significations particulières.

C'est cette définition du paysage que nous utilisons dans notre étude du paysage charlevoisien et qui sert de trame de fond à la structure de cet essai. Les six parties de l'ouvrage forment le cycle de l'évolution du paysage charlevoisien au XIXe siècle, à travers la territorialité qui s'y développe, mais également à travers les représentations faites de cette territorialité. Nous terminons par la façon dont elles ont pénétré cette société et son genre de vie durant la seconde moitié du XIXe siècle. Après un exposé des systèmes de représentation à l'origine de l'investissement physique du territoire charlevoisien et les premières représentations qu'on y effectue au début du XIXe siècle, nous consacrons deux

chapitres à une étude des liens particuliers établis entre les occupants et le territoire. Nous y dégageons les principaux traits de la vie sociale et économique qui
se déroule dans deux paroisses au cours de la période 1831-1871. Les deux dernières parties sont consacrées aux représentations effectuées sur le paysage et
la société charlevoisienne à travers la peinture et les récits de voyage à partir de
la décennie 1830-1840, pour terminer avec les modifications qui résultent d'une
centaine d'années de projection de systèmes de représentations divers sur cet
espace et la façon dont cette nouvelle identité culturelle est intégrée à la vie
sociale et économique des occupants du territoire. Voyons d'abord le cadre conceptuel de l'analyse des représentations et de la territorialité, qui sont à la base
de cette analyse du paysage charlevoisien au XIXᵉ siècle.

1.2.2 Les représentations du paysage

Le terme «représenter» est souvent associé dans les dictionnaires classiques à
«substituer, remplacer», «présenter à la place de». En arts, on l'associe à la figu-
ration, la simulation. Le terme implique donc la présence d'un intermédiaire, soit
une personne physique, soit l'imagination. En linguistique, on considère la représentation comme le résultat de l'application d'un langage particulier à un objet
visuel pour le projeter dans un espace linguistique, logicomathématique ou pictural. La représentation d'un objet implique la connaissance de la part d'un individu d'une conception générale ou d'un système de concepts qui lui permet de
passer de la connaissance immédiate ou perceptuelle de l'objet à sa connaissance théorique et abstraite, sa représentation. La représentation «n'est pas une
adhésion à la réalité du monde, mais une prospection de cette réalité, un effort
d'intelligibilité, au sens étymologique de ce mot» (Raffestin, 1977: 133). Cet
énoncé se rapproche de la définition élaborée dans le cadre de la théorie de la
représentation dans les arts formulée par des historiens de l'art comme Nelson
Goodman (1968) et Ernest Gombrich (1977). W. J. T. Mitchell (1986) reprend cette
définition et l'applique à la notion d'image. La représentation est donc une appréhension théorique d'une réalité, elle «dénote» la réalité. Cette appréhension est
fonction du système de concepts utilisé afin de l'assimiler. Elle ne constitue pas
une copie conforme de son objet. Cette connaissance «est langage dans la
mesure où celui-ci est défini comme un lieu de médiation, comme un écran sur
lequel se dessinent les formes intelligibles du monde» (Raffestin, 1977: 123). Les
systèmes de concepts ou les modes de représentation sont donc un langage. Ce
langage est, de ce fait, un lieu de médiation qui permet de rendre intelligible le
monde d'une époque, d'un espace et d'une société donnée. On peut donc les
qualifier de système de représentation. La représentation dépend de deux éléments précis: d'abord, l'appareil perceptuel de l'individu, ses sens; ensuite, le
«langage» de cet individu constitué de valeurs, de normes, de conventions et de

coutumes qui entourent le choix du système de concepts utilisé afin de rendre la réalité intelligible. Selon Ernest Gombrich:

> There is no innocent eye. The eye comes always ancient to its work, obsessed by its own past and by old and new insinuations of the ear, nose, tongue, fingers, heart, and brain. It functions not as an instrument self-powered and alone, but as a dutiful member of a complex and capricious organism. Not only how but what it sees is regulated by need and prejudice. It selects, rejects, organizes, discriminates, associates, classifies, analyses, constructs. It does not so much mirror as take and make; and what it takes and makes it sees not bare, as items without attributes, but as things, as food, as people, as enemies, as stars, as weapons. Nothing is seen nakedly or naked (Gombrich, 1977: 297-298).

L'objet perçu au moyen des sens est donc aussitôt intégré au système de symboles de l'individu, tant en fonction de ses connaissances acquises que de ses expériences personnelles. Il n'y a donc pas de représentation innocente, qui tient lieu et place de réalité. Le processus de représentation implique la transformation, l'interprétation de l'objet à travers un langage. Le terme «langage» est ici entendu non seulement comme une façon de verbaliser la pensée, mais également comme un lieu de médiation, un cadre conceptuel global qui permet d'appréhender la réalité (Raffestin, 1977). On ne peut imprimer un objet tel quel dans un esprit vide, sans système de symboles qui permet d'assimiler le sens de ces objets.

En sémiotique, la théorie des symboles telle que Nelson Goodman (1968) l'a élaborée postule que la base de tous ces «langages» ou encore «images», si l'on parle d'imagerie mentale et matérielle, est constituée de symboles fonctionnels. Le langage est utilisé par Goodman comme le modèle de base pour tous les systèmes de symboles, qu'ils soient iconographiques, textuels, musicaux, etc. (Michell, 1986: 53-74). Toutes les formes de communication, qu'elles soient visuelles ou auditives, sont donc à la base un enchaînement de symboles fonctionnels. Cet enchaînement de symboles, qui constitue le langage, est un produit culturel, le résultat de l'évolution sociale, historique, politique et géographique d'une nation. Il est de ce fait à la base des grands courants de pensée qui traversent et façonnent les États: les idéologies. Comme système de communication et de représentation de l'espace et des sociétés, le «langage» joue un rôle important dans les processus d'élaboration et de diffusion des idéologies et des symboles particuliers qui y sont associés.

Ces langages et les idéologies qui y sont étroitement associées sont projetés sur l'espace par le processus de perception et de représentation décrit précédemment. Ce processus induit un phénomène d'action-réaction dont le paysage est constamment l'objet. Un observateur projette son «langage» sur l'espace et le pénètre plus ou moins selon le pouvoir investi par ce langage sur la société. Cette représentation de l'espace a pour conséquence d'influencer l'évolution future du paysage en en proposant une nouvelle image. Dans ce processus, la notion de pouvoir joue un rôle central. En effet, les représentations sont étroitement liées au «langage» dominant d'un groupe, d'une époque ou d'un espace particulier. Ce langage dicte, jusqu'à un certain point, les normes entourant les représentations de l'espace.

Il existe deux types de définition du terme idéologie. La première est liée à la critique marxiste. Pour les tenants de cet usage, l'idéologie est définie comme une fausse conscience, un système de représentations symboliques qui reflète une situation de domination historique par une classe particulière. L'idéologie sert à concilier cette inégalité des classes induite par le système sous des apparences d'universalité et de naturel (Mitchell, 1986: 3-4). La seconde définition du terme l'identifie plutôt à la structure des valeurs et des intérêts qui informe toute représentation de la réalité, à une imagerie mentale construite par les sociétés. Cette définition néglige le caractère faux ou oppressif que peut revêtir cette représentation et le pouvoir qui la sous-tend (Mitchell, 1986: 4). La définition que nous retenons constitue une combinaison des deux précédentes. En plus de constituer un système de représentation, l'idéologie exprime également les relations de pouvoir présentes dans la société. La définition de Fernande Roy (1993) est plus complète à nos yeux et exprime mieux non seulement la nature de l'idéologie, mais sa dynamique sociale. L'idéologie constitue un système de représentation de l'espace et des sociétés, composé d'images, de mythes, d'idées et de concepts. Son système et ses structures de signification et de domination sociale se traduisent dans l'espace. Au niveau social, les idéologies représentent un moyen de fixer les règles du jeu. Elles expriment les objectifs et le sens du développement social tout en distribuant les rôles. Elles sont un facteur d'intégration et de rassemblement. Elles mobilisent en vue de l'action. Des groupes sociaux les utilisent afin d'exprimer leurs intérêts particuliers, tout en prétendant poursuivre le bien général. Elles sont un instrument de pouvoir (Roy, 1993: 9). Les idéologies sont également intimement liées à la définition de l'identité nationale et au sens que devrait suivre le développement de la nation. Les symboles de l'identité nationale sont souvent intégrés à la représentation iconographique de son espace. Ils mettent alors en valeur les caractères distincts de la nation à l'intérieur du paysage en vue d'y associer des émotions et un sentiment d'appartenance (Osborne, 1995: 4). Cet énoncé rejoint celui d'Alan Baker (Baker et Biger (dir), 1992: 4), qui signale la variété des représentations idéologiques effectuées sur les paysages. Les résultats des travaux de Brian S. Osborne (1995) sur le rôle joué par les artistes dans la définition et la promotion de l'identité nationale canadienne sont également révélateurs à ce sujet.

Les représentations sont donc intimement liées au « langage » d'un groupe. Elles constituent des systèmes articulés à partir d'un groupe de valeurs, de symboles et d'idées. Ces systèmes de représentation, qu'on pourrait également qualifier d'idéologies, circulent. Ils sont constamment projetés sur le paysage par le biais des représentations, iconographiques ou autres, et absorbés par les individus qui entrent en contact avec ces représentations. À leur tour, ces individus décodent ces représentations en fonction de leur « langage » symbolique propre et ainsi se les approprient, en fonction toutefois d'un code différent de celui de l'auteur de la représentation. La création d'un paysage mythique résulte de cette dynamique d'appropriation des symboles. Roland Barthes (1957) définit le mythe de façon sémiologique comme étant une forme de discours, qui vise la matérialisation d'une idée, d'un concept, en une forme matérielle, un objet. Autrement dit, le mythe transforme un système de valeurs en un système factuel, en associant directement la chose à l'idée. Il évacue les significations multiples d'un objet pour l'associer à un concept ou à un ensemble de concepts particuliers. Il a également comme objectif de prêter à une intention, historique au départ, une justification naturelle et de faire paraître le momentané comme éternel. De ce fait, il induit une perte de la qualité historique des choses. Il est également qualifié de système idéographique, où les formes sont déterminées par les concepts qu'elles représentent (Barthes, 1957 : 142). À cet égard, il constitue une appropriation de symboles en fonction d'un système de valeurs particulier à partir duquel un nouveau langage est élaboré. Certains auteurs soulignent la puissance du mythe en tant que récit des origines d'un peuple, qui devient non seulement un objet de respect, mais également un facteur d'émulation et d'exemplification des comportements individuels et collectifs. L'assemblage d'idéogrammes qu'il effectue en fait un véhicule puissant de valeurs. Pour Christian Morissonneau, le récit mythique vient raconter « les origines du peuple en même temps qu'il modèle la conduite du présent et de l'avenir : il est du devoir d'obéir aux valeurs tirées de l'histoire sacrée, donc vraie, de ce qui s'est réellement passé aux temps glorieux des commencements » (Morissonneau, 1978 : 8). Morissonneau prête une dimension mystique au mythe. Cette dimension est toutefois étroitement mêlée à l'histoire, au récit des premiers temps. Elle lui donne son explication. Morissonneau souligne également le rôle central joué par le mythe dans l'idéologie qui, selon lui, en constitue la base, la référence ultime aux valeurs et aux actions à entreprendre en accord avec le mythe. Livingstone introduit également la signification souvent spirituelle que revêt le récit mythique, mais aussi son importance en tant qu'expression de la mentalité collective d'un peuple à travers l'histoire. Pour lui, le mythe se définit ainsi : *a narrative in which some aspect of the cosmic order is manifest, and accordingly is an expression of the collective mentality of any given age through rendering intellectually and socially tolerable what would otherwise be experienced as* incoherence. *Myths frequently embody the deepest inclinations of a culture and provide patterns for human action by holding up prototypes for imitation.* (Livingstone, 1992: 35). Par le mythe, une société intègre une expérience en lui conférant une signification particulière, à caractère souvent mystique, dont le sens s'accorde avec sa culture. Elle en fait un type idéal, une source d'inspiration; elle s'approprie l'expérience en fonction de ses propres besoins. Les événements, les personnages et les valeurs véhiculées par le récit mythique sont matérialisés à travers des objets. Ces objets (monuments, bâtiments, institutions, sites, etc.) deviennent alors chargés d'une signification symbolique qui en font un témoin du passé, un objet de souvenir et de vénération: un lieu de mémoire. Au sujet de l'importance du mythe dans la définition de l'identité nationale, Ronald Wright écrit:

> *Most history, when it has been digested by a people, becomes myth. Myth is an arrangement of the past, whether real or imagined, in patterns that resonates with a culture's deepest values and aspirations. Myths create and reinforce archetypes so taken for granted, so seemingly axiomatic, that they go unchallenged. Myths are so fraught with meaning that they go and die by them. They are the maps by which cultures navigate through time* (Osborne, 1995).

1.2.3 Le paysage mythique

Un paysage mythique constitue donc une façon de rattacher le passé et la culture nationale à un espace particulier. Celui-ci devient un archétype de l'espace national, un symbole de l'identité profonde du groupe, exprimé à travers son paysage. Le paysage mythique transcende alors l'espace. Il devient un idéal, un espace investi de qualités morales et spirituelles supérieures. Ces paysages sont souvent marqués par l'occurrence d'événements historiques d'envergure pour la nation, qui sont ensuite sélectionnés et réinterprétés. Ces paysages possèdent alors une charge idéologique marquée, par exemple les Plaines d'Abraham dans la mémoire des Canadiens français. Il peut également s'agir de paysages régionaux qui deviennent des assemblages d'éléments culturels se rattachant au mythe. Ils deviennent le synonyme du «chez-soi», du pays (Osborne, 1995: 5-6). C'est ce type de paysage mythique que nous retrouvons dans Charlevoix.

L'utopie constitue une autre forme du discours formulé sur l'espace que l'on retrouve également dans Charlevoix. L'utopie constitue un projet idéal, qui paraît irréalisable. Il s'agit d'une prospection du futur, d'une base à l'expérimentation (Dumont, 1993: 28). L'utopie ne laisse pas de place à l'erreur, à la confusion, à la diversité. Son objectif est de présenter un système social idéal, hautement organisé, à forte tendance égalitaire et homogène (Bureau, 1984).

Elle s'apparente au mythe dans la mesure où, de la même façon que celui-ci, elle idéalise et suggère une vision du monde. Elle s'en dissocie toutefois par sa dimension anticipatrice, à la différence du mythe qui regarde le passé. Ce dernier s'inscrit en discontinuité avec le présent alors que l'utopie tente de concilier présent et futur. L'idéologie est également centrale dans la construction des utopies. Elle en constitue le moteur et elle oriente le choix des valeurs et des actions à entreprendre afin de réaliser ce projet social. C'est dans cette perspective que nous parlons des utopies projetées sur le territoire charlevoisien aux XVIIe et XVIIIe siècles alors que le gouvernement colonial projette l'établissement d'une société idéale sur le territoire de la Nouvelle-France (Dumont, 1993). La vision de Joseph Légaré du paysage agricole de Baie-Saint-Paul participe également d'un même effort de prospection fondé sur l'idéologie libérale de l'époque et de son projet de développement économique et social du territoire.

1.2.4 L'individualisation du langage à travers la représentation

La représentation appliquée au paysage constitue donc un phénomène d'assimilation de la perception d'un espace à l'intérieur d'un cadre conceptuel global, un langage particulier permettant de l'appréhender comme réalité. Les éléments de ce «langage» particulier exprimés à travers un individu sont variés et complexes. Ils intègrent différents éléments qui relèvent à la fois du contexte culturel global dans lequel l'individu a évolué, de son environnement d'origine et de sa psychologie particulière. Le cadre culturel comprend des éléments comme l'idéologie dominante de la société, telle que nous l'avons définie plus haut et qui vient influencer la représentation qu'un étranger se fait d'un espace. Il comprend également les normes qui entourent la pratique d'une science ou d'un art, tant dans le choix du sujet que de la façon de le représenter. Les goûts esthétiques et les valeurs associées à l'environnement et à sa représentation sont également déterminés en grande partie de façon culturelle. Par exemple, la montagne a longtemps été perçue comme un environnement hostile par la culture occidentale. Au XIXe siècle, elle devient le symbole de la pureté de la nature, du Romantisme.

Le milieu vient également influencer les représentations de l'espace. Certaines études ont en effet démontré que le milieu géographique d'origine d'un individu influence sa perception d'abord, puis sa représentation de l'espace (Tuan, 1974: 66-70). Par exemple, un individu qui provient d'un milieu géographique nordique accordera une importance plus grande au climat chaud et humide d'un pays d'Amérique du Sud que ne le ferait un habitant de l'équateur. De la même manière, un habitant des steppes serait frappé par un environnement montagneux. Un élément particulier de la psychologie de l'individu, en plus de ses expériences passées et de sa vision particulière du monde est également important à souligner. Il s'agit de la topophilie. Yi-Fu Tuan définit la topophilie comme étant une manifestation humaine de l'amour des lieux (Tuan, 1974 : 92-128). Elle inclut l'ensemble des liens affectifs développés par les humains pour les lieux. Ces sentiments peuvent être plus ou moins intenses. Ils sont de trois ordres principaux. Le premier est d'ordre esthétique, incluant le plaisir qu'un individu éprouve à la vision d'un paysage particulier, ou un sens de la beauté beaucoup plus intense éprouvé soudainement face à un panorama. Cette affection peut également être tactile et résulter d'un contact particulier avec l'air, l'eau ou la terre. Un autre de ces sentiments est beaucoup plus permanent et difficile à définir. C'est celui qui est éprouvé à l'égard d'un espace particulier en raison de la mémoire qui y est associée, comme la maison et les moyens d'existence tant domestiques qu'économiques qui y sont liés. Toujours selon Yi-Fu Tuan, lorsque la topophilie se manifeste, il est certain que l'environnement ou le lieu en question est le berceau d'événements dont la charge émotionnelle est importante ou qui devient un symbole pour l'individu.

1.2.5 La territorialité

Les représentations n'ont pas pour objectif d'exprimer le vécu à l'intérieur du paysage. Elles en fournissent une pâle reproduction, filtrée et déformée par le «langage» de l'auteur. Un nouveau courant d'analyse offert par la géographie de la territorialité depuis la décennie 1970-1980 s'attache à comprendre ce vécu historique des sociétés au-delà des représentations qui en ont été faites. On s'inspire dans ces analyses de la notion de «territorialité», qui tire son origine des études sur le comportement animal. Elle est définie dans ce contexte «comme la conduite caractéristique adoptée par un organisme pour prendre possession d'un territoire et le défendre contre les membres de sa propre espèce» (Raffestin, 1980 : 143). Ce concept a été appliqué aux études géographiques au début des années 1970 par Edward T. Hall qui propose une analyse des distances chez l'homme à travers différentes cultures. Quelques années plus tard, cette définition de la territorialité des groupes humains, en tant que signification culturelle des distances relationnelles entre les groupes, est élargie par Claude Raffestin. Il la définit comme un système de relations qu'entretient une collectivité ou un individu avec l'extériorité, soit le territoire et les autres individus. Cette relation est triangulaire. La relation avec le territoire médiatise par la suite les rapports avec les hommes (Raffestin, 1980 : 144). Cette relation est comprise comme un processus d'échange ou de communication (Raffestin, 1977 : 130). À ce titre, elle se réfère également à la théorie de la communication. Alors que l'échange et la circulation se situent au cœur de la territorialité, les notions de langage, de codification et de représentation de l'espace se situent au cœur des analyses privilégiant les liens homme-territoire-société. Il s'agit également d'une notion multidimensionnelle qui peut rendre compte de la dynamique relationnelle d'un territoire à des échelles variées, allant de l'individu à la nation (Raffestin, 1980 : 143). Dans sa *Nouvelle géographie de la Suisse et des Suisses,* Raffestin résume ainsi la notion de territorialité :

> La territorialité est constituée par l'ensemble des relations que nous entretenons avec l'extériorité et l'altérité, à l'aide de médiateurs (instruments, techniques, idées, etc.), en vue d'assurer notre autonomie, compte tenu des ressources à disposition dans le milieu où nous vivons. Par définition, toute territorialité évolue, se modifie, se détruit et se recrée à travers le temps (Raffestin et Racine, 1990, t. 1 : 12).

Une étude qui privilégie le concept de la territorialité doit donc d'abord mettre l'accent sur l'évolution des relations homme-territoire. Il s'agit en fait de tenter de déterminer la nature de ces liens et la façon dont ils se manifestent dans l'espace à travers les structures spatiales de la socio-économie. Dans un deuxième temps, il faut s'attarder à l'évolution de ces structures et aux modifications dans la relation de l'homme au territoire qui en sont à l'origine. Au début des années 1990, Serge Courville définit la territorialité comme l'étude des « procès et [des] produits territoriaux en tant qu'expressions d'un système de relations existentielles et productivistes qui cherchent à modifier les rapports avec la nature et les rapports sociaux » (Courville, 1991 : 41). La géographie de la territorialité qui en découle s'attache aux relations économiques et sociales qui s'inscrivent dans un paysage et qui contribuent à définir son identité. Ce concept renvoie au vécu des sociétés, aux liens étroits qui se sont noués au fil du temps entre l'homme et le territoire. Au-delà des formes visibles du paysage, « se profile un système extrêmement complexe de relations qui expliquent la vie des sociétés, leurs structures, leurs perceptions et leur utilisation de l'espace, ainsi que leurs productions territoriales » (Courville, 1991 : 41). Ces études menées à l'aide d'un cadre conceptuel différent fournissent une nouvelle forme de représentation du paysage, à partir cette fois des manifestations de la vie de relation qui s'y inscrivent. Ces nouvelles représentations s'attachent au « vécu » à l'intérieur du paysage. Elles s'opposent ainsi aux représentations axées sur le « vu ». Leur incursion dans l'univers du vécu tente de rendre compte de la façon la plus exacte possible de la dynamique de la constitution du paysage.

Robert Sack a formulé une théorie à partir de la notion de territorialité en 1986. Sack définit la territorialité comme une stratégie géographique qui permet de contrôler les gens et les objets dans l'espace au moyen d'une limitation de l'accès au territoire. Il considère la territorialité comme un instrument de pouvoir social. L'histoire de l'évolution de ces moyens de contrôle du territoire permet de mieux comprendre les relations historiques entre société, espace et temps (Sack, 1986 : 5). Pour Sack, la territorialité relève d'abord du pouvoir. Elle est essentiellement une stratégie de contrôle. La théorie de Sack repose sur les raisons qui motivent un État, un chef, un individu à restreindre l'accès à un territoire particulier. Sa théorie tente de postuler la présence de certains types de restrictions territoriales formulés dans des objectifs particuliers liés à des contextes historiques spécifiques. Autrement dit, les contextes historiques sont liés à des formes de régulation spatiale particulières. Le temps est donc également central à cette théorie, les modes de contrôle de l'espace se modifiant à travers le temps. Sa théorie combine des tendances recherchées par différents types de restrictions de l'accès au territoire et les effets de ces restrictions. Il relie ensuite ces combinaisons à l'histoire des modes d'organisation des sociétés. La théorie de Sack privilégie une interprétation politique de la notion de territorialité. Elle met au second plan le vécu territorial des sociétés pour se concentrer sur les motivations à l'origine du contrôle territorial et des effets potentiels de ce contrôle sur la cohésion sociale.

Nous préférons nous inspirer de la géographie de la territorialité telle que Raffestin l'a développée en raison de sa plus grande flexibilité et de son intérêt pour le vécu qui s'inscrit dans un territoire. Il nous paraît important de considérer dans une géographie historique régionale, non seulement les différents modes de contrôle territorial présents, qui ont, il est vrai, un rôle important à jouer dans la définition et l'évolution des relations homme-territoire, mais également les produits de ces structures territoriales. L'adaptation particulière de la société par rapport à celles-ci et la nouvelle dynamique société-territoire qui en résulte se situent au cœur de l'évolution du paysage. Nous privilégions à cette fin une étude à grande échelle des données socio-économiques régionales livrées par les recensements décennaux de la période 1831-1871. Ceux-ci permettent de circonscrire les structures spatiales de la socio-économie et leur évolution. Nous tentons également de dégager la nature et la dynamique des relations homme-société-territoire à travers la période. Cette analyse, jumelée à celle des représentations du paysage à travers les arts et les sciences sociales de l'époque, permet ainsi d'obtenir une vision plus intégrée des différentes composantes du paysage et d'en saisir l'évolution à travers le siècle.

1.3 PRÉSENTATION DES SOURCES ET DE LA MÉTHODE

Les types de documents à la base de cette étude sont variés. Quelques documents relatifs aux représentations sont textuels. Il s'agit principalement de récits de voyage et d'une étude sociologique de la seconde moitié du XIXe siècle. La plus grande partie de ces documents est cependant iconographique. Les représentations iconographiques prennent la forme de croquis, d'aquarelles, de lithographies et de peintures ayant pour thème le paysage charlevoisien à la période 1798-1900. Nous disposons en tout de 54 illustrations. Nos autres sources sont constituées de documents d'archives. Les plus importants sont les recensements décennaux de la période 1831-1871. Nous utilisons conjointement à ces données des cartes anciennes du territoire charlevoisien réalisées au XIXe siècle et les premiers cadastres officiels des municipalités de Baie-Saint-Paul et de Saint-Urbain qui datent de 1881. Cette partie présente ces sources ainsi que la méthode d'analyse utilisée afin de déterminer les différentes représentations du paysage dont elles témoignent.

1.3.1 Les documents iconographiques

Les plus anciennes illustrations considérées dans cette analyse sont celles de George Heriot, qui réalise trois aquarelles à l'embouchure des rivières du Gouffre et Malbaie au tournant du XIXe siècle. James Peachey et George Bulteel Fisher ont réalisé quelques aquarelles des côtes charlevoisiennes et de l'embouchure de la rivière du Gouffre en 1784 et 1787. Nous avons toutefois exclu ces représentations de notre étude en raison de leur éloignement par rapport à notre période et également en raison du peu de détails supplémentaires qu'elles fournissent sur les représentations du paysage. Les plus récentes sont les peintures qu'a réalisées un peintre d'origine écossaise, William Brymner, qui est considéré comme l'un des plus grands peintres canadiens du tournant du XXe siècle. On note entre ces deux extrêmes le passage de styles, de sujets et de modes de représentation divers, commandé par les grands mouvements artistiques et idéologiques du moment. La plupart des artistes qui ont représenté le paysage charlevoisien ont réalisé des paysages un peu partout au Québec et au Canada. Dans plusieurs cas, ils ont même réalisé des œuvres à l'extérieur du pays, tels George Heriot, Henry James Warre, Philip John Bainbrigge, Frederick B. Schell, Charles Jones Way, Frederic Marlett Bell-Smith, Otto Reinhold Jacobi, Lucius O'Brien et William Brymner. D'autres ont été célèbres au Québec, comme Joseph Légaré et James D. Duncan. Leur formation et leur expérience sont également diverses. Alors que certains d'entre eux sont autodidactes et réalisent de l'aquarelle dans un but uniquement de loisir, d'autres ont une formation artistique héritée des grandes écoles européennes. Ce sont des professionnels qui exposent un peu partout dans le monde. La répartition temporelle des œuvres est plutôt inégale. Alors qu'on note une abondance de croquis et d'aquarelles pour la période 1819-1824, certaines décennies sont presque complètement absentes, comme celles de 1830-1840 et 1840-1850. La production artistique ayant pour thème le paysage charlevoisien est cependant continue au cours du siècle et témoigne des dernières innovations stylistiques dans le domaine de l'art du paysage européen et nord-américain.

Il importe également de noter que la presque totalité de ces artistes sont des étrangers, d'origine britannique pour la plupart. Le style de leurs représentations des paysages dans Charlevoix diffère très peu de celui qu'ils ont utilisé à l'extérieur de la région ou de la province. Cette constatation suggère une nette orientation idéologique et artistique de leur vision de l'espace. Cette orientation particulière est tributaire des critères esthétiques du moment, du style artistique privilégié par le public initié ainsi que par des valeurs et des idées particulières, dictées par l'idéologie dominante d'un groupe social. Leurs paysages traduisent également des valeurs plus personnelles de l'artiste, de son rapport à l'espace, de sa perception de celui-ci et des sentiments qu'il lui inspire.

Signalons finalement que ces œuvres sont conservées dans différents fonds d'archives et des musées. Les Archives nationales du Canada à Ottawa possèdent une imposante collection d'œuvres picturales réalisées par les artistes militaires et amateurs de la première moitié du XIXᵉ siècle. On y trouve également des copies de gravures publiées dans les imprimés de la seconde moitié du XIXᵉ siècle particulièrement. Les tableaux des artistes professionnels sont pour la plupart conservés dans les musées du Québec et de l'Ontario. Comme nous l'avons mentionné plus haut, Raymond Vézina (1976) a réalisé un inventaire exhaustif des différentes représentations iconographiques du paysage charlevoisien de la fin du XVIIIᵉ siècle aux années 1970. Ce répertoire est disponible au bureau du ministère des Affaires culturelles à Québec. L'auteur y a répertorié la majorité des œuvres disponibles. Des recherches supplémentaires ont cependant été effectuées aux Archives nationales du Canada à Ottawa et dans des publications spécialisées en histoire de l'art. Ces recherches nous ont permis de découvrir des pièces peu connues de l'art du paysage dans Charlevoix.

1.3.2 L'iconologie et l'art du paysage

L'analyse de l'art documentaire dans Charlevoix a été effectuée en référence à la théorie des symboles en sémiotique telle que nous l'avons définie précédemment. Cette théorie considère l'icône de la même manière que le texte, la musique ou le langage, c'est-à-dire comme un ensemble de symboles fonctionnels (Goodman, 1968). L'image est appréhendée en tant que moyen de communication visuelle, porteuse de messages. Les symboles qu'elle utilise sont décodés par l'observateur, qui en extrait la signification en référence à son langage ou son code de symboles propre. Les symboles employés sont tributaires du contexte idéologique global de l'époque, du groupe social et du lieu de provenance de l'observateur. L'analyse iconologique de l'art du paysage s'inspire également de l'herméneutique, qui a pour but d'extraire la signification idéologique d'une image artistique en la replaçant dans son contexte historique. On s'applique plus particulièrement à analyser les idées traduites sous forme de symboles visuels contenus dans cette image. L'approche iconologique tente d'appréhender les images comme des textes codés qui doivent être traduits à l'aide du cadre de référence de la culture de laquelle elles sont issues (Cosgrove et Daniels, 1988: 2). L'approche la plus largement employée dans ces études est celle qui a été formulée par Erwin Panofsky (1972). Elle fut reprise plus récemment par des historiens de l'art, des anthropologues et des géographes (Gombrich, 1977 ; Cosgrove et Daniels, 1988 ; Gendreau, 1982), notamment W. J. T. Mitchell (1986). L'approche iconologique dépasse ainsi la simple observation des formes visibles sur l'image (l'iconographie). Elle fournit une interprétation globale de l'image et la situe dans l'affirmation des valeurs (Mitchell, 1986: 1-2) d'une époque, d'un peuple, d'un espace.

Panofsky (1972: 3-17) identifie trois niveaux de signification de l'image. Le premier appelé *Primary or Natural Subject Matter* identifie les formes pures, les configurations de lignes et de couleurs. Il établit également leurs relations les unes avec les autres et les qualités expressionnelles que les divers éléments dégagent. Le deuxième niveau ou *Secondary or Conventional Subject Matter* identifie les symboles présents sur l'image. Il touche l'allégorie, l'histoire, le symbole qui se cache derrière une combinaison de détails. Le dernier niveau, *Intrinsic Meaning or Content*, considère les principes sous-jacents de l'image, qui révèlent l'attitude d'une nation, d'une période, d'une classe, d'une religion ou d'une philosophie particulière. Ces caractéristiques sont traduites d'une manière plus ou moins consciente par un auteur. Nous nous attardons plus particulièrement au but et à l'intention de la représentation, à l'expérience de l'auteur, au contexte culturel général et au milieu social dont cette représentation est issue, au style artistique et aux conventions, à la diffusion de l'œuvre ainsi qu'au médium utilisé et aux préférences du public (Osborne, 1984: 41-59).

Nous avons choisi cette méthode puisqu'elle permet une interprétation détaillée de l'image. L'analyse sémiotique de l'image en référence à la théorie des symboles permet également de la comparer à des documents textuels[2].

Notre analyse des représentations picturales du paysage s'inspire des trois niveaux définis par Panofsky (1972: 3-17). Nous avons d'abord considéré les éléments ou les signes sélectionnés par l'artiste. Nous les avons analysés d'abord de façon individuelle selon leur nature (forme, couleur) et leur importance ou fonction à l'intérieur de l'image: quelle place y occupent-ils? sont-ils conformes à leur apparence réelle? témoignent-ils d'une convention artistique particulière? Nous avons également effectué des analyses de contenu à partir de ces éléments. Ces analyses ont permis de comparer et de regrouper les œuvres à partir des signes communs à plusieurs d'entre elles. Nous avons par la suite regroupé ces signes par thèmes. Ces thèmes ont été définis d'une part en référence au profil socio-économique régional obtenu lors de l'analyse spatiale des données agraires, industrielles et démographiques du recensement nominatif de 1831 (Villeneuve, 1992). D'autre part, nous avons considéré dans cette typologie les signes relatifs aux valeurs recherchées dans l'esthétique du paysage par les arts au cours du siècle, comme l'aspect sauvage, exprimé à travers la montagne et la forêt. L'hydrographie fait également l'objet d'une attention particulière des artistes qui l'intègrent à leurs représentations en fonction de règles esthétiques précises. La place de l'urbanité dans le paysage varie également en fonction de l'idéologie à la base de l'esthétique du paysage. Nous avons finalement classifié des signes qui privilégient la présence de certains traits culturels dominants à l'intérieur du paysage et qui témoignent d'une représentation particulière de la nationalité, par l'étranger et par l'artiste natif. Signalons que certaines catégories peuvent appartenir à plus d'un champ. Par exemple, le village exprime d'une part un élément de la structure de la socio-économie locale liée à l'échange, mais il relève également de la représentation de la culture québécoise ainsi que d'une certaine expression de l'urbanité à travers le paysage rural. Notre but n'est pas ici de définir des champs précis permettant de découper l'évolution de composantes idéologiques au cours du siècle, mais plutôt de rendre la lecture des images plus systématique et de pondérer la récurrence de certaines fonctions et valeurs attribuées au paysage. Ces thèmes permettent également de regrouper des descripteurs complémentaires ou synonymes et d'obtenir une vision plus intégrée du contenu de l'iconographie.

---

2. L'identification de l'ensemble de ces critères peut seule permettre une interprétation adéquate du contenu d'une œuvre dans un contexte historique particulier. Voir à ce sujet: Osborne, 1984, p. 41-59.

Les thèmes que nous avons dégagés sont les suivants : dans la socio-économie, nous avons retrouvé les signes relatifs aux fonctions agricoles visibles
sur les œuvres (champs, lots, récolte, termes, clôtures, etc.), les signes relatifs
aux moulins et aux fabriques, aux infrastructures de transport (routes et ponts),
aux moyens de transport terrestres (charrettes, carrioles, traîneaux, etc.), au
village (village, rues, etc.), à l'habitat, à la navigation (bateaux, canots, etc.), aux
installations portuaires (quais, débarcadères, mouillages) et à la villégiature (villas, hôtels, activités de loisir, etc.). Dans les éléments du paysage relatifs à
l'esthétique, nous avons retenu le caractère sauvage exprimé à travers la montagne et la forêt, les ruines ainsi que la présence de l'hydrographie dans le paysage
(fleuve, rivière, ruisseau, etc.). Les traits culturels sont exprimés à travers les
traits relatifs à la religion (l'église, la chapelle, les croix de chemin, etc.) et aux
occupants, divisés en deux signes, les habitants et les Amérindiens. Quelques
autres thèmes, qui ne s'insèrent pas dans ces catégories, ont été ajoutés, comme
les maisons de campagne. À un second niveau, nous avons analysé l'agencement des signes à l'intérieur de l'image afin de dégager l'ordre établi par l'artiste
parmi ceux-ci et la recherche expressionnelle qui s'en dégage. Nous avons alors
accordé une attention particulière aux normes et aux styles artistiques en
vigueur à l'époque de la réalisation de l'œuvre. Le troisième et dernier niveau
considère le contexte plus large de la production de l'image défini plus haut.

Une analyse du contenu symbolique des images considérées nous a permis de dégager cinq groupes différents dans la représentation de l'espace charlevoisien. La première période, qui couvre le premier tiers du XIXe siècle, plus
précisément entre 1798 et 1824, est marquée par les représentations effectuées
par les artistes militaires et les représentants de l'Empire britannique en général.
C'est la représentation de type «topographique» qui domine au cours de cette
période. On privilégie alors les éléments qui révèlent le côté isolé et sauvage du
paysage. À la deuxième période qui couvre les années 1830 à 1858, on perçoit
l'émergence du Romantisme dans la représentation du paysage charlevoisien.
On offre alors des vues plus bucoliques des établissements villageois et des
campagnes. Le nationalisme des élites canadiennes-françaises apparaît également. La deuxième moitié du siècle est marquée par une représentation très
romantique de l'espace qui s'exprime dans les premiers imprimés à grand tirage
comme *Picturesque Canada*, mais également à travers l'œuvre de peintres
comme Charles Jones Way, Lucius O'Brien, Frederic Marlett Bell-Smith et Daniel
Wilson. Ces vues romantiques du paysage ont cependant une deuxième dimension, celle de l'expression d'une identité canadienne, révélée par la diversité de
ses paysages naturels régionaux. L'académisme français fait également son
apparition dans les représentations du paysage charlevoisien à travers les
œuvres de William Brymner, dominée par le romantisme de la vie quotidienne à
la campagne, centrée autour de la ferme et du calendrier agricole.

Faire une analyse de l'art du paysage dans Charlevoix au XIX⁰ siècle, c'est également faire l'analyse de l'évolution de l'art du paysage européen et des systèmes de représentation qui le sous-tendent. Ces représentations picturales ne fournissent que peu d'indices sur le vécu territorial régional, si ce n'est qu'à travers une cristallisation de ses formes les plus évidentes (et les plus archaïques) sur le territoire. Les silences de ces images sont nombreux quant à l'évolution du paysage régional, et pour cause, puisque ces images sont tributaires d'idéologies conservatrices qui privilégient le passé rural canadien et québécois. La modernité est systématiquement évacuée de ces représentations qui se concentrent sur les traits traditionnels du paysage. Elles en font une image idéale du paysage québécois et canadien, en référence à des idéologies agriculturistes et passéistes. C'est un paysage mythique.

1.3.3 Les récits de voyage

Dans cet ouvrage, nous nous pencherons sur quatre récits de voyage dans la région réalisés entre 1807 et 1882. Ces récits de voyage sont étalés au cours du siècle et représentent des périodes à peu près égales. Le premier est celui George Heriot écrit en 1807 ; le deuxième, celui de Joseph Bouchette en 1815 ; le troisième est daté de 1850 et il est rédigé par John Jeremiah Bigsby ; le dernier, la description du paysage régional de *Picturesque Canada*, date de 1882. Ces récits ou comptes rendus de visite ont été réalisés encore une fois dans des buts divers et par des individus d'origine et de formation très différentes. Ils sont la plupart du temps (sauf la description de Bouchette) accompagnés de gravures qui illustrent des points de vue particuliers et appuient les descriptions textuelles de leurs auteurs.

Ces quatre textes possèdent certains éléments en commun. D'abord, tous représentent le regard de l'étranger sur la région, le premier contact avec un paysage. Le style littéraire des descriptions contient également des similarités. Celui-ci est narratif et souvent empreint de romantisme. Toutefois la façon dont ce paysage est appréhendé diffère d'un individu à l'autre. Les facteurs déterminants dans les éléments mis en valeur par chacun des auteurs sont les mêmes que dans le cas des artistes. Il s'agit du but et de l'intention de la description, de la formation académique de l'auteur, du style littéraire privilégié de l'époque ou de la discipline, de l'idéologie dominante, des valeurs personnelles et de la vision particulière de l'espace par l'auteur. Voici donc une présentation de ces textes, comprenant d'abord des informations personnelles sur l'auteur, le contexte général de la réalisation du texte et un bref aperçu de son contenu.

1.3.3.1 Le récit de George Heriot

Le premier texte descriptif de la région réalisé au XIX° siècle est rédigé par l'artiste et maître de poste George Heriot. Heriot est arrivé au Canada en 1792 en qualité de trésorier du Board of Ordnance. Il a par la suite occupé la fonction de maître général des Postes de l'Amérique du Nord britannique de 1800 à 1816. Au cours de cette période, il réalise de nombreuses aquarelles un peu partout au Canada. Il s'agit de l'un des artistes les plus connus et les plus productifs de cette période. Pendant son affectation, il peint des scènes le long des routes postales de la campagne entre Tadoussac et Québec. Il publie également un ouvrage dans lequel il décrit ses voyages au Canada et il consacre quelques pages au paysage charlevoisien (Heriot, 1807). George Heriot s'intéresse d'abord à la description des paysages et y joint des commentaires sur le mode de vie des habitants, le commerce et les communications. Son style littéraire est narratif, quoique soigné et empreint de poésie, ses descriptions des paysages sont très romantiques, l'auteur s'attache à leur rendre leur beauté et leur majesté.

1.3.3.2 La description topographique de Joseph Bouchette

La deuxième description du paysage disponible au XIX° siècle est celle de Joseph Bouchette. Elle est publiée huit ans après celle de George Heriot. En 1815, Bouchette est arpenteur général de la province du Bas-Canada. Il entreprend un vaste travail de compilation de données dans le but de dresser une carte à grande échelle de la province ainsi qu'un ouvrage statistique et descriptif. La région de Charlevoix est présentée dans ce vaste ouvrage (Bouchette, [1815], 1978: 82-87, 138-154, 568-582)[3]. Bouchette partage avec Heriot une préoccupation pour les ressources, les communications et le commerce dans la région. Tous deux sont des fonctionnaires coloniaux formés à l'observation et à l'inventaire des ressources d'un territoire. Cependant, les deux ouvrages n'ont pas le même objectif. Le travail de Bouchette est réalisé dans un but professionnel précis. Sa carte constituera d'ailleurs un outil précieux pour l'administration coloniale. En conséquence, ses descriptions ont un caractère très technique.

---

3. Voir également les cartes du Bas-Canada dressées par Joseph Bouchette en 1815 et 1831. Celle de 1831 est disponible à la cartothèque de l'Université Laval à Québec, 615-1831.

Ce style est celui qui est privilégié par la pratique scientifique de l'époque préoccupée par l'inventaire et la classification. Cette préoccupation touche les ressources, les populations, la botanique, la géologie, etc. Les sciences naturelles et sociales sont alors en pleine éclosion. Les gouvernements coloniaux utilisent ces nouvelles sciences afin d'établir un meilleur contrôle sur les territoires conquis. Le vaste inventaire que fait Joseph Bouchette de la province du Bas-Canada s'inscrit dans cette volonté de connaissance et de contrôle des nouveaux territoires coloniaux de l'Empire britannique. George Heriot réalisait toutefois ses observations dans un cadre scientifique moins rigide. Elles devaient accompagner ses aquarelles; son style était nettement plus poétique. On y observe une nette préoccupation pour l'esthétique des paysages visités. Signalons finalement que Bouchette était également formé à la technique de l'aquarelle. Il en a réalisé plusieurs dans la province qui illustrent cet ouvrage de description du territoire, mais aucune n'avait Charlevoix pour thème.

1.3.3.3 Le plaidoyer romantique de John Jeremiah Bigsby

Bigsby est également un fonctionnaire colonial. Il est à la fois docteur en médecine, géologue et artiste amateur. Il arrive au Canada en 1818 en qualité de médecin dans les forces armées britanniques. L'année suivante, il entreprend un relevé géologique de la province du Haut-Canada et il visite Charlevoix une première fois. Il y retourne en 1823. Il est également secrétaire de la commission de la frontière et il travaille sur le tracé de la frontière entre le Canada et les États-Unis. Il rentre en Angleterre en 1827 où il pratique de nouveau la médecine. Entre 1819 et 1825, ses fonctions de géologue et de commissaire aux frontières l'ont amené à voyager un peu partout au Canada. Au cours de ses voyages, il a tenu un journal et il a réalisé des croquis à travers l'Ontario, le Québec et la région du sud de la baie d'Hudson. Il a publié un compte rendu de ses voyages à Londres en 1850 dans un ouvrage en deux volumes intitulé *The Shoe and Canoe, or Pictures of Travel in the Canadas*.

À la fin de l'été de 1819, son ami, le Dr. Wright, l'invite à l'accompagner à la Baie-Saint-Paul par voie terrestre, en contournant le Cap Tourmente et en longeant le littoral⁴. Pendant sa deuxième visite dans Charlevoix, il est chargé d'une étude de la géologie de la région de La Malbaie. Bigsby sera l'un des premiers artistes, avec John Arthur Roebuck, à fournir un aperçu des établissements de l'intérieur des vallées de Baie-Saint-Paul et La Malbaie dans Charlevoix. Lors de ses visites, Bigsby est séduit par la beauté du paysage et le mode de vie pittoresque des gens qu'il rencontre. Il décrit ses impressions de voyage dans

---

4. Il s'agit alors de la seule route terrestre permettant de se rendre à Baie-Saint-Paul. Le Chemin des Caps, qui traverse le plateau entre Saint-Féréol et Baie-Saint-Paul, ne sera ouvert qu'en 1824.

Charlevoix durant 43 pages et il réalise une dizaine de croquis des paysages des vallées de Baie-Saint-Paul et La Malbaie principalement. Quatre d'entre eux seront publiés sous forme de lithographies dans son volume en 1850.

La narration du paysage charlevoisien effectuée par Bigsby est typique du récit de voyages de l'époque. Il donne une description littéraire des formes du relief et il y joint quelques considérations sur la géologie, le climat et la végétation particulière des lieux visités. Il s'attache notamment au caractère grandiose et poétique des paysages et à l'allure pittoresque des établissements. Son style littéraire est soigné et empreint de poésie. Il donne en même temps une touche d'exotisme à ses descriptions. Le récit de Bigsby possède un contenu ethnographique beaucoup plus riche que les textes précédents. Il signale d'ailleurs au cours de son récit son désir de rencontrer *a true native*, un habitant typique de la région. Il décrit de façon détaillée ses rencontres avec les individus et ses impressions lors de celles-ci. Il présente réellement des « moments ethnographiques ». Ces « moments » laissent cependant souvent transparaître l'éducation et les valeurs de la bourgeoisie britannique de la première moitié du XIXᵉ siècle, caractérisées par une vision très eurocentrique et paternaliste. Sa vision du Canada et de la région de Charlevoix est très idéalisée. Il parle de la grandeur et de la majesté du paysage, de son abondance, de sa beauté et de ses richesses. Il met également en évidence, dans l'introduction, l'urgence de coloniser les vastes étendues de terres disponibles au Canada. L'air pur et l'eau cristalline des Grands Lacs sont pour lui le refuge tout indiqué contre la misère et les crimes de la ville (Bigsby, 1850 : vii).

1.3.3.4 Picturesque Canada : the country as it was and is

Picturesque Canada commence à paraître en 1882 (O'Brien et Grant, 1882-1884). Cette publication fait écho à des publications similaires en Grande-Bretagne et dans les « nouveaux mondes ». On y présentait les plus beaux paysages des régions visitées ainsi qu'un commentaire sur la protection des campagnes contre les ravages de l'industrie capitaliste. Ce type de publication est liée à la mode du tourisme romantique qui fait son apparition un peu partout en Amérique du Nord à partir du milieu du XIXᵉ siècle. Elle fait suite à un mouvement initié en Europe. Cette vague de tourisme est stimulée par l'apparition de nouveaux moyens de transport, plus confortables et plus rapides, le train et la navigation à vapeur. L'apparition de l'imprimerie de masse joue également un rôle important dans la diffusion de l'imagerie sur le paysage. De nombreuses publications paraissent à ce moment en réponse à un besoin suscité par cette nouvelle mode des voyages de plaisance dans les provinces britanniques et dans les nouvelles colonies. C'est l'époque du « Grand Tour » en Angleterre.

Picturesque Canada était destiné à des professionnels des centres métro-politains du Canada central. Son éditeur, George Monro Grant, était l'un des fon-dateurs de l'Église presbytérienne du Canada (Mack, 1994). Il a également été recteur de la Queen's University à Kingston, où il enseignait la théologie. Il est l'un des membres fondateurs de l'Académie royale du Canada. L'aide aux démunis et l'éducation constituaient les grandes préoccupation sociales de Grant. En raison de son effet dévastateur sur le niveau de vie des classes infé-rieures, Grant était opposé à l'industrialisation capitaliste qui se développait alors au pays. Il faisait également preuve d'un grand patriotisme qui puisait dans sa foi chrétienne. Selon Grant, l'Empire britannique était appelé à remplir une mission divine au Canada (Mack, 1994: 442). Il souhaitait la création d'une unité spirituelle entre les différents groupes culturels canadiens (Mack, 1994: 439). Son œuvre littéraire a également retenu l'attention de ses contemporains, notamment à travers *Ocean to Ocean*, un grand récit de voyage dans l'Ouest canadien parcouru en compagnie de Sanford Flemming, l'ingénieur en chef du chemin de fer de la Colombie-Britannique. Grant donne une philosophie de con-servation à *Picturesque Canada*, en accord avec sa propre vision du pays et de ce que devrait être son développement social et économique. La publication est centrée sur la perception du caractère « *picturesque* » des paysages chez la classe moyenne. Ces goûts esthétiques demeurent cependant dictés par les autorités du monde artistique européen. Le romantisme du passé canadien est omniprésent dans les pages de *Picturesque Canada*. Cette orientation idéologi-que trouve son origine dans l'ère industrielle. Les tenants de ce mouvement soutiennent que le développement industriel s'accompagne d'une perte de ter-res agricoles qui met en danger le caractère rural original du Canada. Le mouve-ment industriel doit donc être surveillé de près afin de protéger les paysages typiques du Canada (Ramsay, 1992: 167). Les peintres de ce mouvement se met-tent alors à parcourir le pays afin de saisir l'essence des paysages ruraux avant le passage dévastateur de l'industrie.

Les textes qui accompagnent ces images viennent appuyer le caractère traditionnel des paysages. Dans Charlevoix, en plus d'une description romanti-que du paysage grandiose de la région, on s'attarde à souligner le peu de modi-fications qu'il a subies depuis les débuts de son occupation à la fin du XVIIᵉ siècle. Le mode de vie de la population régionale est décrit comme très pittoresque, fidèle aux coutumes des ancêtres. Le style littéraire est très romantique. La nos-talgie devant un espace naturel exceptionnel menacé de destruction par l'indus-trie capitaliste est également apparente.

1.3.3.5 L'étude sociologique de C.-H.-P. Gauldrée-Boilleau

La première véritable étude sociologique de la population charlevoisienne date
de 1862. Elle porte sur le village de Saint-Irénée dans Charlevoix et elle est réalisée par le sociologue français Charles-Henri-Philippe Gauldrée-Boilleau. Celui-ci
est un élève du sociologue français Frédéric Le Play et il est membre de la
Société d'économie sociale de Paris. Gauldrée-Boilleau est également un diplo-
mate français. Il a occupé les postes de consul de première classe à Québec et il
a, par la suite, été nommé consul général pour les colonies anglaises de
l'Amérique du Nord. Il a recueilli les éléments de sa monographie sur Saint-
Irénée en 1862 (Gauthier, 1986). L'étude de Gauldrée-Boilleau se situe dans une
période de recherche de l'identité de la société québécoise qui débute au milieu
du XIXe siècle. On tente alors de définir cette identité en fonction de traits culturels originaux, hérités de la France. Cette période est marquée par l'apparition
de nombreuses études de terrain, réalisées par des folkloristes, des ethnologues
et des sociologues. Ces études sont guidées par une variété de regards idéologiques. Elles ont cependant presque toujours une tendance nationaliste. Elles cherchent des communautés rurales qu'elles imaginent isolées, authentiques et
autosuffisantes (Bouchard, 1993: 12).

Le projet de Gauldrée-Boilleau est de réaliser une monographie du paysan de Saint-Irénée dans l'objectif de mieux connaître le milieu rural canadien. Il
utilise à cet effet la méthode et le cadre conceptuel de Frédéric Le Play. Son
cadre de référence est l'unité sociale de base, la famille. Il sélectionne une
famille représentative de la région et collecte le plus d'informations possible sur
celle-ci. Il s'attache particulièrement à la caractériser en tant que représentante
de la «famille-souche» candienne-française. Il la cite comme un exemple d'enracinement dans son milieu. Cette référence à la «famille-souche» est un emprunt
direct à la sociologie française de Le Play. Ce concept relève cependant des formations sociales des vieilles régions françaises de terroir plein. Les régions du
Bas-Canada sont d'occupation beaucoup plus récente et elles sont toujours en
formation sur les plans sociologique et géographique au XIXe siècle. Le contexte
de peuplement est de type ouvert, ce qui signifie que des terres agricoles sont
toujours disponibles à la colonisation. C'est donc à partir de postulats sociologi-
ques européens que Gauldrée-Boilleau entreprend son étude du «paysan»[5] de
Saint-Irénée.

---

5. Même le concept de paysannerie constitue un emprunt à l'Europe.

Gauldrée-Boilleau se rend donc à Saint-Irénée en 1862. C'est son vieil ami, l'abbé Jules Mailley, curé de Saint-Irénée et d'origine française, qui conduit Gauldrée-Boilleau chez Isidore Gauthier, le paysan typique de Saint-Irénée qui sera le principal objet d'étude du sociologue. L'étude de Boilleau est divisée en quatre parties, à la manière de la méthode d'analyse initiée par Le Play. La première partie est consacrée à la définition du lieu, de l'organisation industrielle et de la famille. La deuxième partie présente un inventaire complet des moyens d'existence matérielle de la famille. La partie suivante est consacrée à son mode d'existence (leurs habitudes alimentaires, sociales et religieuses). La dernière présente son histoire, les mœurs et les institutions qui assurent son bien-être moral et physique ; la propriété agricole et l'Église catholique en sont les deux supports.

L'étude de Gauldrée-Boilleau possède une orientation idéologique marquée. On y remarque en effet l'influence de l'ultramontanisme, mouvement idéologique cléricoconservateur prônant la suprématie de l'Église sur l'État. La religion catholique s'affirme dans cette idéologie comme la première autorité sociale et morale dans les campagnes et les villes du Québec. Cette idéologie fait également la promotion de l'agriculture de subsistance, présentée comme le seul mode de vie qui permet de sauvegarder les qualités morales et physiques de la « nation » canadienne-française. En conséquence, elle est opposée à l'industrie et à l'urbanisation, jugés responsables des malheurs du peuple. Ces postulats sont évidents dans l'étude du paysan de Saint-Irénée. Le ménage d'Isidore Gauthier (et d'une façon plus générale de la population de la paroisse) est présenté comme l'exemple parfait de la famille fortement enracinée au sol. Ses mœurs et ses vertus sont jugées irréprochables, centrées autour de la pratique de l'agriculture familiale et du respect des valeurs dictées par l'Église catholique.

La représentation qui en découle est celle d'une juxtaposition de cellules familiales autosuffisantes et repliées sur elles-mêmes. L'existence de ces cellules familiales repose sur la pratique d'une agriculture de subsistance relativement diversifiée. Quelques activités secondaires artisanales sont également associées à l'agriculture. Ces cellules familiales sont toutefois unies par un fort esprit d'entraide communautaire. La vie de relation est réduite au minimum dans le paysage. L'aire villageoise semble jouer un rôle mineur comme centre d'échanges entre ces exploitations agricoles indépendantes. Elle est d'ailleurs absente de la monographie de Gauldrée-Boilleau. Un autre élément qui émerge de ce paysage est la paroisse centrée autour de l'Église catholique. Elle est présentée comme la principale institution responsable de la vie à la fois civile et morale des habitants. Le paysage est également statique. Il est le prototype de la stabilité et de l'enracinement de la population.

1.3.3.6 Méthode d'analyse des textes

Notre méthode d'analyse des descriptions textuelles du paysage régional est similaire à celle des représentations iconographiques. Elle s'inspire de la sémiotique. Nous nous penchons sur le contenu symbolique des textes, à la façon dont ceux-ci sont combinés et les messages qu'ils révèlent. Nous accordons une attention particulière aux catégories définies dans l'étude de l'iconographie afin de mieux évaluer le paysage qui émerge de ces descriptions textuelles. Notre méthode d'analyse privilégie non seulement l'étude du contenu symbolique de la représentation, mais également le contexte qui entoure sa réalisation. Le style littéraire est également considéré. Il est souvent révélateur d'une orientation idéologique particulière et du but de la représentation. Nous tentons également de dégager les valeurs et les jugements personnels de l'auteur qui transparaissent dans son texte et d'une façon plus globale, la présence d'une idéologie particulière. Le contexte général qui entoure la réalisation de l'œuvre tient compte du lieu de provenance de l'auteur, de l'époque à laquelle il a réalisé ce texte, de son profil socioprofessionnel, de son intention, des normes concernant la rédaction des récits de voyage et des préférences du public. Nous tentons de déterminer ces éléments à l'aide des informations disponibles sur l'auteur.

1.3.4 Les recensements nominatifs et la carte ancienne: pour une analyse spatiale du paysage

Notre objectif, dans cette partie, est de présenter les sources servant à reconstituer le vécu qui s'inscrit à l'intérieur du paysage. Notre analyse privilégie l'évolution de la trame spatiale de la socio-économie, en tentant d'en extraire l'évolution des fonctions d'échange et des faits de circulation à l'intérieur du territoire. Une étude qui combine les recensements nominatifs et la carte ancienne permet de dégager les structures spatiales de l'économie et de la population, et d'en mesurer l'évolution au cours de la période. Nous nous attachons plus particulièrement à l'évolution de la structure de la production agricole, de la propriété foncière, de la démographie, du profil socioprofessionnel des habitants, des fonctions présentes dans l'aire villageoise, de la croissance de la petite industrie et des fonctions d'échange en général. Voici une présentation de ces sources et de la façon dont elles sont utilisées dans cette étude.

1.3.4.1 Les recensements nominatifs

Nous disposons de cinq recensements nominatifs pour la période 1831-1871. L'un d'entre eux cependant, celui de 1842, est presque inutilisable en raison de données manquantes représentant tout le sud-ouest de la région, soit les paroisses de Petite-Rivière-Saint-François et Baie-Saint-Paul, la plus populeuse à l'époque. Ces recensements étaient commandés par le gouvernement colonial, puis canadien. En conséquence, leur contenu varie considérablement d'une décennie à l'autre, selon les besoins en information du gouvernement. Les plus anciens sont évidemment les plus pauvres en information. Le recensement de 1831 ne contient que la déclaration du chef de ménage. On s'intéresse alors plus particulièrement à la composition du ménage, aux professions, à la taille des propriétés, aux grandes cultures céréalières, à l'élevage et à la petite industrie (moulins et fabriques). Le recensement s'enrichit tout au long du siècle et se fragmente en plusieurs tableaux, regroupant des thèmes particuliers de la vie économique et sociale des ménages. Ainsi, en 1871, le recensement est subdivisé en neuf tableaux intégrant de nombreuses facettes de la socio-économie locale, tant sur le plan des caractéristiques de la population que de l'industrie et du commerce.

Cette variation du contenu des recensements rend difficile l'étude de certaines activités économiques qui sont absentes en début de période (la production textile par exemple n'est pas répertoriée en 1831). Non seulement le contenu des recensements n'est pas homogène, mais son découpage territorial non plus. Les recenseurs (les prêtres la plupart du temps) regroupent les habitants par concessions ou groupes de concessions, selon leur gré. Comme il n'y a pas de cartographie officielle de la région - tout juste quelques plans de seigneurie épars - le recenseur se fie à sa connaissance du territoire afin de localiser les habitants. Nous avons pu constater certaines erreurs de délimitation des territoires, dont des inversions complètes de rangs. De nouveaux territoires s'ajoutent également au fil du temps. La toponymie réfère souvent à une toponymie locale qui diffère du nom officiel du rang. Il est donc nécessaire de refaire la cartographie des secteurs de recensements pour chaque décennie afin d'obtenir la localisation la plus précise possible des habitants.

Le recensement comporte également des sources d'erreurs relatives à sa copie manuscrite, notamment des problèmes de lisibilité de certains caractères et des erreurs de calcul dans les colonnes de données statistiques. La mise sur support informatique des données permet cependant de corriger une bonne part de ces erreurs. Il faut également composer avec certaines erreurs d'inscription du recenseur qui, par exemple, néglige souvent de compter le chef dans le total du ménage en 1831 et sous-enregistre certaines professions comme les navigateurs et les journaliers. En 1851, des professions sont attribuées à de jeunes enfants et les fils de cultivateurs sont enregistrés comme journaliers. De plus, il faut être attentif à l'ordre des feuillets microfilmés. Le recensement de 1831 comporte des erreurs de localisation de certaines pages, qui se trouvent classées dans une paroisse différente de celle à laquelle elles appartiennent réellement. Toutefois, les sources d'erreurs diminuent au cours du siècle et le recensement tend à être plus rigoureux. Ces sources doivent donc être utilisées avec prudence afin d'en extraire des renseignements les plus exacts possible et d'éviter de répéter les erreurs liées à la source.

1.3.4.2 La carte ancienne

La couverture cartographique de la région de Charlevoix au cours des années 1830-1871 est très inégale. Aucune obligation légale n'est faite au seigneur de fournir des relevés cartographiques de sa seigneurie, à moins d'une demande spéciale de l'administration coloniale. Le seigneur effectue des relevés cartographiques la plupart du temps lors de la vente de la seigneurie ou en cas de litige concernant ses limites. Parfois cependant, certains seigneurs tiennent des registres méticuleux de leur seigneurie. Les plans cartographiques sont alors plus abondants. Dans la région de Charlevoix, la plupart des plans seigneuriaux datent de la période 1810-1812[6]. Beaucoup de plans de seigneuries ont été réalisés au cours de cette période au Bas-Canada, alors que la nouvelle administration coloniale réclame aux seigneurs une preuve de possession de leur seigneurie ainsi que des détails sur leur étendue. Ces plans seront utilisés par Joseph Bouchette pour dresser sa carte du Bas-Canada en 1815 (Boudreau, 1994: 168). Cette carte sera mise à jour en 1831. Elle a été un outil précieux qui nous a permis, avec l'aide des plans seigneuriaux et des recensements, de déterminer les limites du territoire effectivement occupé durant la première moitié du XIXᵉ siècle. D'autres plans seigneuriaux et des plans particuliers relatifs à l'implantation de routes, à la chasse et à la pêche sont également disponibles pour le milieu du siècle. Nous disposons également d'une dizaine de plans d'arpenteurs touchant des points précis du territoire qui viennent enrichir l'information que nous possédons sur le découpage territorial.

---

6. Nous disposons en effet pour 1811 d'un plan de la seigneurie de l'Île-aux-Coudres et de la seigneurie des Éboulements.

Pour la seconde moitié du siècle, nous avons pu utiliser le premier cadastre officiel des municipalités de Charlevoix qui date de 1881. Le tracé des rangs a peu changé. Le cadastre, en plus d'illustrer le découpage territorial à une échelle très fine, celle du lot individuel, est accompagné du nom du ou des propriétaires de chacun d'eux. Cette liste permet de localiser plus précisément les habitants signalés au recensement de 1871. Les cartes des anciennes municipalités de comté et du cadastre actuel de Charlevoix ont également permis de déterminer des changements dans les limites de certaines concessions et elles ont fourni un support pour la saisie numérique des fonds cartographiques.

1.3.4.3 Méthode d'analyse spatiale du territoire de la période 1831-1871

Les recensements nominatifs énumérés précédemment ont été placés sur support informatique. Cette saisie a fait l'objet d'un projet de recherche conjoint entre l'Institut du recherches sur les populations (IREP) de l'Université du Québec à Chicoutimi et le laboratoire de géographie historique de l'Université Laval. Chaque recensement constitue une base de données distincte. Les informations contenues dans ces fichiers ont été analysées et cartographiées à l'échelle du rang grâce à la cartographie effectuée à l'étape précédente. Il devient ainsi possible d'obtenir une répartition spatiale de certains phénomènes et leur évolution à travers le temps. Il est également possible de jumeler à ces données d'autres informations provenant d'actes notariés et de documents d'archives divers qui permettent d'enrichir l'information sur la socio-économie régionale.

Cette méthode, prenant appui sur l'analyse spatiale à partir d'une approche de type relationnelle héritée de la notion de territorialité, nous permet de mieux comprendre l'évolution de la socio-économie locale au XIXᵉ siècle. L'analyse des représentations effectuées au XIXᵉ siècle vient enrichir ce portrait en révélant une seconde dimension du territoire charlevoisien, celui de l'imaginaire dont il est investi. L'originalité de notre ouvrage est d'intégrer ces deux dimensions du paysage, celui du tissu de relations dont il est le support, celui de sa symbolique culturelle, soit la façon dont il est perçu et représenté en référence aux grands courants idéologiques et esthétiques du XIXᵉ siècle. Nous croyons qu'il s'agit de deux composantes essentielles du paysage, complémentaires l'une de l'autre. La construction d'un paysage est liée au mode de représentation des groupes humains, qui est à la base de sa perception, des idées et des valeurs dont on l'investit et des différentes visées dont il est l'objet. Le paysage constitue l'actualisation de ce processus dans l'espace. Le territoire est constamment l'objet de réévaluations et de réinterprétations qui contribuent à long terme à son évolution. Ainsi, les structures spatiales de la socio-économie charlevoisienne témoignent des mouvements idéologiques qui tentent de définir la nation canadienne-française et des représentations de l'espace qui en découlent au XIX⁰ siècle. L'évolution du paysage a également été affectée par un apport idéologique étranger: le Romantisme. Ce mouvement a introduit une nouvelle fonction économique dans la région qui a modifié l'évolution du paysage à partir du milieu du XIX⁰ siècle. Il s'agit du tourisme. L'analyse des représentations du paysage jumelée à celle des structures spatiales et de la dynamique interne de la socio-économie nous permettent d'obtenir une vision plus intégrée du paysage et de sa complexité.

Chapitre 2

La période 1800-1824 : les premières représentations du territoire

Ce chapitre présente les premières étapes de l'occupation du territoire charlevoisien et les premiers systèmes de représentation qui l'ont façonné. Cette étape est essentielle à une compréhension de la socio-économie locale dans une perspective géohistorique. Elle permet de comprendre les idéologies à la base de la constitution du territoire tel qu'il apparaît au XIXᵉ siècle. Les formes issues de ces systèmes d'idées sont toujours présentes dans le paysage. Comme nous l'avons vu au chapitre précédent, les systèmes de représentation sont à la base de la transformation d'un espace en territoire. Pour qu'un espace quelconque, dénué de toute action ou de toute représentation humaine, devienne un territoire, un acteur doit se l'approprier de façon concrète ou abstraite. Cette appropriation implique la projection d'un système sémique, tout comme à l'intérieur de n'importe quel processus de communication. C'est ce système sémique qui détermine le type de représentation qui sera fait de l'espace et les actions qui seront mobilisées afin de le transformer. Les propriétés allouées à l'espace sont celles qui sont mises au jour par les codes et les systèmes sémiques (Raffestin, 1980 : 130).

Selon Claude Raffestin, «une population s'organise, vit et se perpétue par et à travers la transformation d'un espace en territoire et aussi par la modification de ses propres rapports sociaux» (Raffestin et Racine, 1990 : 123). Il s'agit donc d'une dynamique qui agit sur la longue durée, d'une part, entre l'homme et le territoire et, d'autre part, entre l'homme et la société. La modification des relations entre l'homme et le territoire résulte d'un changement de la représentation de celui-ci de la part du groupe social. La modification du rapport à l'espace induit à son tour des changements dans les rapports sociaux. Les trois composantes du système sont donc intimement liées. Ce chapitre présente dans une première étape la mise en place du territoire charlevoisien à travers les enjeux de la société coloniale française puis britannique des XVIIe, XVIIIe et XIXe siècles. La seconde partie est consacrée aux premières représentations du paysage au XIXe siècle et les nouveaux systèmes symboliques qu'elles y introduisent. Dans une troisième étape, nous présenterons un portrait du paysage au début du XIXe siècle tel qu'il apparaît à travers les représentations textuelles et iconographiques de la période.

2.1 UTOPIES ET CONSTRUCTION TERRITORIALE

L'occupation du territoire charlevoisien est liée aux différentes utopies projetées par l'élite sociale de la France sur le nouveau territoire colonial. Ces utopies ont donné lieu à l'expression d'enjeux territoriaux, liés au type de société à bâtir en Nouvelle-France. Deux représentations de l'espace qui découlent de ces utopies se sont affrontées dans le paysage charlevoisien dès la seconde moitié du XVIIe siècle. La première est celle de l'élite politique de la nouvelle colonie, représentée par l'intendant Jean Talon qui, avec le ministre Colbert, met en place un véritable programme de développement du territoire de la Nouvelle-France. Il voit l'opportunité, sur cette surface encore vierge, de construire «un grand Royaume» (Dumont, 1993: 54). Au moment de l'arrivée de Talon en 1666, le mercantilisme est à la base du développement de la colonie. L'intérêt de la métropole en Nouvelle-France est d'abord commercial. On cherche alors des denrées exportables pouvant faire l'objet d'un commerce rentable. Les capitalistes marchands monopolisent à cette époque le commerce en exportant les produits de base du nouveau territoire que sont le poisson, les fourrures et le bois (Dickinson et Young, 1992: 44). Talon désire faire contrepoids au commerce des fourrures en établissant une industrie locale diversifiée. C'est pourquoi il s'intéresse très tôt au potentiel forestier de la région de Charlevoix. En plus du développement économique, Talon s'intéresse à la colonisation du nouveau territoire. La colonisation débute dans Charlevoix sous son administration, d'abord avec l'implantation d'une goudronnerie dans le bas de Baie-Saint-Paul, puis avec la colonisation agricole qui débute avec l'octroi de la seigneurie de Beaupré aux prêtres du Séminaire de Québec. Auparavant, les seules occupations humaines que l'on signale sont celles des coureurs des bois occupés au commerce des fourrures et des groupes d'Amérindiens qui circulent sur le territoire en provenance du Saguenay pour la plupart et qui remontent vers Tadoussac et la Côte-Nord au cours de migrations saisonnières dans leurs territoires de chasse et de pêche.

L'exploitation forestière a donc motivé la première implantation territoriale dans le bas de Baie-Saint-Paul en 1670. Talon y installe la Goudronnerie
royale destinée à satisfaire les besoins en goudron de la marine militaire française. Le commerce du bois sera par la suite étroitement lié au développement
économique de la région. Talon signale d'ailleurs les avantages qu'une telle
industrie peut présenter pour la colonisation agricole en constituant une source
de numéraire, denrée rare dans les centres de peuplement de l'époque. Pour
Talon, le commerce du bois est destiné non seulement à faire prospérer l'économie coloniale, mais également à soutenir la colonisation agricole. Mgr de Laval
ne sera toutefois pas de cet avis. Celui-ci s'emploiera à chasser cette entreprise
de ses terres dès le début des années 1670.

Le clergé introduit un deuxième mode de représentation du territoire québécois. À cette époque, le clergé catholique, en raison de son statut social en
France, constitue l'une des principales institutions qui assurent la cohésion
sociale de la colonie. Les jésuites participent d'ailleurs au gouvernement colonial. L'annulation de vastes seigneuries en Nouvelle-France leur assure un
revenu qui leur permet de maintenir leur statut (Dickinson et Young, 1993: 53-60)
et d'entreprendre leur œuvre évangélisatrice auprès des Amérindiens. Le clergé
a alors une vision particulière du type de société à fonder en Nouvelle-France,
liée à une utopie qui découle du renouveau mystique européen (Dumont, 1993:
43-50). On désire fonder une société établie sur la religion comme gardienne de
l'ordre moral et même temporel. La mise en œuvre de ce projet repose sur la
conversion et la sédentarisation des Amérindiens. Les petites communautés de
départ, solidement encadrées par le clergé, constitueront le noyau initial du
développement. Leur économie reposera sur l'agriculture. À ces noyaux vien-
dront se greffer des colons français, achevant ainsi l'assimilation des autochto-
nes. Évidemment, les jésuites s'opposaient à la traite des fourrures, vue comme
l'obstacle principal à la sédentarisation des Amérindiens. À l'époque de l'acquisition de la seigneurie de Beaupré par Mgr de Laval en 1668, ce rêve est déjà un
échec et le pouvoir des jésuites décroît. Leur opposition au commerce des fourrures et leur influence politique leur attirent de violentes critiques, dont celles du
nouvel intendant de la Nouvelle-France, Talon, dont la représentation du territoire est axée sur le développement commercial et la colonisation française. Le
conflit entre ces deux représentations personnifiées par Mgr de Laval et l'intendant Talon s'exprime ouvertement sur le territoire de Baie-Saint-Paul au début
de la décennie 1670-1680. Mgr de Laval tente par tous les moyens de faire expulser la Goudronnerie royale de ses terres. Les maîtres-goudronniers de la rivière
du Gouffre tentent de s'approprier les plus belles terres de la vallée. Mgr de Laval
réussit à faire expulser les goudronniers en 1676 par le successeur de Talon,
l'intendant Jacques Duchesneau (Baillargeon, 1972: 202).

Ainsi donc, deux représentations différentes du territoire charlevoisien, tributaires de deux systèmes de représentation particuliers liés à des mythes et à des utopies européennes, ont donné naissance à deux systèmes particuliers de territorialisation dans Charlevoix. Ces systèmes, ayant des rapports tantôt complémentaires tantôt conflictuels révèlent une partie des enjeux et des luttes de pouvoir qui s'affrontent sur le territoire en formation de la Nouvelle-France. La construction du territoire charlevoisien des XVIIe et XVIIIe siècles est à l'image des hésitations et des conflits qui ont marqué les premiers siècles de l'existence de la colonie.

2.1.1 Forêt et agriculture : les deux assises du développement territorial

L'exploitation forestière est à l'origine de la première forme d'occupation territoriale dans Charlevoix, suivie toutefois rapidement par l'agriculture. La Goudronnerie Royale s'installe au cœur de la vallée du Gouffre, sur les meilleures terres, ce qui explique ses conflits avec la colonisation agricole naissante. Les deux activités se sont cependant rapidement associées afin d'assurer la croissance économique du territoire. Au fur et à mesure de l'occupation des terres, l'extraction des ressources forestières sera repoussée vers les marges de l'écoumène, soutenant la croissance démographique des basses paroisses et, à partir du début du XIXe siècle, celle de l'arrière-pays.

2.1.1.1 Territoire et industrie forestière

L'implantation de la goudronnerie de Talon en 1670 donne le départ de l'occupation de la région de Charlevoix. Cette industrie s'insère cependant dans une vision d'ensemble de Talon de la construction du territoire charlevoisien et de la colonie entière. Cette industrie, loin de nuire à la colonisation agricole, devait l'assister en constituant une source de numéraire pour les colons. « Pour les concessionnaires de terres nouvelles, rien n'était plus rare que l'argent, il le serait encore davantage pour les habitants de la baie à cause de l'isolement où ils se trouveraient par rapport au reste du pays (Girard, 1934a : 469). » Même si à l'époque le territoire de Baie-Saint-Paul appartient déjà au Séminaire, l'intendant a le droit, au nom de Sa Majesté, « de prendre là où il le juge convenable, tous les bois nécessaires aux intérêts supérieurs de la France » (Girard, 1934a : 469). Il installe la goudronnerie du côté sud-ouest de la baie, au bas d'une terrasse qui devait favoriser la croissance du pin, à l'abri des grands vents. Il concède le domaine à un maître-goudronnier français qui a été remplacé deux ans plus tard par deux habitants de Québec, Léonard Pitoin, marchand, et Pierre Dupré

(Girard, 1934a). Ces deux goudronniers, en 1672, reçoivent une concession de 00 arpents et à la Petite Rivière et 9 arpents au-delà de la rivière du Gouffre dans Baie-Saint-Paul. L'année suivante, le gouverneur Frontenac leur accorde une concession de neuf arpents de front sur quatre à cinq milles de longueur dans la plus belle partie de Baie-Saint-Paul. C'est alors qu'ils paralysent les projets d'établissement de Mgr de Laval au même endroit et que celui-ci tente de les faire expulser. De plus, les deux goudronniers ne respectent pas le contrat signé avec Talon. Deux ans plus tard, les deux engagés réclament toute la baie à l'intendant Duchesneau. Après plusieurs violations de la propriété de Mgr de Laval et le non-respect de leur contrat, ils sont finalement expulsés de la baie, non sans donner lieu à une lutte de pouvoir pour la possession de la baie entre Mgr de Laval et l'intendant, d'une part, et le gouverneur Frontenac qui, en soutenant les deux maîtres-goudronniers, voit une occasion de défier l'autorité de l'évêque et de l'intendant (Girard, 1934a: 476-477). Les débuts de l'occupation du territoire sont donc marqués par des conflits d'intérêts, de propriété, et même des luttes de pouvoir entre les autorités coloniales. Baie-Saint-Paul devient l'un des centres où s'affrontent les représentations divergeantes du nouveau territoire de la part des représentants de la métropole.

Il ne s'agit pas de la seule entreprise d'exploitation forestière de la région à l'époque. Les forêts du secteur de La Malbaie attisent également la convoitise des marchands de Québec. La seigneurie est d'abord concédée à Jean Bourdon en 1653, puis reprise par le gouvernement pour être concédée cette fois à Philippe Gaultier de Comporté en 1672. Elle s'étend alors de Cap-aux-Oies à Cap-à-l'Aigle, soit six lieues de front sur quatre lieues de profondeur. Le seigneur cède sa propriété à son beau-frère Charles Bazire en 1687 qui s'associe par la suite à François et Louis Soumande (Tremblay, 1986: 22). En 1689, la seigneurie compte une trentaine d'engagés travaillant pour deux moulins à scie. La production de l'année s'élève à 30 000 pi de planche, 20 000 pi de bordages et une centaine de mâts (Lefrançois, 1984: 77). Selon Lefrançois, la seigneurie de La Malbaie constitue alors «le plus important centre de l'industrie forestière au Canada, [les propriétaires] y construisant bâtiments, maisons, granges, deux moulins à scie et un chemin» (1984: 77). Ce complexe industriel était localisé à quelques kilomètres de la ville actuelle de La Malbaie, à la jonction des rivières Malbaie et Comporté. Le parler populaire désigne ce lieu sous le nom de «petit village» (Dubé et Tremblay, 1989: 83). À la mort des promoteurs, les abbés Joseph-Thierry et Pierre Hazeur qui en héritèrent vendirent le moulin et la seigneurie au Domaine du roi. L'État fait une autre tentative en 1690 à Baie-Saint-Paul et à l'Île-aux-Coudres. Le succès de ces entreprises est cependant de courte durée. Les aléas du climat, l'attaque de la flotte anglaise de Phips en 1690 et de nombreux problèmes de transport compromettent le succès des industries. En 1692 cependant, l'industrie régionale des mâts était prospère, particulièrement à

Baie-Saint-Paul. Chaque hiver, on y préparait environ 75 mâts que l'on payait 60 livres françaises (#) (environ 12$) aux bûcherons. La presque totalité des gens de la région étaient employés à ce travail et l'intendant fournissait tout le matériel nécessaire à l'entreprise : les embarcations, les palans, les cabestans et les câbles pour manœuvrer les pièces et les descendre en les flottant jusqu'au bassin qui avoisinait le moulin. En 1694, la production atteignit la centaine de mâts (Girard, 1934b : 746).

Le début du XVIIIᵉ siècle marque la fin des activités industrielles à la seigneurie de La Malbaie et à Baie-Saint-Paul. On commence alors à prospecter du côté des forêts acadiennes, qui étaient plus rapprochées de la métropole. En conséquence, le ministre supprime le crédit de 8 000 # consenti à l'industrie des mâts de Baie-Saint-Paul en 1700. Le traité d'Utrecht relance cependant l'industrie à Baie-Saint-Paul en 1713. En 1719, le moulin à scie de Baie-Saint-Paul achemine vers la métropole 60 mâts, 8 plançons, 5 400 planches communes, 1 000 planches larges, 2 700 madriers et 1 200 pi de bordage. La valeur du chargement est de 6 315 # de 20 s. ou 1 263$ (Girard, 1934b). Cette entreprise de la métropole jouera encore une fois un rôle de catalyseur dans le développement de l'industrie forestière de Charlevoix en stimulant la mise en place ou la relance de certaines entreprises. Le moulin à scie du Séminaire reprend ses activités quatre ans plus tard. Trois autres moulins sont établis, l'un par Claude de Ramezay, ancien gouverneur de Montréal, un autre par deux habitants de Baie-Saint-Paul et un dernier par le seigneur des Éboulements, Pierre Tremblay. L'essor se poursuit jusqu'en 1724 alors que cette industrie subit un nouveau déclin qui se poursuit jusqu'en 1760. Seul le goudron subsiste en raison d'une conjoncture économique favorable à partir de 1730, à la suite de l'application du plan de Gilles Hocquart. C'est encore une fois la métropole qui prend l'initiative de cette industrie, à laquelle se joignent quelques habitants dans la vallée du Gouffre à Baie-Saint-Paul. La famille Tremblay, propriétaire de la seigneurie des Éboulements, se met à construire des fourneaux vers 1725. En 1735, on embarque sur le vaisseau du Roy 350 livres de térébenthine et 400 barils de goudron (Lefrançois, 1984). Cette industrie chute vers 1750 en raison des restrictions à l'exportation imposées par l'intendant François Bigot.

Il s'agit donc d'une industrie qui évolue de façon irrégulière au cours du premier siècle d'occupation du territoire, selon les aléas de la volonté métropolitaine, de la conjoncture commerciale et militaire internationale et des problèmes liés au climat. Ce cheminement révèle également la fragilité et la dépendance des premières industries de la colonie devant la conjoncture extérieure. Cette dépendance de l'industrie première de Charlevoix par rapport au commerce international se poursuit au cours du XIXᵉ siècle. En conséquence, l'économie de la région demeurera toujours sensible aux fluctuations de cette industrie.

Malgré les hésitations et les divers problèmes qu'elle présentait, l'exploitation forestière a eu des effets bénéfiques sur le mouvement de colonisation régionale. Selon Lefrançois (1984), l'industrie forestière a tracé un chemin à la colonisation qui va dominer le paysage par la suite. La conséquence la plus immédiate de l'expansion de l'exploitation forestière fut l'implantation et le maintien d'une population stable. Elle a également contribué à créer une quantité importante d'emplois. Elle a aussi provoqué l'implantation d'engagés que la métropole et les seigneurs recrutaient à Québec et sur la Côte-de-Beaupré. De plus, son influence sur le niveau de vie des censitaires de Petite-Rivière-Saint-François n'était pas négligeable, par le travail saisonnier relativement rémunérateur qu'elle représentait. De nombreuses études ont récemment démontré l'importance des moulins à scie dans la colonisation de nouveaux territoires en Amérique du Nord. Selon Jean Martin, « Le moulin à scie est un centre de services essentiel pour soutenir la construction des bâtiments, des ponts et des nombreux autres équipements dont la nouvelle communauté a besoin pour assurer son développement (Martin, 1995 : 32). » La possibilité pour les habitants d'acheminer au moulin le bois provenant de leurs terres en défrichement leur permettait également d'obtenir un revenu supplémentaire afin de se procurer les biens et les denrées nécessaires pendant les débuts de leur établissement (Martin, 1995 : 32). L'industrie forestière et la colonisation agricole se sont donc associées très tôt sur le territoire charlevoisien, tout comme ce fut le cas dans d'autres régions du Québec, en Mauricie notamment (Hardy, Séguin et al., 1980).

2.1.1.2 L'occupation agricole du territoire

Les premières concessions de terre à des fins agricoles sont effectuées en 1675 à Petite-Rivière-Saint-François, par le Séminaire de Québec. Les secteurs de Petite-Rivière et de Baie-Saint-Paul faisaient alors partie de la seigneurie de Beaupré. Le Séminaire installe par la suite deux grandes fermes à Baie-Saint-Paul en 1677 et en 1678, suivies d'un important moulin à scie en 1685. Ce moulin doit servir à l'exploitation des riches pinières du domaine, auparavant exploitées par les engagés de la Goudronnerie Royale. Le moulin a produit près de 25 000 planches en 1688. Cette même année, son revenu annuel était de 5 000 #, soit environ 1 000 $. On estime que ce moulin, en période de pleine activité, devait exiger le travail d'une quinzaine d'ouvriers. D'après Girard, « Ce moulin fut le noyau autour duquel se développa le premier établissement de la Baie Saint-Paul. Pendant que les navires restaient mouillés au large dans le « remous », les barques venaient atterrir à la grève à deux pas du moulin (Girard, 1934b : 742). » Il a également servi de presbytère et de chapelle jusqu'en 1698, date de la construction de la première église de Baie-Saint-Paul. Un moulin à farine est également construit en 1686 afin de permettre aux premiers censitaires de faire moudre leur grain. La construction d'un moulin à farine fait partie des obligations du seigneur. «Toute une vie s'organise autour des moulins à farine et à scie (1686), de l'église (1698) et du manoir. Les habitants s'installent à demeure et défrichent leurs terres tout en s'adonnant à la pêche, à la chasse et au travail en forêt (Bluteau, 1984: 35).» Le domaine seigneurial et ses moulins constituent donc le noyau initial du peuplement régional. Ils fournissent emplois et services aux nouveaux colons. Ils sont également établis à proximité de l'axe principal de circulation de la vallée du Saint-Laurent, le fleuve. Ces noyaux-moulins donneront naissance aux premiers villages de la région dans le premier tiers du XIXe siècle.

Les concessions de seigneuries débutent très tôt dans Charlevoix. La première est effectuée par la Compagnie de la Nouvelle-France en 1636 à Antoine Cheffault de La Regnardière. Elle est d'une étendue de six lieues de profondeur comprise depuis la borne de la seigneurie de Beauport jusqu'à la rivière du Gouffre (Baillargeon, 1972), soit la Côte-de-Beaupré. Elle sera cédée à Mgr de Laval en 1674. L'occupation des autres seigneuries suit les premiers établissements à Baie-Saint-Paul. L'ouverture à la colonisation des seigneuries des Éboulements et de l'Île-aux-Coudres s'effectue en 1683. La concession des basses terres de la seigneurie du Gouffre à l'est de la rivière du même nom a eu lieu l'année précédente. Son occupation ne débute cependant que vers 1734, parallèlement à la reprise de l'exploitation du goudron. Les premières concessions de terres à des colons à Baie-Saint-Paul ont lieu en 1707 alors que le séminaire émet 20 titres. Une autre série de 20 titres est émise entre 1711 et 1730. Après cette période, les dettes du Séminaire obligent les administrateurs à concéder l'ensemble des terres restées vacantes à Baie-Saint-Paul et ils concèdent presque toutes les terres disponibles entre 1730 et 1760. À compter de 1739, le peuplement de l'ensemble des seigneuries de la région de Baie-Saint-Paul se poursuit de façon continue, et ce, jusqu'en 1760.

Le peuplement est parti de Petite-Rivière en 1675 pour s'étendre le long du littoral, sur les terrains plats et argileux des vallées et des franges côtières. La colonisation s'effectue cependant en fonction de la volonté de concéder des seigneurs. Il semble que dans Charlevoix, cet intérêt fut plutôt faible avant les années 1730. L'éloignement du territoire et la difficulté générale du recrutement des colons en Nouvelle-France jusqu'à cette période et, en conséquence, la faible rentabilité des seigneuries expliquent probablement cet état de fait (Wallot, 1973). Les seigneurs de Charlevoix préféraient commercer et exploiter les ressources forestières de leurs domaines. La population augmente donc lentement jusqu'en 1730 pour s'accélérer par la suite. En 1680, on ne compte qu'une dizaine d'habitants; en 1695, leur nombre s'élève à 88; en 1739, la région compte 445 habitants et en 1765, leur nombre s'élève à 1 054. Ils se répartissent comme suit: 692 à Petite-Rivière et Baie-Saint-Paul, 213 aux Éboulements et 149 sur l'Île-aux-Coudres (Guérin, 1988). Jusqu'en 1760, l'occupation humaine se limite aux basses terres du littoral rural, avec l'ouverture de quatre séries de registres paroissiaux, soit Baie-Saint-Paul en 1681, Les Éboulements en 1732, la Petite Rivière-Saint-François en 1734 et Saint-Louis de l'Île-aux-Coudres en 1739.

Le peuplement de La Malbaie ne débute véritablement qu'après la Conquête, alors que le nouveau gouverneur James Murray divise la précédente seigneurie entre deux de ses officiers d'origine écossaise, John Nairne et Malcom Fraser. Depuis 1724, la seigneurie était un poste de traite où l'on trouvait deux fermes administrées de Québec par le receveur général François-Étienne Cugnet et supervisées par des engagés. On y trouve également une chapelle, qui fut rebâtie à neuf en 1744 (Tremblay, 1986: 22). Les terres de la rive est de la rivière Malbaie sont cédées à Nairne et deviennent la seigneurie de Murray Bay; celles de la rive ouest reviennent à Fraser et constituent la seigneurie de Mount Murray. Fraser sera plutôt absent de sa seigneurie. Il possède un autre domaine à Rivière-du-Loup et vit la plupart du temps à Québec. Il meurt en 1815 (Tremblay, 1986: 89). Nairne sera beaucoup plus présent. Le peuplement de ces deux dernières seigneuries est très rapide. La fin du XVIIIe siècle est une période de forte croissance démographique au Bas-Canada. Des années 1790 jusqu'à 1830, la population de cette paroisse augmente à un rythme très rapide, stimulée par l'abondance des terres et par la forte croissance de l'industrie forestière régionale. Cette industrie connaît une expansion sans précédent au Bas-Canada dans la deuxième décennie du XIXe siècle. Le bois devient alors l'un des principaux produits canadiens d'exportation. La pêche au marsouin est également très populaire. Le secteur constitue la principale zone de peuplement régional à la fin du XVIIIe et au début du XIXe siècle. Les premières concessions dans ces seigneuries s'effectuent d'abord sur les meilleurs sols, le long des rivières Malbaie et Mailloux. Les seigneurs favorisent d'abord l'établissement de colons écossais. Ces familles anglophones s'assimileront très rapidement à la majorité francophone, en une génération seulement. Au tout début, la population croît lentement, au rythme des concessions. L'ouverture des registres paroissiaux a lieu en 1774. La population des deux seigneuries est d'environ 250 personnes en 1790 (Guérin, 1988). La croissance de la population est fulgurante après cette date, culminant à 4374 personnes en 1831[7] pour l'ensemble des deux seigneuries, soit une augmentation de 4124 individus en 41 ans, pour une moyenne de 101 individus par année. Cette population provient majoritairement de Baie-Saint-Paul qui compte 2395 habitants en 1831.

---

7. Chiffre du recensement nominatif de 1831.

2.1.2 L'empreinte du système seigneurial sur le territoire

La nécessité d'exploiter les ressources naturelles de la colonie a été à la base d'une politique d'établissement d'une société rurale stable le long des rives du fleuve. La forme privilégiée d'occupation fut l'octroi de concessions de terres sous le mode de tenure seigneuriale, alors en vigueur en France. Ce mode de peuplement a profondément marqué la géographie et la territorialité de l'espace de l'axe laurentien. Ce mode d'occupation des terres privilégie un rapport à la propriété de type féodal. Le modèle original a cependant subi des transformations majeures en territoire nord-américain, en raison des contraintes spécifiques du nouveau milieu, tant démographiques que géographiques (Wallot, 1973; Harris, 1966). Le système seigneurial de la Nouvelle-France est moins contraignant et même avantageux pour les censitaires, qui jouissent d'une terre presque gratuitement et ont très peu d'obligations envers le seigneur.

Le système régit les droits et les devoirs à la fois des seigneurs et des censitaires. Les obligations du seigneur touchent l'État et les censitaires. Par rapport à l'État, il s'agit de l'acte de foi et hommage et de l'aveu et dénombrement; il doit également réserver au roi du bois de chêne, des mines et minerais ainsi qu'un droit de quint en cas d'aliénation entre vifs. Il ne peut vendre les terres non défrichées ni y couper du bois. Il doit également tenir «feu et lieu» sur sa seigneurie. Envers les censitaires, il doit concéder gratuitement une terre à tout habitant qui en fait la demande, construire et entretenir un moulin banal et établir une cour seigneuriale pour la basse et la moyenne justice. Tout comme les censitaires, il est sujet aux charges publiques comme les cotisations et les corvées de voirie et de guerre. En retour, il jouit de droits honorifiques et civils, de droits onéreux ou lucratifs, du droit de banalité, de deux corvées par année jusqu'en 1716, des redevances de la commune, d'un droit de pêche (peu fréquent) et parfois des revenus provenant de la vente de rotures reprises ainsi que de l'intérêt (5%) des prêts accordés aux censitaires (Wallot, 1973: 227-228).

En retour, le censitaire doit payer une redevance annuelle au seigneur. Celle-ci est cependant peu élevée et ne représente que 5% à 10% de son revenu. Il doit également tenir feu et lieu, exhiber ses titres sur demande, défricher sa terre et participer à la construction et à l'entretien des chemins nécessaires à la communauté. En retour, il peut obtenir son lot gratuitement, faire moudre son grain et bénéficier de l'appui de la société seigneuriale (Wallot, 1973: 228). Lors de son implantation, qui précède l'occupation du territoire, le système est censé «seconder l'immigrant et le pourvoir des services essentiels (terres, moulins, justice)» (Wallot, 1973: 228). Les chercheurs ne s'entendent pas sur l'importance du régime seigneurial dans la structuration de l'espace québécois (Trudel, 1956; Wallot, 1973; Harris, 1966: Dechêne, 1981). Pour Marcel Trudel par exemple, le régime seigneurial était en fait un système d'assistance mutuelle, établi pour faciliter le peuplement, qui a protégé la nation contre les influences extérieures au XIX siècle. Pour Richard Colebrook Harris, il n'aurait eu aucune influence sur l'occupation du territoire, celui-ci étant davantage tributaire de ses caractéristiques physiques. Des recherches récentes le perçoivent comme une source d'inégalité sociale, en raison du pouvoir des seigneurs de s'approprier les surplus agricoles (Dickinson et Young, 1992 : 52). Toutefois, on s'accorde à affirmer que le système seigneurial a eu une grande influence sur la vie sociale dans la colonie en privilégiant une vie communautaire, centrée autour du domaine seigneurial et de ses équipements et, plus tard, de l'église qui s'établit à proximité du domaine. La forme des concessions, en mince rectangle allongé d'environ 150 m de large sur 1 600 m de profondeur, avec la maison construite en bordure du chemin, privilégie les liens de voisinage. Cette forme fournit également un accès au fleuve ou à la rivière par un alignement perpendiculaire aux cours d'eau importants. Les lots étaient groupés en bandes sous forme de concessions ou de rangs, un rectangle parallèle au fleuve. Les seigneuries qui regroupaient ces rangs avaient également une forme rectangulaire et étaient parallèles au fleuve.

C'est ainsi que les terres des cinq seigneuries de Charlevoix ont été subdivisées, d'abord en lots étroits le long du fleuve à Petite-Rivière-Saint-François, puis perpendiculairement à la rivière du Gouffre dans la vallée du même nom. D'une manière générale, les lots sont perpendiculaires au fleuve le long du littoral et aux rivières dans les deux vallées du Gouffre et de La Malbaie. Les rangs se superposent ensuite vers l'intérieur des terres, en respectant l'alignement initial des lots des premiers rangs. Le mode de division des terres s'accorde ainsi aux contraintes physiques du milieu géographique particulier de Charlevoix, formé d'une alternance de vallées et de plateaux perpendiculaires au fleuve et de franges littorales ainsi que de terrasses parallèles à celui-ci.

L'origine des seigneurs de Charlevoix est à l'image de celle des seigneurs du reste du territoire. Deux des cinq seigneuries sont ecclésiastiques et appartiennent aux prêtres du Séminaire de Québec (Côte-de-Beaupré et Île-aux-Coudres). Celle des Éboulements a été concédée à Pierre Tremblay, fils d'un immigré arrivé en 1647. Il est venu avec son père prendre en charge la ferme de Baie-Saint-Paul en 1678, sous un acte d'engagement signé par Mgr de Laval (Tremblay, 1986 : 19). La concession de la seigneurie des Éboulements à Pierre Tremblay date de 1710[8], par une ordonnance de l'intendant Raudot (Daniel, dit Donaldson, 1983, I : 57-58). C'est sous sa direction que s'initie le peuplement agricole de la seigneurie des Éboulements. En 1759, la seigneurie compte 31 feux et 153 habitants (Tremblay, 1986 : 21). Le cas des seigneurs de La Malbaie est cependant particulier. Comme nous l'avons mentionné plus haut, La Malbaie

---

8. La première concession de la seigneurie des Éboulements à Pierre Lessard date de 1683.

a été divisée entre deux officiers britanniques, ayant reçu leur concession du gouverneur Murray. Très peu de seigneuries ont été concédées sous le Régime anglais.

Le système seigneurial a fourni les bases économiques et institutionnelles des premiers établissements humains dans Charlevoix. Le secteur du domaine fournit les services de base autour desquels va se bâtir la socio-économie du territoire. En plus d'un mode d'organisation des terres, il constitue le centre de la vie sociale et économique du nouvel établissement. Dans Charlevoix, ces fonctions étaient vitales en raison de l'éloignement de cette région par rapport aux grands centres et des difficultés de communication que présente son milieu physique au relief accidenté. Comme nous l'avons vu également, la forêt a été centrale dans la construction de cette socio-économie. Dès les débuts de la colonisation, elle a été partie intégrante d'une pluriactivité reposant sur l'agriculture. Cette pluriactivité comprenait non seulement la forêt, mais également la pêche et les fourrures. Les caractéristiques du paysage ajoutées au mode de territorialisation déterminé par les élites ont donc contribué à encourager une grande mobilité chez cette population.

2.1.3 Les premières paroisses et le rôle du clergé

Outre le régime seigneurial et ses représentants, le clergé a joué un rôle important au chapitre de l'organisation matérielle et sociale de la nouvelle colonie charlevoisienne. Nous savons que le peuplement agricole a été initié par les jésuites du Séminaire de Québec. Leur objectif était d'implanter une communauté reposant sur la pratique de l'agriculture familiale, encadrée par l'Église catholique. L'église s'implante conjointement aux équipements seigneuriaux. La première chapelle a été construite à Petite-Rivière en 1685 ; celle de Baie-Saint-Paul, en 1698. La messe y était toutefois célébrée depuis plusieurs années au moulin à scie. L'Île-aux-Coudres et Les Éboulements auront également leur chapelle au début du XVIIIᵉ siècle (Tremblay, 1986: 17). Les archives du Séminaire de Québec révèlent que Baie-Saint-Paul était déjà desservie par un prêtre en 1683, alors qu'elle ne comptait que 15 familles (Baillargeon, 1972: 151). Le premier prêtre résident est arrivé au début des années 1730 aux Éboulements. Il s'agissait d'un prêtre d'origine française, Antoine Abrat, qui est remplacé en 1734 par un autre prêtre français, Louis Chaumont. Le prêtre devait desservir à la fois les habitants de Baie-Saint-Paul, de Petite-Rivière et de l'Île-aux-Coudres. Le territoire était donc déjà subdivisé en quatre paroisses, correspondant non aux limites seigneuriales, mais aux zones de peuplement (Tremblay, 1986: 20).

Selon Tremblay, il semble que la tâche du curé ne se soit pas limitée qu'à ses charges curiales. Tremblay mentionne des achats de terres faits par le curé Chaumont à Baie-Saint-Paul à partir de 1736, alors que le Séminaire concède l'ensemble des terres de la vallée. Chaumont lorgnait les morceaux les plus fertiles:

> Messire Chaumont ne pouvait manquer de près de suivre ces développements [concessions de la vallée]. Non seulement, comme il était normal à cette époque, le curé se tenait toujours proche du seigneur pour collaborer étroitement avec lui, mais en l'occurrence les seigneurs de Beaupré étaient des prêtres et des confrères en religion, impliqués à fond dans les affaires temporelles. M. Chaumont connut bon nombre des directeurs du Séminaire qui passaient à la Baie-Saint-Paul (Tremblay, 1986: 25)

Il conclut sept transactions entre 1742 et 1749. À l'Île-aux-Coudres notamment, il fait l'acquisition d'une terre de trois arpents de front et de la maison seigneuriale qui y est située, avec droit de chasse et de pêche, « et la jouissance qu'en pourront avoir ceux qui auront la terre au-dessous » (Tremblay, 1986: 25). Il s'agissait d'un investissement de 3 500 #. Il a également acheté une maison qui appartenait à deux négociants, les sieurs Bettez et Doig, qu'il a par la suite cédée à la fabrique de Baie-Saint-Paul pour en faire une école. Il semble que les relations de Chaumont ne se limitaient pas aux seigneurs. Toujours selon Tremblay, Chaumont compte parmi ses relations les premiers négociants et les membres de la petite bourgeoisie (notaires, principalement) qui arrivent à Baie-Saint-Paul au XVIIIe siècle. Chaumont s'était fait le bras droit des notaires royaux qui ont exercé sur place à partir de 1737. Selon Tremblay, c'était pour lui « une ressource particulière pour se tenir au courant des affaires de ses paroissiens » (Tremblay, 1986: 26).

Il semble donc que l'influence du clergé ait été grande au tout début de l'occupation du territoire. Non seulement le curé Chaumont (1735-1785) s'occupait-il du salut de ses ouailles, mais il s'occupait également de leurs affaires matérielles. Il était également engagé dans les transactions foncières dans la vallée du Gouffre et il gardait un œil sur le commerce. Il entretenait des relations personnelles étroites avec la veuve de Pierre Tremblay et ses enfants, seigneurs des Éboulements. Il va même jusqu'à attribuer un titre nobiliaire au coseigneur de Rivière-du-Gouffre, Jacques Simard, celui de Comte de la Comté de Rat-Musqué (Tremblay, 1986: 93). Chaumont est toutefois le seul à l'utiliser. Le clergé s'est donc très vite imposé comme régulateur de la vie économique et sociale: « Le mal était condamné dans les assemblées de la famille paroissiale, les scandaleux et les hypocrites démasqués et chaque membre de cette grande famille mis en demeure d'éviter la contagion et de n'en pas devenir la victime (Tremblay, 1986: 93). » L'emprise du curé s'étend aux affaires matérielles, par ses acquisitions foncières dans les meilleures terres de la région et son influence sur les représentants du gouvernement ainsi que sur la petite bourgeoisie. Les premiers curés de Charlevoix gardaient donc un œil vigilant tant sur la vie économique que sociale des paroisses. Les commerçants, les notaires, les seigneurs et les habitants devaient rester dans leurs bonnes grâces pour pouvoir mener leurs affaires dans la région.

2.2 LE PAYSAGE DES REPRÉSENTATIONS DU PREMIER TIERS DU XIXᵉ SIÈCLE : LA MISE EN PLACE DES STRUCTURES SOCIO-ÉCONOMIQUES

Le paysage du début du XIXᵉ siècle est représenté de façon iconographique et textuelle par des croquis, des aquarelles, un récit de voyage et une description topographique. Ces documents ont tous été réalisés par des représentants de l'empire britannique, fonctionnaires coloniaux ou bourgeois-gentilhommes entre 1798 et 1824, à l'exception de Joseph Bouchette, qui est d'origine francophone. Le paysage qui émerge de ces documents est celui d'un milieu relativement sauvage et isolé, formé de contrastes. Le paysage naturel particulier retient d'ailleurs l'attention des auteurs. Il est défini comme grandiose et diversifié, formé d'une frange côtière étroite, derrière laquelle s'élève de hautes montagnes sauvages. L'occupation humaine prend la forme de petites communautés rurales installées dans le fond des vallées côtières et des secteurs lacustres du plateau montagneux. Certaines des illustrations et des textes descriptifs de la région sont marqués par un souci de reconnaissance du territoire de la part des autorités coloniales qui se livrent au même exercice à l'échelle du Bas-Canada en entier[9]. On localise, on décrit, on énumère le contenu naturel et humain du paysage selon les normes scientifiques de l'époque.

Les représentations artistiques sont, quant à elles, marquées par les nouvelles normes esthétiques qui régissent l'appréciation et la représentation du paysage en Angleterre. Celles-ci sont établies par William Gilpin à la fin du XVIIIᵉ siècle dans son guide du Picturesque. Le Picturesque constitue un type de beauté, une catégorie esthétique particulière. Il s'attache à rendre le caractère rude et ébauché du paysage, qui peut être accentué par d'autres qualités comme l'irrégularité, la variété, l'ombre et la lumière. De plus, le paysage Picturesque doit posséder le pouvoir de stimuler l'imagination (Finley, 1983 : 24-39). Cette théorie esthétique précède et annonce le mouvement artistique majeur du XIXᵉ siècle, le Romantisme. Au-delà de la nature picturesque du paysage, ces images et ces récits sont riches en information sur la socio-économie de l'époque. On y traite notamment de l'occupation du territoire, de l'agriculture, de l'industrie et des

---

9. Il s'agit de la description topographique de Joseph Bouchette et des croquis de John Jeremiah Bigsby.

communications. Cette partie présente une analyse de la nature de ces représentations et de leur contenu. Nous nous attardons en conclusion sur le portrait
socio-économique global qui émerge de cette première vision du territoire.

2.2.1 Une socio-économie en pleine croissance

Le paysage de cette période, qui pourrait être qualifié d'exploratoire, prend la
forme d'un inventaire du territoire, de ses ressources, de ses habitants et de
leurs moyens de subsistance. On s'attache à décrire la région de la façon la plus
exacte possible en termes de signes, tant à travers les représentations picturales
que textuelles. L'image globale qui se dégage de ces représentations est celle
d'une région relativement bien développée malgré son isolement géographique
relatif qui induit des problèmes de communication avec l'extérieur. L'agriculture
y est jugée relativement prospère. On souligne la présence de surplus commercialisables, exportés vers le port de Québec. Le réseau de communication terrestre à l'intérieur de la région est également bien développé. Les paroisses du littoral sont reliées entre elles par la route dès 1815. Le réseau routier s'étend alors
jusque dans l'arrière-pays, en longeant le centre des vallées. On y trouve des
moulins à grain et à scie. On remarque également l'existence d'un trafic commercial relativement intense avec le port de Québec.

Le paysage présenté à travers l'iconographie et le texte est un paysage
sauvage qui enserre les petits établissements humains sur ses marges littorales.
Le tout est présenté par les artistes d'une façon qui tente de rendre le caractère
grandiose et pittoresque de la scène. Ce milieu naturel impose des contraintes
au développement local en raison de son relief accidenté et de la faible fertilité
des sols en certains endroits. Toutefois, les établissements humains, sis dans le
bas des vallées et en bordure du littoral, jouissent d'une relative aisance. L'allure
des maisons, la productivité de l'agriculture, le développement du réseau routier, de l'industrie (forestière principalement) et du commerce extérieur témoignent de cette prospérité relative. La composition du paysage est donc très
diversifiée, même si le milieu naturel domine souvent en termes d'espace alloué
à l'intérieur des représentations. Il occupe effectivement une large place tant
dans le texte[10], où il constitue le point de départ de la description du paysage,
que dans l'iconographie, où la plus grande partie de l'image est allouée aux
montagnes et à la forêt qui encadrent les éléments humanisés. La partie suivante définit plus en détails les caractéristiques des différents documents composant cet ensemble.

---

10. Dans les descriptions de Bouchette, à la fois dans sa description topographique de
    1815 et dans son dictionnaire de 1832, le milieu naturel occupe souvent plus de la
    moitié du texte et même près de trois quarts dans certains cas.

2.2.2 Les représentations textuelles

Deux auteurs ont réalisé des descriptions du paysage charlevoisien en 1807 et en 1815. Il s'agit d'abord de l'artiste et maître de poste George Heriot, qui a publié un ouvrage en deux volumes sur ses voyages au Canada en 1807 à l'intérieur duquel il fournit une courte description de Charlevoix. Le second est l'arpenteur général du Bas-Canada Joseph Bouchette. Celui-ci entreprend en 1807 la compilation de données en vue de réaliser une carte du Bas-Canada ainsi qu'un ouvrage statistique et descriptif de la province. La carte ainsi qu'un volume descriptif sont publiés en 1815. La carte sera mise à jour en 1831, l'ouvrage descriptif, en 1832.

2.2.2.1 La description topographique de Bouchette

Bouchette a décrit méthodiquement le paysage par seigneurie en suivant l'ordre de leur localisation, du sud-ouest au nord-est. D'abord, il localise la seigneurie, il en donne la surface en lieues et il retrace la succession des titres de possession. Il livre ensuite les caractéristiques physiques du territoire : le relief, la qualité des sols, leur fertilité, les types de sols et leur localisation, la végétation, etc. Il intègre à cette description du milieu naturel des considérations sur les établissements humains, le commerce et les communications. Il est préoccupé notamment par la présence d'essences commercialisables, de gibier, de moulins, de routes fluviales et terrestres, d'activités économiques secondaires, d'agglomérations, d'églises, etc. En 1832, son dictionnaire topographique intègre également des tableaux statistiques sur la population et son profil socioprofessionnel, la présence d'églises, d'auberges, d'industries, l'état de la navigation, des productions agricoles, la superficie des terres, etc. L'intérêt de l'auteur pour l'état de développement des établissements et les ressources rentables pour la colonie transparaît dans le contenu de ces descriptions.

> D'après la situation de cet établissement (fief de Madame Drapeau) et de ceux de Le Gouffre et de Baie de St. Paul, qui n'ont point d'accès par terre avec les autres seigneuries, dont ils sont séparés par le terrain stérile de Côte de Beaupré [...] la plus grande partie de leur productions disponibles est transportée à Québec par eau, et plusieurs goilettes sont presque continuellement occupées à ce commerce durant la saison de la navigation : leurs cargaisons consistent principalement en grain, en bestiaux vivants, et en volailles, outre la grande quantité de planches de pin. Dans une ou deux de ces baies, il y a quelques bancs bons pour la pêche, où l'on prend une grande quantité d'excellent poisson de différentes espèces, et des harengs quand c'en est la saison (Bouchette, [1815] 1978 : 579-580).

On constate dans cet extrait la préoccupation de Bouchette pour les communications et le commerce de la région avec le reste de la colonie. L'état de
l'agriculture fait également l'objet de commentaires pour chaque localité,
comme ici dans le cas de la vallée de Baie-Saint-Paul : «Elle est pour la plus
grande partie très bien habitée et bien cultivée, quoique la terre dans plusieurs
endroits soit pleine de rochers et inégale : plusieurs terrains sur le penchant des
collines, quoique d'un accès difficile par leur élévation et leur rapidité, sont
labourés à la main, et extrêmement fertiles en grains de toute espèce ([1815]
1978 : 575).» Les détails qui influencent cette agriculture de façon locale sont
également minutieusement relevés. La vision du paysage de Bouchette reflète le
contexte général dans lequel ce grand ouvrage d'inventaire est effectué.
L'aspect général des établissements est également décrit. Voici l'exemple de
l'Île-aux-Coudres : «Il y a une paroisse, une église, un presbytère ; le nombre des
habitants est de 2 à 300, ils habitent de jolies maisons bien bâties, de chaque
côte d'une route qui fait complètement le tour de l'île ([1815] 1978 : 581).»
Bouchette intègre toujours les faits socio-économiques au milieu naturel. Le
passage suivant est également révélateur de cette caractéristique : «En avançant
le long de la Baie de St. Paul et de la Rivière du Gouffre, le pays est extrêmement
montagneux, mais le sol est bon, bien habité et bien cultivé ([1815] 1978 : 570).»
Un peu à la manière des artistes, le paysage est représenté comme un milieu
naturel sauvage et grandiose au cœur duquel s'inscrivent de petites communautés rurales. Ces petites communautés sont toutefois bien adaptées à ce milieu et
elles en tirent leur subsistance et même plus : «Le sol est partout [Île-aux-
Coudres] d'une qualité fertile et presque tout en labour, produisant du grain de
toute espèce bien au delà de la consommation ([1815] 1978 : 580).» Ces surplus
sont exportés vers le port de Québec : «Les petites baies sont le rendez-vous
d'un grand nombre de petits bâtiments employés à transporter à Quebec l'excé-
dent du produit de l'île [aux Coudres] et des seigneuries situées vis-à-vis ([1815]
1978 : 581).» Bouchette présente donc l'image d'une région possédant une fenê-
tre sur l'extérieur, malgré les problèmes de communications posés par son relief
accidenté.

2.2.2.1.1 L'arpenteur général Joseph Bouchette

Joseph Bouchette était l'arpenteur général du Bas-Canada de 1804 à 1840. Il est
reconnu pour sa production imposante et ses nombreuses innovations dans la
pratique de l'arpentage. Il est l'auteur d'ouvrages qu'on considère aujourd'hui
comme les premiers traités de géographie régionale du Canada (Boudreau, 1986 :
9-34). Il est également reconnu pour sa très grande loyauté à la couronne britannique. Il est le fils d'un officier de la marine militaire. Après avoir terminé son
apprentissage en tant qu'arpenteur auprès de personnages aussi prestigieux que

Samuel Johannes Holland (son oncle), l'architecte François Baillargé ainsi que James Peachey qui est à l'époque l'un des meilleurs aquarellistes militaires[11], il sert sous les ordres de son père dans la marine provinciale en 1791. Il reçoit également des missions de reconnaissance militaire et d'entraînement de troupes. Il devient directeur du bureau de l'arpenteur général du Bas-Canada en 1801 à la suite du décès de Holland. Il est alors très préoccupé par le tracé de la frontière du 45e parallèle avec les États-Unis. Il expose également son point de vue quant à la défense du pays et il met en garde les autorités contre une éventuelle attaque des Américains. Il a été l'un des rares Canadiens français à faire partie de la bureaucratie du Bas-Canada.

En 1807, il commence son travail de compilation de données pour sa carte à grande échelle de la province du Bas-Canada et pour la rédaction d'un ouvrage statistique et descriptif qui doit accompagner la carte. Parallèlement à sa carrière civile, Bouchette mène une brillante carrière militaire. Il s'illustre notamment au cours de la guerre de 1812 par ses relevés précis des objectifs stratégiques de l'Empire. À partir de la fin de la guerre, Bouchette entreprend des démarches auprès de la couronne britannique afin de réaliser sa carte et son ouvrage descriptif. Il entre alors en conflit avec la majorité canadienne à l'Assemblée en raison de ses prises de position favorables aux Anglais, comme lors du projet d'union des deux Canadas en 1822. Cependant, sa carte de 1815 est un franc succès et Bouchette devient une autorité dans le domaine de l'arpentage. Il est nommé arpenteur spécial de Sa Majesté chargé de l'application du cinquième article du traité de Gand. Bouchette s'adonne également à l'aquarelle et illustre sa description topographique de 1815 avec plusieurs d'entre elles. Il a notamment été influencé par George Heriot dans son traitement des paysages. De 1826 à 1829, Bouchette travaille à recueillir les données relatives à l'ouvrage le plus important de sa carrière, *A topographical dictionary of the province of Lower Canada*[12]. Cet ouvrage vient compléter celui qui a été publié en 1815. Il se met alors à parcourir le pays et à recueillir des données statistiques en plus de cartes et de plans ; il prend des notes et réalise des croquis. La carte est publiée en 1831 et le dictionnaire topographique en 1832. Bouchette est finalement mis à l'écart par le gouverneur Sydenham en 1839 à la suite de l'implication de son fils, Robert-Shore-Milnes, dans la rébellion de 1837-1838 au Bas-Canada. Il meurt à Montréal le 8 avril 1841, accablé par des problèmes personnels et financiers.

---

11. Peachey a effectué deux aquarelles ayant pour thème la côte de La Malbaie et celle de l'Île-aux-Coudres (ANC, Ottawa, C-2013, C-2012).

12. Publié en 1832 à Londres.

La carte et la description du territoire charlevoisien réalisées par Joseph Bouchette sont le résultat d'une compilation de données tirées de documents cartographiques divers ainsi que de rapports sur les seigneuries et les paroisses effectués par des représentants de celles-ci. Pour réaliser sa carte, Bouchette a utilisé des cartes précédentes du territoire du Bas-Canada réalisées à petite échelle. Ces cartes lui permettaient notamment de délimiter de façon précise le tracé de la frontière entre le Bas-Canada et les États-Unis. Il a également utilisé les plans des seigneuries et des cantons que l'État a réclamé aux seigneurs à la fin du XVIIIᵉ siècle et au début du XIXᵉ siècle. Il a également effectué des visites aux élites des petites communautés rurales (curés, seigneurs, etc.) au cours de la décennie 1820-1830, afin de vérifier, à la demande du gouverneur, l'état de développement du pays. Ceux-ci ont alors fourni les statistiques relatives à leurs seigneuries et paroisses.

Le paysage traduit par Bouchette ne résulte donc pas d'une connaissance pratique du territoire. Joseph Bouchette, s'il est venu dans Charlevoix, s'y est probablement très peu attardé. Il a simplement rendu visite aux seigneurs et aux curés des paroisses afin de compléter sa collecte de données. En conséquence, la représentation du paysage charlevoisien, quoique adéquate, comporte certains éléments d'erreurs et des contradictions par rapport à d'autres documents d'archives de l'époque[13]. Le paysage est défini comme un espace organisé, marqué par une vie de relation. Les symboles identifiés par Bouchette sont également traduits sous une forme cartographique. Cette carte constitue une tentative d'illustration de la dynamique territoriale complexe où Bouchette tente de représenter les faits de circulation présents à l'intérieur du paysage.

Le but de Joseph Bouchette était de dresser une carte ainsi qu'une description topographique de la province du Bas-Canada afin de mieux faire connaître son état de développement et ainsi «d'aider au développement de ses vastes ressources» (Bouchette, [1815] 1978: XII). Il signale plus loin que l'abondance de détails provient de son «désir de faire connaître les traits, la nature et les productions du pays de manière à indiquer les endroits où il est le plus susceptible d'amélioration, et où l'agriculture peut être portée au-delà des bornes étroites de la science et de l'expérience des fermiers canadiens, avec une perspective de succès qui monte presque à une certitude absolue» ([1815] 1978: XIV). Bouchette justifie l'importance de sa carte par le prétexte utilitariste qui émerge en ce début de XIXᵉ siècle.

---

13. Pour une analyse du contenu de la carte de Bouchette, voir Boudreau, 1986, p. 81-96.

À partir de la fin du XVIIIe siècle, la science pénètre la culture britannique et devient centrale dans l'idéologie de la nouvelle civilisation industrielle. Elle entre dans le nouveau système de valeurs qui émerge alors des changements dans l'agriculture et dans l'industrie de la métropole. Son influence s'étend à tous les domaines, principalement en raison de son autorité et de son pouvoir social qui lui permettent d'atteindre des buts utilitaires (Zeller, 1987 : 3-9). En Amérique du Nord britannique, cette nouvelle science sera la « science de l'inventaire ». Elle aura pour but de cartographier et de classifier les ressources de la colonie. On affirme alors qu'une connaissance détaillée de la colonie est nécessaire et utile. L'utilitarisme soutient que même les problèmes sociaux peuvent être résolus par la quantification et l'accumulation statistique des faits. Cette affirmation venait masquer les intérêts sociaux, économiques et politiques de ces inventaires. La science devient ainsi le nouveau véhicule du pouvoir entre les mains de l'empire britannique.

La carte de Bouchette, dans le contexte historique de l'époque marqué par la proximité de la guerre de 1812, aura d'autres motifs que le simple développement économique de la province. Elle deviendra également un instrument de pouvoir entre les mains de la métropole. Le relevé précis du territoire, de ses établissements, du commerce et des ressources de la colonie, associé à une connaissance plus intime de la population[14], permet au gouvernement britannique de contrôler plus facilement cette population et d'orienter le développement futur de la colonie. Comme l'affirme Harley (1988 : 280-281), la fonction de la carte est l'exercice du pouvoir : « *Maps [...] facilitated the geographical expansion of social systems, an underguiding medium of state power. As a mean of surveillance they involve both the collation of information relevant to state control of the conduct of its subject population and the direct supervision of that conduct* (Harley, 1988 : 280). » Dans le contexte colonial du Bas-Canada au premier tiers du XIXe siècle, la carte de Bouchette et l'inventaire précis des ressources qui y est associé vise cet objectif. Elle permet alors de connaître le plus de détails possible sur le territoire afin de s'assurer un meilleur contrôle de celui-ci, à la fois sur le plan économique, social et militaire.

2.2.2.2 Le récit de voyage de George Heriot

George Heriot présente une description du paysage charlevoisien dans son volume *Travels through the Canadas* (1807, I : 52-58). Le paysage qu'il présente est celui d'une nature sublime et grandiose, à l'intérieur de laquelle sont incrustés de petits établissements à l'agriculture et au commerce prospères. Heriot

---

14. Le premier recensement nominatif du Bas-Canada date de 1831. Chaque ménage est alors recensé selon sa composition et ses possessions.

accorde une place importante à la description du paysage littoral, formé d'une alternance de promontoires élevés, de collines douces, d'îles, de forêts et de vallées offrant des points de vue étonnants par leur beauté et leur majesté. Il livre également quelques considérations au passage concernant la nature du sol, l'aspect des établissements, la productivité des terres et le commerce. Cette description semble avoir été réalisée lors d'un voyage de retour de Heriot à Québec en 1798, après qu'il eut séjourné une année en Angleterre. Sa description de la région s'effectue du nord-est au sud-ouest et il alterne ses descriptions du paysage entre la rive nord et la rive sud du Saint-Laurent.

Les éléments de sa description s'apparentent beaucoup à ceux de Joseph Bouchette. Son style d'écriture est toutefois plus littéraire. Ses descriptions du relief et de la socio-économie régionale sont cependant moins rigoureuses que celles de Bouchette. C'est l'esthétique du paysage qui intéresse Heriot. Voici sa description des Éboulements :

> The Eboulements, already noticed, consist of a small chain of mountains, suddenly rising from the water; and, towards the east, bounding the entrance into Saint Paul's bay. On their sides, are several cultivated spots, and the settlements appear on above another, at different stages of height. The houses, corn-fields, and woods, irregularly scattered over the brow of the hills, produce an effect, luxuriant and novel (Heriot, 1807, I: 55).

Le paysage de George Heriot est celui de vastes vues d'ensemble, intégrant un milieu naturel grandiose et les petits établissements agricoles qui ajoutent au caractère pittoresque du paysage. Il joint à ces descriptions esthétiques des considérations concernant la fertilité des sols, la productivité de l'agriculture et le commerce extérieur. La Malbaie représente un exemple type de ces descriptions :

> Here the land is cultivated and inhabited for an extent of six miles, in a rich and romantic valley, through which a river, abounding in salmon and trout, winds its course into the bay. The soil, which consists of a black mould upon sand, is fertile; and the inhabitants, whose communication with other settled parts of the country is not frequent, possess, within their own limits, an abundance of the necessaries of life. Cattle, sheep, some horses, wheat, oats, and boards, are exported from hence to Quebec. This bay is frequented by porpuses of a mik-white colour, which in some seasons yield a handsome profit, to those concerned in the fisheries. Whales seldom ascend higher than the mouth of the Saguenay (1807, I: 53).

Encore une fois, les établissements humains semblent incrustés à l'intérieur du paysage grandiose qui les surplombe. Tout comme Bouchette, Heriot souligne la prospérité relative de l'établissement dès 1798. Malgré un milieu géographique difficile, la région arrive à produire les biens nécessaires à sa survie et même des surplus commercialisables. Heriot réalise également quatre aquarelles du paysage. L'une d'entre elles est publiée dans *Travels through the Canadas*[15]. Une autre a pour thème La Malbaie[16]. Une illustration fut réalisée aux Éboulements, probablement lors du voyage de Heriot en 1798[17]. La dernière, à notre connaissance, est une aquarelle de la baie Saint-Paul[18]. Nous analyserons plus en détail le contenu de ces illustrations dans la partie consacrée aux croquis et aux aquarelles de la période. Mentionnons seulement que celles-ci s'accordent avec le style de la description littéraire de Heriot et qu'elles se conforment aux critères esthétiques européens de l'époque, alors dans la grande tradition du Picturesque.

Le paysage charlevoisien de George Heriot est caractérisé par une attention primordiale accordée au côté grandiose et pittoresque du milieu naturel. Les établissements s'inscrivent au cœur de ce paysage et viennent ajouter à son apparence exceptionnelle une touche d'exotisme et de pittoresque. Le résultat est un paysage très romantique, formé d'une succession de hautes montagnes, de zones littorales parsemées de petits établissements agricoles gais et jolis, respirant la quiétude et la prospérité. Cette perception des campagnes québécoises est typique de l'œuvre de George Heriot, qui a réalisé des centaines d'aquarelles entre les établissements de York (Toronto) en Ontario et Terre-Neuve. La formation académique et artistique de George Heriot a eu une grande influence sur ses représentations du paysage.

2.2.2.2.1 George Heriot : style et influences artistiques

George Heriot est d'origine écossaise. Il est né à Haddington en 1759. Il est le fils aîné de John Heriot, membre de la petite noblesse écossaise. On croit que Heriot a découvert ses talents pour l'écriture ainsi que son intérêt et ses aptitudes pour les arts entre 15 et 18 ans. On suppose également qu'il a pu étudier l'art du paysage dans des collections privées, grâce aux contacts de sa famille. Selon Gerald Finley (1983 : 17), il est très probable que Heriot ait étudié avec Alexander Runciman au Trustees' Academy. Runciman avait une réputation d'artiste de génie à l'époque. Il est toutefois certain que Heriot a reçu un enseignement en art

---

15. Heriot, G. : *View at St-Paul's Bay, on the River St. Lawrence*. Dans *Travels through the Canadas*, p. 57. Original conservé aux ANC, Ottawa, C-12784.

16. Heriot, G. : *Colonel Nairne's Settlement at Mal Bay, 1798*. Vancouver Art Gallery, 71.8. On croit qu'elle fut donnée par George Heriot au colonel Nairne et à sa famille.

17. Heriot, G. : *View from S. Shore of St. Lawrence/Les Éboulements*. England and Canadian Sketch-Book, c. 1797, 1810, 1816. McCord Museum, Montréal, M 6357 ; G.H. cat. 29.

18. Heriot, G. : *View of St. Paul's Bay, River St. Lawrence*. Royal Ontario Museum, Toronto, 73.1.185.

du paysage pendant ces années. Son talent a été remarqué par le mécène écossais sir James Grant (1738-1811).

D'abord déterminé à se lancer dans une carrière artistique, il en est cependant découragé par ses relations familiales. Ses parents éprouvent alors de sérieuses difficultés financières. De plus, une carrière artistique n'est pas souhaitable pour un jeune noble à l'époque. On lui conseille plutôt de tenter une carrière en administration. Il décide toutefois de se rendre aux Antilles où il séjourne pendant quatre ans. Les raisons de ce départ en 1777 demeurent inconnues; cependant, les voyages à l'étranger sont très populaires au XVIIIᵉ siècle chez les jeunes membres de la noblesse britannique. Ils sont même jugés essentiels à l'éducation d'un gentleman. Heriot a réalisé plusieurs aquarelles au cours de cette période, en Jamaïque notamment (Finley, 1983: 19-29).

À son retour en juin 1781, il décide de poursuivre sa recherche artistique et il entre à la Royal Military Academy à Woolwich près de Londres où il étudie les techniques de l'aquarelle et de la reproduction au procédé de l'eau forte avec l'aquarelliste renommé Paul Sandby. On suppose que Heriot y a passé deux ans. Par la suite, il demeure à Woolwich et occupe un poste de clerc civil au Board of Ordnance rattachée à l'Arsenal jusqu'en 1792. Pendant cette période, il continue son exploration artistique avec l'aide de Sandby. Son style subit un changement important vers le milieu de la décennie 1780-1790. Il s'engage alors dans une recherche esthétique profonde de l'unité du paysage, intégrant les formes variées de la nature, leur richesse de tons et leur variété. À cette période également et toujours sous l'influence de Sandby, il découvre les possibilités artistique offertes par le Picturesque (Finley, 1983: 24-39).

Ce mouvement esthétique est initié en Angleterre par le révérend William Gilpin, artiste amateur et écrivain. Celui-ci publie une série d'ouvrages théoriques et des guides pratiques entre 1782 et 1809. Ces guides présentent de nouvelles façons d'interpréter les paysages. Sur le plan artistique, les paysages qui en résultent s'apparentent à ceux qui sont produits par l'école classique. Ces vues doivent inclure un cadre secondaire, ou des coulisses, formé habituellement d'arbres, parfois de montagnes ou de collines et même du rivage d'un cours d'eau. Le paysage doit également être divisé en trois plans spatiaux, comme dans les paysages classiques. D'abord un avant-plan sombre, souvent dépeint en silhouette devant un plan moyen plus clair et un arrière-plan encore plus clair. Cette structure procure un cadre permettant d'illuminer les deux plans arrières. De plus, l'avant-plan évite à l'œil d'errer et à l'image d'être traduite sans relief, à la manière d'une carte. Cette nouvelle approche est caractéristique du travail subséquent de Heriot. En plus du Picturesque, Heriot tente de saisir les humeurs de la nature à travers sa propre vision de celle-ci. « *This new approach is evidence of Heriot's wider search for truth - for an equilibrium between what he saw and what he felt* (Finley, 1983: 25). » Les principes du Picturesque l'ont aidé dans cette quête en lui offrant une technique qui permet de simplifier les éléments du paysage et de les ordonner. Ils lui ont également permis d'utiliser l'irrégularité du paysage en tant qu'élément décoratif et expressif. Le Picturesque permet à Heriot de rendre sa vision esthétique du paysage en lui procurant des techniques qui aident à traduire une vue unifiée de sa beauté à travers la diversité de ses formes. Ces caractéristiques sont les plus marquantes de l'œuvre de George Heriot tout au long de sa carrière. Son style subira quelques changements, mais cette recherche fondamentale demeure à la base de son œuvre.

Heriot accepte un poste au Board of Ordnance de Québec en 1792. Dès son arrivée, il s'applique à réaliser des aquarelles dans la région de Québec et en publie même quelques-unes dans le *Magazin de Québec*. Il effectue pendant les premières années une recherche sur la manière appropriée de représenter les paysages canadiens, très différents des paysages européens. Il effectue un séjour en Angleterre en 1796. Pendant son voyage de retour au printemps de 1797, il prend des notes et réalise des croquis des paysages aperçus le long du fleuve. C'est à cette occasion qu'il remarque pour la première fois les paysages de Charlevoix. Il semble également que Heriot ait entretenu des relations d'amitié avec le colonel John Nairne, seigneur de La Malbaie. Les deux hommes se seraient rencontrés soit à l'occasion d'une réunion mondaine de la haute société de Québec ou encore sur la seigneurie de Nairne, celui-ci étant colonel de la milice locale qui comptait une centaine d'hommes. La tradition veut que Heriot ait fait cadeau d'une aquarelle de La Malbaie au seigneur comme témoignage de leur amitié.

Son style après 1797 a subi une autre modification importante, attribuée à l'influence des imprimés d'Edy-Fisher publiés à Londres en 1795-1796. Ces imprimés ont pour thème six paysages canadiens. Ce sont des reproductions en eau-forte de paysages réalisés par le lieutenant George Bulteel Fisher, qui a d'ailleurs réalisé une aquarelle de l'établissement de Baie-Saint-Paul en 1787[19]. L'influence de cette œuvre transparaît dans une aquarelle de Heriot réalisée au même endroit (figure 2.3). Ces imprimés sont caractérisés non seulement par l'utilisation des principes du Picturesque, mais également par une plus grande exploitation des contours majestueux et rudes du paysage canadien. Une plus grande insistance sur les cours d'eau est également typique des eaux-fortes de Fisher. Ce sont ces principes que George Heriot tente d'exploiter à son retour d'Angleterre dans ses représentations du paysage canadien. Une aquarelle marquante de ce nouveau style est justement celle qui est intitulée *Colonel Nairne's*

---

19. ANC, Ottawa, C-23548.

Settlement at Mal Bay, réalisée en 1798[20]. Elle est caractérisée par la vive lumino-sité de l'eau, un avant plan formé d'arbres aux formes irrégulières et de petites figurines présentées en silhouettes. Vers 1700 et 1700, les ruines sont l'objet de l'attention de Heriot. Il les juge très pittoresques par leur caractère irrégulier[21]. Ces représentations révèlent l'influence de peintres italiens comme Canaletto. Ce style devient extrêmement populaire chez certains artistes topographes de Londres pendant la décennie 1790-1800. Il est également possible que George Heriot ait vu le travail de jeunes artistes comme Joseph Mallord William Turner ou Thomas Girtin qui explorent alors les représentations catalanes du paysage. Les représentations des ruines du palais de l'intendant à Québec présentent des caractéristiques similaires à celles de Girtin, notamment dans *Ruins of the Chapel in the Savoy Palace, London, 1795-96* (Finley, 1983: 52).

Heriot débute sa carrière à la tête du service postal de la colonie en 1800. Il obtient ce poste grâce aux contacts de son frère John. Cette nomination ne fera pas l'unanimité en raison du favoritisme qu'elle implique et également par le fait que Heriot cumule maintenant deux fonctions, puisqu'il conserve son poste au Board of Ordnance et touche ainsi deux salaires. Cette position occasionne de nombreux problèmes à Heriot et constitue le début de ses ennuis pro-fessionnels, attribués de manière générale à son manque de tact et de diploma-tie dans ses relations professionnelles. Le manque de tact et l'indépendance qu'il affiche par rapport aux autorités métropolitaines et coloniales, en plus de l'octroi par privilège de sa position lui vaudront de nombreux conflits, notam-ment avec le gouverneur Frederick Haldimand et le lieutenant-gouverneur du Bas-Canada sir Robert Shore Milnes (Finley, 1983: 76-82) et, plus tard, avec le gouverneur en chef sir George Prevost, George Glasgow et finalement le nouvel administrateur du Canada, sir Gordon Drummond. Celui-ci a finalement eu rai-son de l'entêtement de Heriot qui a démissionné à l'hiver de 1816. Ce poste lui a toutefois permis de voyager à travers la colonie et de réaliser de nombreuses aquarelles des établissements ruraux du Canada, et même jusqu'en Nouvelle-Angleterre où il se rend à la fin de la guerre en 1815. Deux carnets de croquis de ce voyage sont déposés à la Historical Society de New York (Finley, 1983: 150).

Heriot s'adonne également à l'écriture. Il publie en 1804 un volume sur l'histoire du Canada. Cet ouvrage est basé sur les écrits de missionnaires et de voyageurs qu'il a peut être consultés à la bibliothèque des jésuites à Québec. Il semble que la plus importante de ses sources ait été *Histoire et description générale de la Nouvelle-France* du jésuite Pierre-François-Xavier de Charlevoix

---

20. Vancouver Art Gallery, 71.8.
21. Voir Heriot, G., *Ruins of the Intendant's Palace, Quebec, 1799*. Royal Ontario Museum, Toronto, 953.132.24.

publié en 1744. Heriot cherche également à fuir ses anxiétés professionnelles et le cercle fermé de la haute société de Québec à travers ses nombreux voyages (Finley, 1983: 85). Pendant ces excursions, souvent motivées par le travail, il utilise ses temps libres à prendre des notes et à réaliser des croquis pour un livre de voyage canadien en préparation. Ce volume devait intégrer ses intérêts particuliers: l'écriture, le dessin et le voyage. Heriot a d'ailleurs compilé à travers ses voyages et ses lectures préparatoires à son histoire du Canada une somme importante de connaissances sur le pays et ses cultures. Il a également étudié plusieurs autres sources manuscrites afin de contextualiser ses impressions personnelles. La sélection de son matériel est toutefois subjective et porte l'empreinte à la fois de ses préjugés et de ses goûts (Finley, 1983: 85-86). *Travels through the Canadas* est publié à Londres en 1807.

Sa production artistique évolue beaucoup entre 1800 et 1816. Vers 1811 notamment, son style est caractérisé par l'utilisation de plus en plus fréquente de lavis liquides. Cette technique simplifie les formes du paysage et vient renforcer la structure bidimensionnelle de l'image. Les figures humaines qui y apparaissent deviennent plus sculpturales, au mouvement lent et fluide. L'utilisation nouvelle de la brosse lui permet de rendre toute la vitalité de la nature et la fluidité des cours d'eau. Le résultat est une plus grande expressivité de l'image. Cette technique de la brosse lui permet également de rendre de façon plus adéquate l'ordre inhérent au paysage qui est pour lui l'objet d'une recherche constante depuis 1800. L'aquarelle *Distillery at Beauport near Quebec*[22], peinte en 1812, illustre cette évolution. Les formes du paysage y sont grandement simplifiées et ordonnées selon les principes du Picturesque (Finley, 1983: 138-139). George Heriot quitte le Canada définitivement au début du mois d'août 1816 en direction de Londres. Il continuera à peindre et à voyager à travers l'Europe presque jusqu'à sa mort en juillet 1839 à l'âge de 80 ans. Son style artistique continue d'évoluer jusqu'à la fin de sa vie.

2.2.2.2.2 Travels through the Canadas: *une recherche de l'âme des paysages canadiens*

Comme nous l'avons mentionné plus haut, *Travels through the Canadas* a été rédigé à partir des observations personnelles de George Heriot et de plusieurs sources publiées et manuscrites concernant le Canada. L'ouvrage en deux volumes comprend plus de 600 pages. On y trouve également une carte et 27 illustrations d'après les dessins et aquarelles de Heriot. Il est rédigé selon une

---

22. Royal Ontario Museum, Toronto, 954.102.2.

méthode déjà établie pour les livres de voyages ayant pour thème l'Amérique
du Nord (Finley, 1983 : 86). La première partie est consacrée à la description de la
société d'origine européenne, à sa culture et à son commerce ainsi qu'à la topographie. Le Canada est décrit de l'est à l'ouest (de Terre-Neuve au lac Supérieur).
La deuxième partie s'attache aux tribus indigènes de l'Amérique.

Les critiques ont particulièrement déploré la longueur de l'ouvrage,
signalant que Heriot s'est arrêté à de nombreux détails ennuyeux et a touché
des espaces souvent trop peu développés pour être d'intérêt public. Ces détails
permettent cependant d'obtenir aujourd'hui une représentations de paysages
de l'époque pour lesquels nous ne disposons que de peu d'informations. La
région de Charlevoix en constitue un bon exemple. Ces observations permettent également d'obtenir certains renseignements sur la mentalité bourgeoise
britannique de l'époque et son regard sur la société coloniale. Par exemple,
Heriot divise la population canadienne en quatre classes : « *Those belonging to
the church and to religious orders, the noblesse or seigneurs, the mercantile
body, and the husbandry »* cité d'habitation (Finley, 1983 : 86). La description de
la beauté naturelle des paysages occupe également une place importante dans
la première partie du volume, toujours en référence aux critères du Picturesque.
Il s'agit en fait du premier volume à traiter le paysage de l'Amérique du Nord
selon ce point de vue. C'est la principale caractéristique qui distingue ce volume
de ceux de ses contemporains. Pour Heriot, les éléments les plus pittoresques
du paysage canadien sont ses lacs et ses rivières :

> *Vast and principal objects... calculated to inspire wonder and gratification:
> The immense volume, the irresistible weight and velocity of the [... rivers],
> tearing through and overpowering the obstacles opposed to their course, by
> the rugged and unequal territories amid which they roll, produce falls and
> cataracts of singular sublimity, and of commanding beauty; these, although
> in some degree similar in effect, are, notwithstanding, inexhaustible in
> variety (Heriot, 1807, cité dans Finley, 1983 : 88).*

Il semble donc que le regard posé par Heriot sur le Canada et sur
Charlevoix soit celui d'une recherche du caractère pittoresque du paysage,
qu'on peut définir comme une recherche de la beauté à travers le caractère irrégulier, sauvage, non apprivoisé des formes. Heriot tente de traduire une unité à
travers cette irrégularité et cet amalgame d'éléments divers. Il est certain que le
paysage charlevoisien avec ses contrastes naturels marqués, tant au plan naturel que dans l'alternance des espaces humanisés et sauvages, offrait un défi particulier à l'exercice du Picturesque. Celui-ci relève également de la topophilie. Il
est lié au sentiment, à l'émotion inspirée par le paysage. George Heriot est très
sensible aux émotions que le paysage lui inspire. Toute sa recherche artistique
est orientée vers l'expression de cette émotion. Il l'exprime à la fois dans ses

descriptions de paysages et dans ses aquarelles : « *The further extremity of the valley affords a scene of wild and picturesque beauty. A small river hastens, over a stony channel, its broken and interrupted waves. Acclivities on each side rear aloft their pointed summits, and the sight is abruptly bounded by a chain of elevated hills*» (Heriot, 1807 : 56). Cette description de l'embouchure de la vallée de Baie-Saint-Paul illustre de façon très explicite le sens du Picturesque de George Heriot. C'est ce type de paysage qui provoque chez lui l'émotion profonde de la beauté. L'œuvre toute entière de Heriot est marquée par une topophilie particulière liée aux principes du Picturesque.

2.2.3 Les représentations iconographiques

Les représentations iconographiques de la période 1798-1824 comptent quatre croquis et dix lavis et aquarelles[23]. Elles sont réalisées par quatre artistes différents. Ces illustrations sont de type topographique comme la plupart des représentations de paysages de la première moitié du XIXe siècle. L'influence du Picturesque est également manifeste dans la plupart des cas, à l'exception des croquis de John Jeremiah Bigsby. Une analyse du contenu et de l'agencement des symboles à l'intérieur de l'image permet de dégager les caractéristiques suivantes.

Les croquis et les aquarelles du paysage charlevoisien prennent la forme de vastes vues d'ensemble qui intègrent les grands contrastes du paysage naturel que sont le fleuve, les vallées et les terrasses ainsi que les montagnes du plateau. Ces vues illustrent également l'occupation humaine présente dans ce paysage naturel et ses principales caractéristiques. On accorde une place à peu près égale aux paysages agricoles avec les détails de leur morphologie et aux paysages sauvages des montagnes. L'humanisation n'est toutefois pas absente dans les représentations de l'arrière-pays. On illustre les moulins à scie, les routes, les fermes et les petits établissements qui le parsèment. L'agriculture et la montagne sont représentés en proportions à peu près égales dans les images (graphique 2.1). L'hydrographie occupe également une place importante dans les compositions. La zone littorale et le fleuve sont illustrés dans trois images. Les rivières du Gouffre et Malbaie sont présentes dans deux images alors que deux autres ont pour thème une vue d'ensemble du secteur du lac Nairne dans l'arrière-pays de La Malbaie. Les infrastructures de transport sont également illustrées. Il s'agit de routes et de ponts. Les établissements humains rapprochés sont également présents, dans une proportion moindre toutefois que dans les éléments énumérés précédemment. On accorde également une faible importance aux éléments témoins de la religion (l'église) et aux personnages, lesquels

---

23. Voir la liste à l'annexe A.

constituent un peu plus de 4% du contenu des images. Finalement, les éléments les moins récurrents sont les symboles faisant état du défrichement des terres et des moulins. Malgré la faible place occupée par ces éléments, il est toutefois important de souligner leur présence, étant donné qu'ils sont totalement absents des représentations subséquentes du paysage au XIXᵉ siècle.

Le paysage exploratoire présenté à travers l'iconographie de ce début du XIXᵉ siècle peut se définir comme un espace encore relativement sauvage, où toutefois les progrès des établissements humains axés sur la pratique de l'agriculture familiale sont manifestes. En témoigne la mise en valeur agricole du bas de la vallée de Baie-Saint-Paul notamment, dont la zone en culture en 1819 s'étend jusqu'à la partie supérieure des versants (figure 2.1). Le développement du réseau routier jusque dans l'arrière-pays est également illustré de même que les débuts d'occupation de celui-ci et sa mise en valeur axée sur l'agriculture et l'industrie forestière (figure 2.2). Les petites agglomérations villageoises de Baie-

GRAPHIQUE 2.1

THÈMES ABORDÉS PAR L'ICONOGRAPHIE DANS CHARLEVOIX 1798 À 1824

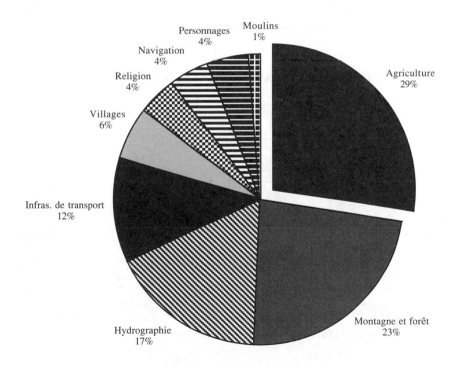

Source: Base de données Iconographie. Laboratoire de géographie historique/CIEQ.

Saint-Paul, Petite-Rivière et La Malbaie sont également représentées[24] (figure 2.3). Signalons que la région de Charlevoix, tout comme le reste du Bas-Canada, voit sa population augmenter rapidement depuis la fin du XVIIIe siècle. Ce processus s'inscrit dans le cadre d'un mouvement de forte croissance démographique qui débute à cette période. Ce paysage est donc en mutation à l'époque. Les croquis de Bigsby viennent confirmer les nombreux indices[25] qui témoignent d'une saturation des terres dans les vallées de Baie-Saint-Paul et La Malbaie dès la décennie 1820-1830. Certains lavis de Roebuck et un croquis de Bigsby illustrent le débordement de cette population sur le plateau de l'arrière-pays. Ces illustrations présentent donc les différentes composantes de ce paysage, dans des vues d'ensemble collectées un peu partout sur le territoire.

2.2.4 Contexte de l'évolution de l'art du paysage européen du XVIe siècle au début du XIXe siècle

Les représentations topographiques des paysages en Angleterre débutent dès la première moitié du XVIe siècle. Les œuvres sont alors souvent commandées par les membres de la cour en raison de leur valeur stratégique ou encore de leur contenu descriptif. À la fin du siècle déjà, les vues topographiques sont l'objet d'un engouement par des collectionneurs qui s'attachent autant à leur valeur

FIGURE 2.1

JOHN J. BIGSBY, ST PAUL'S BAY, QUEBEC, AUG. 19, 1819

Source : Archives nationales du Canada, Ottawa, C-11633.

---

24. C-121262, C-121288, 953.132.8.

25. Voir le recensement nominatif de Charlevoix en 1831, et la carte de Bouchette datée de la même année.

FIGURE 2.2

IOHN A. BOFRIJAK, VHE OHD LF OHFMIN BONBHIGANT
AU LAC NAIRNE, PRES DE LA SOIERIE, QUÉBEC, 1021 1021

Source: Archives nationales du Canada, Ottawa, C 121290.

artistique qu'à leur valeur descriptive. En conséquence, le nombre d'artistes topographes augmente considérablement aux XVIᵉ et XVIIᵉ siècles. Certains émigrent même du continent pendant la seconde moitié du XVIIᵉ siècle. Cette croissance de l'intérêt envers les représentations topographiques n'est pas seulement liée à des objectifs stratégiques, elle est également liée au désir de conserver des images de son environnement. Les paysages topographiques sont de plus en plus demandés par l'aristocratie et la grande bourgeoisie britannique. Ces gens désirent posséder une représentation picturale de leur vaste domaine et de leur luxueuse maison. L'art topographique devient pour ces gens de la haute société un symbole du pouvoir social et politique ainsi qu'une marque de réussite personnelle (Finley, 1983: 5).

Cependant, la valeur artistique des paysages topographiques commence à être contestée au XVIIIᵉ siècle. Les autorités du milieu artistique les jugent alors très inférieures aux œuvres produites en faisant appel à la poésie et à l'imagination de l'artiste. Une scène imaginaire, selon sir Joshua Reynolds[26], peut laisser une marque plus profonde sur l'esprit que les paysages réels observés (Finley, 1983: 5). Les paysages topographiques sont, d'une manière générale, considérés comme dépourvus d'effort créatif et d'originalité. L'exercice de la représentation topographique est perçu comme un acte purement mécanique et une

---

26. En 1786, Josuah Reynolds est un portraitiste renommé et il est président de la Royal Academy.

activité non créatrice. Les vues topographiques continuent toutefois d'être populaires chez les membres de la bourgeoisie britannique de milieux non reliés à la pratique de l'art, qui considèrent le paysage de type topographique comme un art qui leur est familier. Les vues topographiques sont diffusées sous forme de collections de gravures, de livres et également de *drawingroom walls*. Ils font partie intégralement de l'aire domestique au même titre que les portraits de famille.

En conséquence, les académies, sans approuver cet art, évitent également de le discréditer trop ouvertement. Signalons au passage que Paul Sandby, artiste topographe renommé du XVIII² siècle, a été un membre fondateur de la Royal Academy en 1768. Des autorités comme Reynolds affirment alors qu'il est possible de perfectionner l'art topographique et d'en faire un grand art. Il faut pour cela lui donner une plus grande signification sur le plan esthétique. Pour cela, l'artiste topographe doit se familiariser avec les vues imaginaires et idéalisées des peintres français d'inspiration italienne de l'école classique du XVII² siècle comme Claude Lorraine, Gaspard Dughet et Nicolas Poussin. Selon Reynolds, l'union de la méthode des peintres classiques français à des vues topographiques particulières peut élever l'apparence d'un paysage au niveau de l'art pur (Finley, 1983: 6). Cette pratique est déjà courante chez certains artistes de l'époque, qui effectuent une recherche esthétique à travers l'art du paysage et ainsi se démarquent des artistes qui peignent en fonction des goûts du public bourgeois de l'époque.

Dès le début du XVIII² siècle, alors que les gentlemen britanniques commencent à découvrir les beautés de la nature, ils commencent également à rechercher un système esthétique qui permette d'évaluer la qualité des panoramas. Ils découvrent les paysages idylliques de l'Italien Salvator Rosa. De plus en plus également, les formes classiques des paysages hollandais d'inspiration italienne comme ceux de Jan Both et de Nicolas Berchem pénètrent leur imagination. Des traités sur l'art du paysage sont également publiés à partir de ces inspirations. On tente de mettre au point des règles qui permettent d'évaluer les œuvres d'art. La recherche de l'idéal à l'intérieur du paysage est à cette fin érigée en modèle dans les écrits du comte de Shaftesbury et de Jonathan Richardson au début du XVIII² siècle[27]. Dès cette époque, la recherche de l'idéal dans le paysage est liée à celle de la vérité et de l'unité. Sur le plan de la pratique, ces règles induisent une simplification des éléments de la topographie et

---

27. Le comte de Shaftesbury publie en 1711 *Characteristicks* dans lequel il introduit le discours de l'idéal à l'intérieur de la critique littéraire britannique. Jonathan Richardson, peintre portraitiste, publie *An Essay on the Theory of Painting* en 1715. Il y met en évidence le lien entre l'idéal et l'art du paysage.

une manipulation des éléments secondaires du paysage, comme l'avant-plan et la lumière selon les critères du classicisme. La théorie du Picturesque s'inscrit dans ce mouvement d'idéalisation du paysage.

La pratique des modèles de Reynolds et de Gilpin était largement répandue chez les membres de la noblesse britannique et les artistes de l'époque. Cette pratique de l'art chez la noblesse est liée à la mode des voyages à l'étranger qui sont considérés comme une part essentielle de l'éducation des jeunes nobles. Ils sont l'occasion pour eux d'entrer en contact avec des cultures et des paysages différents, de parfaire les connaissances acquises au cours de leur formation académique, qui comprend alors une introduction aux arts du dessin, de l'architecture et de la musique. La pratique de ces arts n'est toutefois pas l'objet d'une orientation professionnelle. L'art à cette époque n'est pas perçu comme une profession sérieuse, il est plutôt considéré comme un passe-temps visant à élever l'esprit et à parfaire la culture générale. Toutefois, certains de ces artistes amateurs élèveront cette pratique – parallèlement à une profession officielle reliée à l'administration civile ou militaire ou encore à la diplomatie – à un niveau d'excellence artistique marquée. Ce fut le cas de George Heriot et également de Paul Sandby, de James Pattison Cockburn et de Thomas Davies, par exemple. D'autres demeurent peu connus, si ce n'est grâce à quelques œuvres qu'ils ont laissées à la postérité, comme celles de John Arthur Roebuck dans Charlevoix.

Plusieurs de ces jeunes nobles ont acquis une formation artistique dans les académies militaires britanniques comme celle de Woolwich en Angleterre. Jusqu'au milieu du XIXe siècle, les militaires recevaient une formation artistique axée sur les techniques du croquis et de l'aquarelle. Cette formation devait permettre aux jeunes cadets officiers, issus eux aussi de la noblesse britannique, d'acquérir des habiletés qui leur permettent de documenter un terrain, de rapporter le mouvement des troupes, de rendre compte des structures militaires et civiles en place et de tout autre élément du paysage pouvant représenter un intérêt pour les autorités militaires. Toutefois, plusieurs de ces artistes pratiquaient également leur art à des fins plus personnelles, pour l'amour du paysage. C'est ce contexte général qui entoure la pratique de l'art du paysage à la fin du XVIIIe et durant la première moitié du XIXe siècle. Signalons en terminant que la représentation des paysages de la nouvelle colonie britannique a été fortement marquée par ces officiers militaires et civils topographes, dont plusieurs sont sensibles aux règles du Picturesque.

2.2.5 L'influence du Picturesque sur le paysage régional

Au-delà du contenu strict de l'image, on peut distinguer certaines manipulations du paysage charlevoisien. L'introduction du Picturesque dans l'art du paysage à la fin du XVIIIᵉ siècle constitue une des premières tentatives de définition d'un «système esthétique» permettant d'évaluer les panoramas (Finley, 1983 : 6). On trouve ce nouveau style à l'intérieur des lavis et des aquarelles réalisés dans Charlevoix. Il se manifeste d'abord dans l'expression des formes du relief. Les montagnes présentent un relief très accentué, formé d'une alternance de pics à l'allure alpine[28] (voir figure 2.2). La présence des trois plans séparés est également observable dans toutes les aquarelles, avec plus d'évidence dans celles de George Heriot. L'utilisation de coulisses est parfois visible, notamment chez Heriot encore une fois qui place presque toujours un arbre ou un bosquet à l'avant-plan (figure 2.3), mais également chez Roebuck, qui utilise souvent un écran d'arbustes ou un bâtiment à l'avant-plan. Ces caractéristiques confèrent au paysage un aspect majestueux et sublime, accentué par la présence de minuscules éléments à une distance moyenne sur l'image (village, ferme, personnages, etc.).

Le paysage régional est donc l'objet d'une recherche esthétique de la part des artistes qui le visitent. Le relief très accentué de même que les contrastes ont été particulièrement appropriés à ce type de représentation de l'espace. C'est ce qui explique les grandes vues d'ensemble privilégiées par ces artistes. Leur objectif, à travers le Picturesque, était de traduire la grandeur et la beauté présentes à travers cette diversité des formes et leur agencement dans l'espace.

---

28. Voir C-121257, C-121290.

FIGURE 2.3

GEORGE HERIOT, VIEW OF ST PAUL'S BAY, RIVER ST. LAWRENCE

Source: Royal Ontario Museum, Toronto, 953.132.8.

2.2.6 Les artistes de Charlevoix dans le premier tiers du XIXᵉ siècle

Quatre artistes ont effectué des représentations du paysage de Charlevoix entre 1798 et 1824. En plus de George Heriot, il s'agit de John Arthur Roebuck, un jeune noble britannique, son frère, William, qui a également réalisé une aquarelle à La Malbaie, et John Jeremiah Bigsby, également officier civil britannique.

2.2.6.1 George Heriot (1759-1839)

Les paysages charlevoisiens perçus par George Heriot sont colorés par une luminosité particulière qui leur confère une qualité esthétique supérieure. Le relief notamment est traduit de façon à rehausser le caractère sublime de l'ensemble, par l'irrégularité de ses formes et son étalement jusqu'à l'infini à l'arrière-plan. L'avant-plan est également l'objet d'une savante étude de la part du peintre. La technique des coulisses formées d'arbres et de bosquets ainsi que de silhouettes humaines est employée de façon systématique afin d'attirer le regard vers le centre de l'aquarelle, où Heriot campe un paysage paisible et romantique, de couleur plus claire, dont les formes s'accordent les unes aux autres pour former un tableau idyllique (figure 2.3).

Les symboles auxquels il s'attache diffèrent légèrement de ceux qu'il représente à l'extérieur de la région[29] (graphique 2.2). Dans Charlevoix, l'auteur présente des vues d'ensemble du paysage intégrant les vallées, les terrasses agricoles et les montagnes sauvages du plateau. L'hydrographie et la navigation y tiennent également une place importante. Les représentations de Heriot réalisées à l'extérieur de la région accordent également une place importante à ces symboles, à l'exception des montagnes et des paysages forestiers. Elles laissent aussi place à la ville, aux personnages et au village. La ville et le village comptent en effet pour 19,2% des signes présents dans les aquarelles de George Heriot. La région ne compte pas encore d'agglomération importante à l'époque de son passage. Heriot manifeste également un intérêt pour la représentation des ruines et des accidents naturels comme les chutes et les rapides. Ces éléments, tout comme l'hydrographie, s'inscrivent dans la recherche du caractère Picturesque des paysages.

2.2.6.2 John Jeremiah Bigsby (1792-1881)

Un autre personnage a contribué à véhiculer une certaine représentation de la région de Charlevoix durant la première moitié du XIXe siècle: John Jeremiah Bigsby. Il est à la fois docteur en médecine, géologue et artiste amateur. Il est diplômé en médecine de l'University of Edinburgh en 1814 et poursuit des études de géologie. Il arrive au Canada en 1818 en qualité de chirurgien adjoint dans les forces armées britanniques. L'année suivante, il entreprend un relevé géologique de la province du Haut-Canada. Il devient ensuite secrétaire adjoint de la commission de la frontière et il travaille au tracé de la frontière internationale entre le Canada et les États-Unis. Il retourne en Angleterre en 1827 où il pratique à nouveau la médecine. Entre 1819 et 1825, ses fonctions de géologue et de commissaire aux frontières l'amènent à voyager un peu partout au Canada. Au cours de ses nombreux voyages, il tient un journal et il réalise des croquis à travers le Haut et le Bas-Canada et la région du sud de la baie d'Hudson. Il publie un premier volume tiré de ses observations lors de son voyage au Haut-Canada en 1824 et un compte rendu plus vaste de ses voyages dans un ouvrage en deux volumes, intitulé *The Shoe and Canoe* (1850).

---

29. Nous avons effectué une comparaison du contenu des trois aquarelles disponibles pour Charlevoix avec celui d'un échantillon de 60 aquarelles représentant des paysages du Québec à la même époque. Cet échantillon est tiré de la base de données concernant l'iconographie du Québec de la Nouvelle-France à la décennie 1940-1950 (contenant près de 3 400 œuvres) construite par l'auteure et propriété du CIEQ. Cette comparaison ne peut bien sûr qu'être indicative, étant donné l'inégalité des échantillons et le faible nombre d'aquarelles ayant pour thème Charlevoix.

Il visite Charlevoix à deux occasions, en 1819 et en 1823. À la fin de l'été de 1819, ... avec le docteur Wright, directeur du Département de la médecine du Canada, l'Indien à l'accompagnant à Baie-Saint-Paul par voie terrestre, en contournant le Cap Tourmente et en longeant le littoral. Lors de sa deuxième visite, il est chargé d'une étude de la géologie de la région de La Malbaie. John Jeremiah Bigsby sera un des premiers artistes, avec John Arthur Roebuck, à fournir un aperçu des établissements de l'intérieur des vallées de Baie-Saint-Paul et de La Malbaie dans Charlevoix. Lors de ses visites, Bigsby est séduit par la beauté du paysage et le mode de vie pittoresque des gens qu'il rencontre. Sa description de ses impressions de voyage dans Charlevoix s'étend sur 43 pages en 1850 et il réalise une dizaine de dessins des paysages principalement des vallées de Baie-Saint-Paul et La Malbaie. Cinq d'entre eux seront publiés dans son volume en 1850. Nous reviendrons sur cette publication au chapitre 5.

GRAPHIQUE 3.2
THÈMES DE L'ICONOGRAPHIE DE GEORGE HERIOT
ŒUVRES RÉALISÉES DANS CHARLEVOIX ET DANS LE RESTE DU QUÉBEC

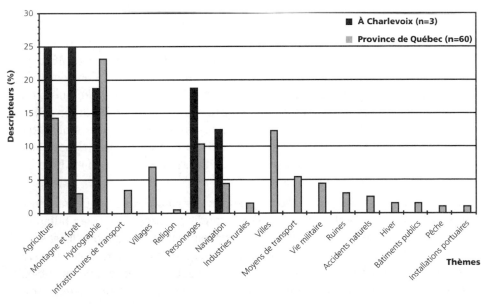

Source : Base de données Iconographie. Laboratoire de géographie historique / CIEQ.

Les croquis de Bigsby, datés de 1819 à 1823, sont très techniques. On est porté à croire qu'ils étaient plutôt destinés à illustrer un rapport sur la géologie et la géomorphologie régionale. Le titre qu'il leur donne, caractérisé par un souci de localisation précise du panorama, confirme cette impression[30]. Ces croquis accordent une importance prépondérante au relief, représenté dans un style très différent de celui des émules du Picturesque. Ce relief possède des formes beaucoup plus atténuées et arrondies, plus près de leur aspect réel que celui des représentations picturesques (figures 2.1 et 2.5). Les formes de l'occupation du sol sont également centrales. Le mode de division des terres, leur étendue et l'aspect général des fermes et des établissements est l'objet principal de deux des quatre croquis. Signalons que le style et les symboles à la base de ces croquis sont très différents des gravures du paysage régional qui seront publiées par Bigsby en 1850.

2.2.6.3 John Arthur Roebuck (1801-1879)

Nous possédons peu d'informations sur la vie et la carrière artistique de John Arthur Roebuck (Harper, 1970: 269-270). À l'époque où il réalise ses lavis dans Charlevoix, John Arthur Roebuck est un jeune noble britannique qui complète son éducation. Il est né à Madras en Inde en 1802. En 1807, à la mort de son père, administrateur civil aux Indes, sa mère l'amène en Angleterre; en 1815, la famille émigre dans le Haut-Canada. Alors qu'il est âgé de 20 à 23 ans environ, Roebuck réalise des représentations du paysage charlevoisien. Il retourne en Angleterre en 1824, il fait des études de droit, il est élu député et, en 1835, devenu un ami de Louis-Joseph Papineau, il représente en Angleterre des intérêts de l'Assemblée du Bas-Canada. Il est demeuré toute sa vie intéressé aux questions coloniales. Il est décédé à Londres en 1879. Il est également le frère de William Roebuck, artiste militaire.

Malgré le peu d'informations que nous possédons, nous pouvons constater que Roebuck semble correspondre au profil du jeune gentleman britannique éduqué et formé à la pratique des arts usuels comme la peinture. Il est également probable que le jeune Roebuck ait voyagé de façon extensive au pays afin de parfaire son éducation comme c'était la coutume chez les jeunes nobles de l'époque. C'est sans doute dans ce contexte qu'il a visité Charlevoix. Son style artistique révèle également qu'il a été en contact avec la tradition picturale britannique de l'époque caractérisée par la pratique du Picturesque. La représentation particulière du relief, mettant en valeur son amplitude et son irrégularité, ainsi que la présence des trois plans successifs de l'image sont révélateurs de ce style.

---

30. Voir la liste à l'annexe A.

Les symboles recherchés par John Arthur Roebuck dans Charlevoix, comparés aux 14 autres représentations de paysages du Québec dont nous disposons pour cet auteur, révèlent une attirance marquée pour les vues d'ensemble axées sur les paysages forestiers. Les thèmes secondaires sont les aires villageoises et les infrastructures de transport que sont les routes et les ponts. L'agriculture ne compte que pour 8,3% des symboles représentés par Roebuck. À l'extérieur de la région par contre, Roebuck s'intéresse beaucoup moins aux paysages forestiers. Il réalise plus volontiers des panoramas ayant pour centre les villages et les grandes villes comme Québec. Les infrastructures militaires comme la citadelle de Québec retiennent également son attention.

2.2.6.4 William Roebuck (c. 1795-1797-après 1820)

Les renseignements biographiques concernant le frère de John Arthur, William, sont encore plus minces. William Roebuck est décrit par Harper (1970 : 270) comme un artiste topographe, officier des forces armées britanniques. Il a été posté à Québec en 1818. Il est connu pour ses croquis de la construction de la citadelle. Notre échantillon concernant l'œuvre québécoise de William Roebuck est mince. Outre sa représentation du paysage de La Malbaie, nous ne disposons que de cinq aquarelles de cet artiste pour l'ensemble du Québec[31]. Il s'agit d'abord d'un panorama en deux parties sous forme d'aquarelles de la ville de Québec et du fleuve Saint-Laurent pris des remparts de la citadelle et de trois vues des rapides de Cédars et des écluses sur le fleuve Saint-Laurent. Ces symboles rejoignent ceux qu'il a choisis à la Malbaie qui sont respectivement les infrastructures de transport (la route et le pont) et l'hydrographie (la rivière Malbaie).

Il a réalisé une aquarelle dans Charlevoix, intitulée *Le pont à Mal Baie, vue de près de l'église, vers 1820* (figure 2.4). Les lavis de son frère sont datés de 1821 à 1824. Les deux frères ont donc visité la région à quelques années d'intervalle. Il est intéressant de comparer les deux représentations. Elles sont presque identiques. Elles adoptent le même point de vue et elles révèlent les mêmes éléments de style. La technique de William dans la représentation de la végétation est différente toutefois, le foliage étant beaucoup plus élaboré. Cette technique s'apparente à celle de George Heriot. En terme de contenu, le paysage de William est beaucoup moins humanisé que celui de John Arthur. Il faut dire qu'il a été réalisé quelques années plus tôt. Le pont et la route du côté gauche de

---

31. Soulignons ici que nous nous référons aux œuvres présentes dans la base de données iconographiques élaborée au CIEQ. Il est probable que d'autres œuvres québécoises de William Roebuck n'aient pas encore été répertoriées.

l'image (figure 2.4) y apparaissent. On n'y observe cependant qu'une seule maison près du pont alors que son frère en représente trois. La mise en valeur des terres au pied des montagnes semble également beaucoup moins avancée que sur le lavis de son frère à la période 1821-1824. Cette comparaison d'une même vue sur une période maximale de quatre ans rend compte d'un développement relativement rapide de l'occupation du paysage de l'embouchure de la rivière Malbaie dans la première moitié de la décennie 1820-1830.

FIGURE 2.4

WILLIAM ROEBUCK, LE PONT À MAL BAIE, VUE DE PRÈS DE L'ÉGLISE, VERS 1820

Source : Archives nationales du Canada, Ottawa, C-104266.

2.2.7 Le regard de l'étranger

Nous terminons cette analyse en insistant sur le fait que ces représentations constituent différentes visions de l'espace local à travers le prisme d'impressions, d'idées, de valeurs et de normes originaires d'un autre paysage, d'une autre formation sociale. Ces visiteurs ont projeté leur propre système de représentation sur le paysage charlevoisien. Leur expérience personnelle de l'espace, leurs émotions face au paysage sont également exprimés dans leur représentation artistique. Le résultat est donc un paysage représenté en fonction des normes esthétiques européennes, qui s'apparente aux toiles d'artistes comme Girtin ou Turner. Les artistes semblent avoir été d'abord attirés par le relief très accidenté de la région en raison des possibilités offertes aux règles du Pittoresque par ses nombreux contrastes. Les artistes ne se sont cependant pas livrés à une manipulation des éléments présents dans le paysage. La marque des topographes est justement leur souci du détail et du réel, malgré leur propension à se livrer à une certaine idéalisation de la composition globale du paysage, selon les règles du Pittoresque.

Le cas de Joseph Bouchette est différent. Celui-ci, même s'il possède une formation artistique semblable à celle des aquarellistes britanniques, n'en est pas moins natif du Bas-Canada. L'initiative de Bouchette s'inscrit dans un cadre idéologique et professionnel particulier. Son objectif est d'inventorier le territoire du Bas-Canada en entier, de quantifier et de localiser les phénomènes observés. Il se situe dans l'idéologie du progrès qui découle de la connaissance détaillée des faits géographiques et sociaux. C'est toutefois le potentiel agricole de la colonie qui retient son attention. Il avoue d'ailleurs explicitement vouloir améliorer cette agriculture, afin d'en faire une activité économique rentable pour la colonie. On y reconnaît la justification utilitaire qui caractérise la volonté de l'inventaire de l'époque (Zeller, 1987)

2.3 REPRÉSENTATION ET VÉCU TERRITORIAL

Malgré leur façon particulière de traduire les signes présents dans le paysage, les représentations textuelles et iconographiques du début du XIXe siècle nous renseignent sur la socio-économie locale. L'iconographie, notamment, révèle des détails importants sur l'occupation du territoire, l'habitat, l'industrie, etc. Cette partie présente un portrait de cette socio-économie telle qu'elle est révélée par les représentations du premier tiers du XIXe siècle.

2.3.1 L'occupation du territoire

Les croquis de John Jeremiah Bigsby et les lavis de John Arthur Roebuck sont riches en information concernant l'état du défrichement des terres dans les vallées, ainsi que dans l'arrière-pays malbaien, près du lac Nairne. Les croquis de Bigsby, particulièrement, révèlent l'état avancé de l'occupation des terres de la vallée de Baie-Saint-Paul (figures 2.1, 2.5). Le croquis de la figure 2.5 illustre plusieurs fermes éparpillées dans la vallée, entourées de leurs champs clôturés. On peut également voir les défrichements sur les versants de la vallée. Les terrasses au nord-ouest sont dans un état avancé de mise en valeur. Le versant nord-est est également défriché dans sa partie inférieure. Des croquis comme celui de la figure 2.2 montrent également la présence d'établissements dans l'arrière-pays dès 1819. Ceux-ci présentent un paysage agroforestier où l'on remarque, à côté des défrichements et d'une mise en valeur agricole des terres, la proximité de petits moulins à scie qui semblent s'associer aux premiers établissements de l'arrière-pays. Comme nous l'avons mentionné au tout début du chapitre, ces petits moulins étaient souvent essentiels aux premiers établissements; ils permettaient aux colons de transformer le bois coupé sur leurs terres afin de l'utiliser pour leurs propres constructions ou de le vendre sur le marché. Signalons qu'à cette époque, la demande en bois canadien est très élevée sur le marché impérial.

FIGURE 2.5

JOHN J. BIGSBY, BAY OF ST. PAUL FROM THE WEST: NEAR THE SEIGNORIAL MILL, AUG. 1819

Source: Archives nationales du Canada, Ottawa, C-11634.

La description topographique de Bouchette est également éclairante en ce qui concerne l'occupation des terres dans Charlevoix. Même s'il demeure vague sur l'état de développement des établissements, il signale leur présence et donne parfois un aperçu de leur étendue et de leur mise en valeur, comme dans ce passage sur la seigneurie des Éboulements: «Dans les concessions appelées Godefroy, Dorothée, St. Joseph et St. George, quelques établissements très-bons et dans un état d'amélioration se présentent sur le penchant des hauteurs et dans les intervalles qui les séparent: les chaumières et les fermes blanchies à la chaux, souvent entourées de groupes épais d'arbres, forment un effet singulièrement pittoresque (Bouchette, [1815] 1978: 578).» L'état de développement des seigneuries de La Malbaie fait également l'objet de l'un de ses commentaires:

Ces deux seigneuries [ ] ne contiennent qu'une très-petite portion de terres cultivées, en comparaison de leurs dimensions. En général, la surface de l'une et de l'autre est montagneuse, mais dans quelques endroits le sol est passablement bon; le bois de construction de toute espèce y est abondant et très-beau, particulièrement le pin. Les terres les mieux cultivées sont celles qui règnent le long de chaque côté de la Rivière Malbaie pendant environ six miles; une route passablement bonne traverse ces établissements à leur extrémité, et il y a plusieurs fermes et de jolies maisons. Murray Bay a une église et un presbytère, deux moulins à grain, et quelques scieries; il y a aussi une maison seigneuriale bien bâtie, qui appartient au propriétaire de la seigneurie. Dans Mount Murray les meilleurs établissements sont sur les bords de la Rivière de Malbay, et s'étendent aussi loin que ceux qui sont sur le rivage opposé; la maison seigneuriale, qui appartient au Colonel Fraser, et qui se nomme Mount Murray, est très-bien située à l'entrée de la baie, sur le rivage oriental, et elle est entourée d'une grande étendue de terres bien culti-vées ([1815] 1978: 582-583).

Ces descriptions, ajoutées aux quelques illustrations dont nous dispo-sons sur la vallée de la Malbaie pour la même époque, ainsi que le relevé carto-graphique de Bouchette permettent d'obtenir une idée assez juste du paysage de l'époque: de l'occupation du territoire, de l'état de mise en valeur des terres et de l'aspect des fermes.

2.3.2 Les communications

Les communications à l'intérieur et avec l'extérieur de la région sont également importantes afin de saisir le contexte socio-économique général d'une région comme Charlevoix au début du XIX siècle. Son milieu géographique particulier présente en effet de nombreuses contraintes. Les représentations du premier tiers du XIX siècle révèlent toutefois la présence d'un réseau routier relative-ment bien développé à l'intérieur de la région. La carte de Bouchette de 1815 est particulièrement éclairante à ce sujet. On y remarque la présence d'une route qui longe le littoral et le couloir des vallées. L'iconographie révèle égale-ment que ce réseau gagne le nord-ouest de la seigneurie de la Malbaie quel-ques années plus tard, suivant ainsi les nouveaux établissements. En 1831, il relie les concessions du centre du plateau malbaien et celui du nord-est de Baie-Saint-Paul. Le premier pont de la Malbaie est également représenté par les frères Roebuck dès 1820 (figure 2.4). Dans sa description topographique, Bouchette parle de l'état de cette route. Voici un passage de la description de la seigneurie des Éboulements:

[Au ruisseau du Moulin] près de l'endroit où il se décharge dans le St. Laurent, sont situés une excellente scierie et un moulin à grain, à peu de distance desquels se trouve la maison seigneuriale, grand et solide bâtiment de pierre, avec de nombreuses dépendances. Il y a plusieurs routes qui conduisent le long du St. Laurent, lorsque le terrain est praticable, et dans d'autres endroits, sur les hauteurs; elles sont en général passablement bonnes, mais on est quelquefois obligé de monter des collines très-longues et très-fatiguantes ([1815] 1978: 579).

Ainsi le réseau routier semble bien développé. Toutefois la déclivité importante de certaines routes devait les rendre très difficiles à pratiquer en certaines saisons, aux Éboulements et à Petite-Rivière-Saint-François par exemple. C'est probablement ce qui explique la popularité de la navigation dans Charlevoix au XIXe siècle. Il était souvent plus simple et plus rapide de voyager par le fleuve le long du littoral, particulièrement si l'on avait de lourdes marchandises à transporter. La traditionnelle chaloupe à voile possédée par de nombreux habitants du littoral, à Petite-Rivière notamment, témoigne de cette importance du fleuve dans les communications courantes. Le commerce extérieur s'effectue à cette époque presque exclusivement par le fleuve. La première route terrestre reliant Charlevoix à la Côte-de-Beaupré a été construite en 1816. Elle demeurait toutefois difficile à pratiquer pendant la plus grande partie de l'année. Le fleuve a donc constitué le principal axe de communication entre Charlevoix et le sud du territoire. Cette dépendance de la population à l'égard du fleuve a contribué à encourager la croissance de la pratique des métiers de la mer dans les paroisses littorales. Certaines aquarelles du début du XIXe siècle, comme celle de George Heriot (figure 2.3), montrent l'importance du fleuve dans la vie économique et sociale du littoral. L'aquarelle de Heriot de l'embouchure de la rivière du Gouffre à Baie-Saint-Paul illustre plusieurs petites embarcations sur le littoral et dans la baie, entourées de personnages, sur un arrière-plan formé de fermes et du manoir seigneurial.

2.3.3 L'échange

L'information contenue dans la description de Bouchette et, dans une proportion moindre, dans celle de George Heriot, fait état d'échanges commerciaux relativement intenses entre Charlevoix et le port de Québec. Les cargaisons acheminées par le fleuve sont formées de grains, de bestiaux, de volailles et de planches de pin. Bouchette parle également de surplus agricoles commercialisables: «Le sol [Île-aux-Coudres] est partout d'une qualité fertile et presque tout en labour, produisant du grain de toute espèce bien au-delà de la consommation (Bouchette, [1815] 1978: 580).» Ces narrations sont cependant muettes sur les quantités réelles exportées. Bouchette se contente de signaler que «plusieurs

goélettes sont presque continuellement occupées à ce commerce durant la saison de la navigation ([1815] 1978 : 500). Huot est encore plus vague, il se contente d'énumérer le type de marchandises exportées (bétail, moutons, chevaux,
blé, avoine et planches), sans donner aucune appréciation de leur quantité ou de
leur valeur. L'iconographie ne fait aucunement état du commerce intra ou inter-
régional. Nous devons donc nous en remettre à Bouchette qui nous permet tout
de même de constater l'existence d'un trafic commercial presque continu pendant la saison de navigation entre Charlevoix et Québec. Ces liens commerciaux
et sociaux entre les deux régions étaient toutefois plus difficiles à maintenir pendant la saison hivernale, même si le fleuve permet les communications pendant
la période de gel. On peut toutefois supposer que les voyages entre les deux
régions sont alors moins fréquents et les marchandises échangées, d'une quantité moins considérable.

Les archives du Séminaire de Québec signalent la présence de négociants dans Charlevoix dès 1740. Aucun d'entre eux n'y a fait souche. Six ont été
de passage entre 1740 et 1765. Ils se sont installés sur des terres du bas de Baie-
Saint-Paul et ils ont suscité le développement commercial de ce secteur, où
étaient déjà localisés l'église et les équipements seigneuriaux. En 1762 notamment, le Séminaire concède un emplacement en face de l'église, entre le chemin
du roi et la rivière du Gouffre, à un négociant du nom de Stanislas Roussel : « il
en fait un endroit à caractère commercial pour les siècles qui suivent jusqu'à nos
jours » (Tremblay, 1986 : 28). Les contrats notariés laissés par ces négociants permettent de déterminer que certains d'entre eux étaient de riches marchands
(Tremblay, 1986 : 27). L'un d'entre eux, Dominique Fenasse, faisait couramment
affaire avec le Séminaire entre 1754 et 1763. Il était le fournisseur désigné pour
la ferme de Baie-Saint-Paul. Nous possédons également quelques indices sur la
nature du commerce régional : « Ne fallait-il pas cependant se procurer quelques
outils, marteaux, haches, faucilles ; quelques ustensiles domestiques, chau-
drons, casseroles, ciseaux, aiguilles, épingles et même quelques articles de
vanité, tels des broches ou des peignes ? On vendait sûrement aussi quelques
draps et des chaussures de confection. Il suffit pour s'en rendre compte de con-
sulter les inventaires dressés à la mort d'un conjoint (Tremblay, 1986 : 27). »
Ainsi donc des marchands sont présents dans Charlevoix dès le milieu du XVIIIe
siècle. Cette activité commerciale s'est intensifiée au premier tiers du XIXe siècle,
sous l'impulsion de la croissance démographique rapide de la région et de
l'apparition des villages.

2.3.4 L'aire villageoise

Durant cette période apparaît la structure spatiale de l'habitat et de l'activité économique, qu'on remarque dans les recensements décennaux qui débutent en 1831. Les premières agglomérations villageoises d'importance surgissent à Baie-Saint-Paul et à La Malbaie vers 1815. Elles se développent lentement autour du domaine seigneurial et de ses équipements. Le domaine seigneurial, au tout début de l'établissement, fournit les premiers services aux colons (moulin banal, à scie, justice, concessions de terres, etc.). L'église est érigée à proximité du manoir, particulièrement lorsque la seigneurie est ecclésiastique comme à Baie-Saint-Paul et à l'Île-aux-Coudres. Le domaine seigneurial est établi sur les meilleures terres de la seigneurie et à proximité des voies de transport fluvial. Le secteur du domaine seigneurial devient donc très tôt un endroit privilégié d'établissement pour le colon qui recherche une bonne terre, la proximité des services et une vie communautaire plus intense.

Ce noyau initial est non seulement un centre de services, mais également une aire de sociabilité pour le colon. C'est là qu'il rencontre ses pairs qui vont faire moudre leur grain et scier leur bois au moulin ou le curé qui dessert l'établissement; il y assiste à l'office religieux, il échange des nouvelles avec les autres résidants de la seigneurie et les visiteurs, etc. Pour une région relativement isolée comme l'était Charlevoix au début du XIXᵉ siècle, la recherche de cette sociabilité et de la proximité des services de la vie courante ont sans aucun doute été des incitatifs importants à rechercher un établissement à proximité du domaine seigneurial et de l'embouchure du fleuve.

On trouve ainsi dans la narration de Bouchette la description des noyaux de Baie-Saint-Paul, de l'Île-aux-Coudres (qui deviendra Saint-Louis) et de La Malbaie. Ces villages prennent la forme (dans le cas de Petite-Rivière, Baie-Saint-Paul et La Malbaie) d'un alignement de maisons le long de la route, près des moulins et de l'église. Les maisons, comme Bouchette les décrit ou telles qu'elles sont représentées par l'iconographie, sont de bois blanchi à la chaux, ou plus rarement en pierre. Ce dernier type de construction est toutefois généralisé dans le bas de Baie-Saint-Paul (Bouchette, [1815] 1978: 575). Voici une description de la maison typique de l'habitant de Charlevoix au début du XIXᵉ siècle:

> Cette maison canadienne typique et ancestrale était bâtie avec un assemblage de pièces de bois à tenons et à mortaises, qu'on disait: construite pièce sur pièce³² [...] Cette maison comptait seulement un étage, surmonté d'un comble à deux pans, rarement à comble plat, aussi à comble brisé ou à

---

32. Selon le recensement nominatif de 1831, la maison pièce sur pièce représente la vaste majorité des habitations de Charlevoix.

Mansart, également à comble à **quatre pans**. On avait aussi des maisons à comble anglais ou à comble français. Primitivement elle était dépourvue de véranda et de galerie même recouverte d'un toit. Un simple marchepied ou un petit escalier très rustique de quelques marches conduisait à l'entrée. […] Il n'était pas question de ciment, de béton, de brique en ces temps reculés, mais seulement de pierre et souvent, malheureusement, de pierre à chaux, très friable à la gelée. […] Fondation basse et peu profonde, d'où cave très basse et à peine d'une hauteur de deux à quatre pieds et complètement sur la terre, destinée seulement à l'entreposage des légumes pour l'hiver, ou comme cachette pour quelques cruches de boisson. […] La façade donnait toujours sur le chemin. […] Ces rangées de maisons, blanchies à la chaux et échelonnées le long de la route campagnarde, dégageaient un air coquet et attrayant pour l'étranger (Daniel, dit Donaldson, 1983, II: 134-137).

FIGURE 2.6

JOHN J. BIGSBY, MR. ROUSSEAU'S HOUSE, BAY OF ST. PAUL, VERS 1010 1020

Source: Archives nationales du Canada, Ottawa, C-11635.

Les voyageurs du XIXᵉ siècle signalent en effet la beauté de ces petits établissements. On peut voir dans l'iconographie de l'époque l'illustration de ce type d'architecture et de disposition des maisons, notamment dans un croquis de Bigsby (figure 2.6). On aperçoit à la droite du croquis l'une des petites maisons décrites plus haut et l'alignement caractéristique des maisons le long de la route.

2.3.5 L'économie

L'économie régionale de l'époque s'appuie sur l'agriculture, qui constitue également la base de la subsistance des ménages. Les représentations n'en fournissent pas un inventaire détaillé. Bouchette signale toutefois la bonne productivité des sols des basses terres et la présence en ces endroits de surplus commercialisables. Nous pouvons donc affirmer que l'agriculture est alors relativement prospère sur les sols des vallées. Il note également au passage la pratique d'activités secondaires comme la pêche au marsouin et à l'anguille. Bouchette ne parle de la forêt que pour mentionner la présence de quelques moulins à scie et l'exportation de planches de pin vers Québec et l'abondance de bois de construction à La Malbaie, particulièrement le pin. Les représentations iconographiques sont plus explicites au sujet de la place occupée par l'industrie du bois dans la socio-économie locale (figure 2.2), en plaçant celle-ci en association étroite avec l'agriculture dans les nouveaux défrichements.

2.3.6 Les liens entre l'homme et le territoire

L'analyse des représentations du paysage charlevoisien dans le premier tiers du XIXe siècle permet de constater la présence d'une symbiose entre l'agriculture et la forêt. Très tôt, l'habitant utilise les services du moulin à scie lors du défrichement de ses terres et de son établissement. La vente d'une partie du bois de ses terres peut également lui permettre de se procurer des biens matériels et des denrées pendant les premiers temps de l'établissement. Dans le cas d'une exploitation forestière sur une base plus commerciale, le colon peut également en faire une source d'emploi saisonnier en chantier ou à la scierie. Les études réalisées sur les premières scieries régionales confirment ce phénomène (Girard, 1934a et b). L'habitant a donc eu un contact étroit avec la forêt dès les débuts de la colonisation, lien qui s'est poursuivi au cours du XIXe siècle, la forêt demeurant un secteur d'activité économique important tout au long du siècle. La coupe et le sciage de planches de pin ont permis l'intensification des liens commerciaux entre Charlevoix et le port de Québec. Nul doute alors que cette industrie, pratiquée pendant les longs mois d'hiver[33], ait représenté très tôt une activité économique secondaire pour les cultivateurs, leur permettant de compléter le revenu familial tiré de l'agriculture ou de combler le manque à gagner. La forêt a probablement été la première source de revenus supplémentaires des habitants, en plus d'être à l'origine liée de façon étroite à la subsistance des ménages.

---

33. La coupe était pratiquée pendant l'hiver, dans les chantiers forestiers. Les moulins à scie ne fonctionnaient que quelques mois par année, au printemps, entre la coupe et la reprise des travaux agricoles (Martin, 1995).

L'intensification des échanges suscitée par la forte demande pour cette
ressource durant la décennie 1820-1830 a également été à l'origine du développement d'un autre groupe d'activités secondaires pratiquées parallèlement à
l'agriculture, les activités liées à la construction navale et à la navigation.
Beaucoup d'habitants se feront navigateurs, parallèlement à l'exploitation d'une
terre. Certains artisans du bois apprendront les techniques de la construction
d'une goélette et en feront dans certains cas leur spécialité. Des fils de cultivateurs ou de jeunes gens encore non établis profiteront également de la nouvelle
activité commerciale en chargeant et en déchargeant les goélettes attendant au
large des baies de Baie-Saint-Paul et La Malbaie.

Toute une économie se construit et se diversifie à un rythme accéléré
pendant le premier tiers du XIXe siècle. Parallèlement à l'économie, la vie sociale
et communautaire suit le mouvement d'abord autour du domaine seigneurial,
avec ses moulins et l'église établie à proximité, la paroisse qui englobe les établissements, puis des noyaux villageois qui bientôt se développent au cœur de
cet ensemble. L'aquarelle de George Heriot (figure 2.3) tente de traduire cette
vie sociale et économique qui se met en place autour du manoir, de l'embouchure de la rivière du Gouffre et des fermes établies à proximité. Les premiers
noyaux villageois d'importance dans Charlevoix apparaissent vers 1815
(Courville, 1990: 281-287). Ils sont le fruit de la croissance démographique accélérée de la région depuis la fin du siècle précédent et de cette nouvelle activité
commerciale ayant pour centre le bas des deux grandes vallées, au point de
contact avec le fleuve.

Les représentations textuelles et iconographiques révèlent peu d'indices
sur le vécu de la population locale. Certaines d'entre elles permettent toutefois
d'affirmer qu'à l'instar des autres populations rurales du Québec, l'esprit communautaire caractérise la vie sociale et économique dans les campagnes charlevoisiennes où les voisins et les parents se fournissent une assistance mutuelle.
L'éloignement des services et les problèmes de communication contribuent à
renforcer ces traits. La faible différenciation sociale des habitants des campagnes et des aires villageoises contribue également à maintenir ces liens dans
les petites communautés. L'église, la boutique du forgeron, le moulin deviennent des aires de sociabilité, où les paroissiens en profitent pour échanger les
nouvelles et se fréquenter (Daniel, dit Donaldson, 1983, I: 142). Nous tenterons
au chapitre suivant, à la lumière d'autres sources documentaires, d'obtenir une
idée plus précise de la territorialité régionale au XIXe siècle.

La population charlevoisienne est caractérisée, depuis ses plus lointaines
origines, par ses liens étroits avec le territoire, d'où elle tire presque toute sa
subsistance. Les liens homme-territoire et homme-société sont complexes et
varient dans le temps et dans l'espace. Les impératifs du mode de reproduction

de cette société, caractérisé par l'établissement d'un maximum de fils sur des terres neuves, contribuent à accroître la mobilité sociale et géographique de cette population et à accentuer la pression sur le sol. Le milieu du XIXe siècle et ses bouleversements économiques et sociaux auront également un impact sur le territoire charlevoisien. Le mode de reproduction de la société devra faire appel à une pluriactivité à plus grande échelle et en corollaire à une mobilité géographique de plus en plus grande afin de se maintenir.

Chapitre 3

STRUCTURE DÉMOGRAPHIQUE ET MODE DE REPRODUCTION FAMILIALE EN MILIEU RURAL : VERS UNE DÉFINITION DE LA TERRITORIALITÉ CHARLEVOISIENNE

Nous avons vu au chapitre précédent que deux systèmes de représentations différents ont été à la base de l'occupation du paysage charlevoisien. Ceux-ci étaient le fait de deux groupes qui exerçaient un contrôle social et politique sur la colonie : les représentants de l'État français et le clergé. Les systèmes de représentation de ces deux groupes ont eu pour effet de créer une socio-économie reposant d'abord sur l'agriculture familiale, mais qui faisait également appel aux deux grands produits d'exportation coloniaux de l'époque - le bois et la fourrure - afin de soutenir la croissance de cette agriculture. Malgré la contradiction apparente entre les deux activités, les premiers habitants ont appris à tirer un avantage maximum des diverses sources de revenu qu'elles généraient. Il en est résulté la mise en place d'une société très mobile sur le plan socio-économique, qui a profité de toutes les occasions offertes pour assurer son maintien et sa reproduction.

Ce chapitre a pour objectif de présenter le contexte géographique, démographique et social particulier de la région de Charlevoix. L'analyse porte plus spécifiquement sur le secteur de la vallée du Gouffre qui regroupe les paroisses de Baie-Saint-Paul au sud et de Saint-Urbain au nord, ceci pour la période 1831-1871. Cette partie constitue une mise en contexte et elle permet de mieux comprendre les résultats de l'analyse de la structure spatiale de la socio-économie charlevoisienne et de son évolution au cours de la même période. Cette mise en contexte met également en évidence les grandes lignes des liens particuliers établis entre l'homme et le territoire à travers la spatialité particulière de cette population.

Ce portrait de la structure spatiale de la population dans la vallée du Gouffre a été obtenu principalement par une analyse spatiale des données des recensements nominatifs de la période 1831-1871 pour les paroisses de Baie-Saint-Paul et de Saint-Urbain. Nous nous sommes attachés plus particulièrement aux données de 1831, qui ont déjà fait l'objet d'une analyse semblable dans le cadre de notre mémoire de maîtrise (Villeneuve, 1992), ainsi qu'à celles de 1852 et 1871. Nous avons choisi le secteur de la vallée du Gouffre parce qu'il intègre des deux grands milieux géographiques et socio-économiques identifiés lors de l'analyse spatiale du recensement nominatif de 1831. Ces deux grands milieux sont constitués d'abord du littoral, représenté par la partie sud de la vallée du Gouffre à Baie-Saint-Paul. Ce secteur réunit les conditions naturelles les plus favorables à l'agriculture et possède des infrastructures de transport et de commercialisation de la production agricole, forestière et artisanale. Il s'agit de l'aire de colonisation la plus ancienne de la région, occupée pendant le dernier quart du XVIIe siècle. C'est également dans ce secteur que l'on trouve le village le plus important de la région, tant au plan démographique qu'économique, Baie-Saint-Paul. Ce milieu était l'un des plus prospères de la région au XIXe siècle. Le second milieu est constitué par l'arrière-pays, comprenant les plateaux à l'est et à l'ouest de la vallée du Gouffre à Baie-Saint-Paul ainsi qu'à Saint-Urbain. Ces secteurs sont nettement moins favorisés que les premiers. Les agriculteurs y connaissent de nombreuses difficultés, liées à la nature du sol, au climat et à l'éloignement des marchés. Leur économie est davantage orientée vers une pluriactivité axée sur l'exploitation forestière.

Ce chapitre intègre également une dimension comparative. Notre objectif est de constater si les caractéristiques de cette population sont fondamentalement différentes de celle d'autres espaces québécois du XIXe siècle. À cet effet, nous nous référons aux travaux du groupe dirigé par Serge Courville et Normand Séguin sur la socio-économie de la vallée laurentienne au XIXe siècle (Courville, Robert et Séguin, 1995). Nous ferons également référence aux travaux de Gérard Bouchard (1996), de Marc Saint-Hilaire (1996) et d'autres chercheurs de l'IREP sur l'espace, l'économie et la société saguenayenne de la seconde moitié du XIXe siècle ainsi que sur les caractéristiques démographiques et sociales des Charlevoisiens qui ont immigré au Saguenay à partir du milieu du XIXe siècle. Ces travaux sont particulièrement pertinents en raison des liens étroits qui existent entre ces deux populations au cours de la seconde moitié du XIXe siècle et du poids des Charlevoisiens dans le peuplement initial du Saguenay.

Le chapitre est divisé en cinq parties. Nous effectuons d'abord une présentation générale du cadre spatial régional et de la situation de la vallée du
Gouffre, de son milieu physique et de l'évolution de ses limites territoriales au
cours de la période. Celles-ci pénètrent de plus en plus loin à l'intérieur des
terres à partir de la décennie 1820-1830. Cette partie intègre également l'analyse
de la structure démographique du secteur, qui varie en fonction de l'ancienneté
de l'occupation des rangs. La seconde partie est consacrée au mode de reproduction sociale de cette population dont l'objectif est d'établir le plus grand
nombre possible de fils en agriculture. Ce système incite le ménage à élargir
l'éventail des emplois hors ferme et des productions domestiques. Il induit également une forte propension à migrer dans l'espace, à la recherche de terres ou
de sources d'emplois secondaires nécessaires à l'établissement futur des fils. La
principale activité économique de cette population étant l'agriculture, nous
consacrons la troisième partie aux conditions encore primitives qui entourent la
pratique de cette activité dans Charlevoix au XIX⁰ siècle afin de mieux saisir son
poids sur le régime démographique et sur les comportements de l'époque. La
quatrième partie présente un profil professionnel des gens qui ne pratiquent pas
l'agriculture et qui représentent de 20 à 35 % du total des déclarants de profession au cours de la période. Nous terminons le chapitre avec un résumé de la
structure démographique de la vallée du Gouffre au XIXᵉ siècle.

3.1 LE TERRITOIRE : UN MILIEU GÉOGRAPHIQUE FORTEMENT CONTRASTÉ DONT L'OCCUPATION PROGRESSE DU LITTORAL VERS L'INTÉRIEUR DES TERRES

La région de Charlevoix est située sur la rive nord du fleuve Saint-Laurent, à
environ 100 km au nord-est de la ville de Québec (figure 3.1). Il s'agit d'un territoire d'occupation ancienne, dont la structure spatiale et l'articulation particulière des liens homme-territoire sont déjà bien définies dès la décennie 1820-
1830. L'occupation des basses terres est alors presque complétée et la
population monte à l'assaut du plateau intermédiaire qui encercle les vallées fluviales du Gouffre et de la Malbaie. Il s'agit d'une population largement rurale,
même si quelques noyaux villageois sont alors en pleine croissance[34].

---

34. Les villages de Baie-Saint-Paul et La Malbaie sont déjà constitués en 1815. Voir
Courville, 1990.

FIGURE 3.1

CHARLEVOIX DANS LA PROVINCE DE QUÉBEC

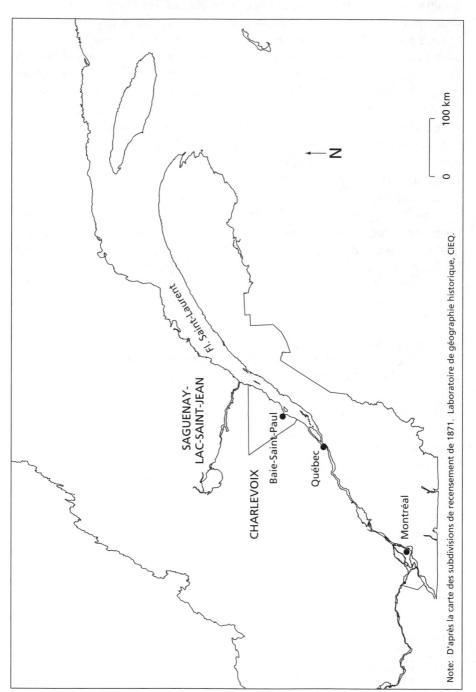

Note: D'après la carte des subdivisions de recensement de 1871. Laboratoire de géographie historique, CIEQ.

3.1.1 Un milieu naturel très différencié

Le paysage de la région de Charlevoix est caractérisé par la présence de nombreux contrastes, à la fois sur le plan géologique, topographique et géomorphologique. Le climat est également très varié suivant l'altitude. On trouve de nombreuses oppositions entre le milieu riverain et celui de la montagne. L'agencement des diverses formes végétales présente également certaines particularités, toujours en raison des contrastes topographiques et climatiques. Tout ceci se traduit par des paysages très différenciés. Certaines zones présentent des conditions biophysiques favorables à l'agriculture, alors que d'autres zones possèdent un milieu naturel plus hostile. Ces conditions ont eu une influence importante sur l'agriculture et la colonisation. Les populations des différents milieux naturels régionaux ont dû adapter leur façon de voir l'espace et de l'exploiter aux conditions locales de l'environnement, tant à travers la pratique de l'agriculture que des activités secondaires qui gravitent autour de celle-ci.

La région de Charlevoix est comprise en majeure partie à l'intérieur du Bouclier canadien. Elle se trouve en situation de contact entre les roches très résistantes du bouclier précambrien, les calcaires ordoviciens et les dernières formations des basses terres du Saint-Laurent qui sont visibles à l'Île-aux-Coudres, le long du littoral et sur le rebord de la vallée du Gouffre. La topographie de la région est très accidentée. Elle se caractérise par une succession de vallées, de plateaux, d'escarpements et de sommets sur des distances relativement courtes, et ce, en bordure de l'estuaire du Saint-Laurent. L'existence de deux systèmes de failles, orientés respectivement nord-ouest sud-est dans le sens des vallées et sud-ouest nord-est parallèlement au fleuve est en partie à l'origine de cette topographie tourmentée. L'autre facteur responsable de la topographie particulière de la région est l'impact d'un météorite à l'époque du Dévonien. Cet événement a façonné une vaste dépression semi-circulaire de 56 km de diamètre entre les vallées des rivières du Gouffre et Malbaie, et un surélévement au centre, le mont des Éboulements, culminant à 768 m d'altitude. L'astroblème est d'une profondeur de 200 m à 500 m. L'étagement du relief qui résulte de ces particularités géologiques compte trois grands niveaux : les basses terres du littoral et des vallées, situées à quelques dizaines de mètres au-dessus du niveau de l'estuaire du Saint-Laurent ; les terres du plateau intermédiaire dont l'altitude varie entre 300 m et 750 m - ces deux niveaux constituent l'écoumène de la région - ; les parties hautes du plateau et les sommets où l'altitude varie entre 750 m et près de 1 200 m.

Les formes du terrain visibles actuellement ont été façonnées plus tard, lors de la dernière glaciation, celle du Wisconsin. L'avancée glaciaire était dirigée vers le sud-est. Lors de son déplacement, le glacier a surcreusé les failles déjà présentes pour former des vallées plus ou moins encaissées. Il a également laissé des dépôts sur son passage. Ils sont composés de graviers, de roches et de blocs de pierre. C'est le till glaciaire. Ces dépôts prennent la forme d'un amalgame de roches et de blocs de toutes dimensions, d'où la nature très pierreuse des sols en certains endroits du plateau intermédiaire. Les eaux de fonte du glacier ont également contribué à façonner la morphologie du paysage, en laissant des formes diverses composées de sable et de gravier. L'effet le plus important créé par les eaux de fonte du glacier il y a 10 000 ans a été le façonnement des terrasses des deux grandes vallées, celles du Gouffre et de la Malbaie ainsi que celles qui sont situées le long du littoral, aux Éboulements et à Saint-Irénée notamment. Lors de sa fonte, l'eau libérée par le glacier a formé une véritable mer. La mer de Laflamme a envahi les failles des grandes vallées. Au fur et à mesure de son retrait, lors du relèvement du continent, elle a façonné des terrasses marines, le plus souvent argileuses et parfois sableuses, et ce, à différents niveaux. L'accumulation des dépôts marins résultant de la transgression marine de la mer de Laflamme a contribué à l'enrichissement des sols. Ces terres sont encore aujourd'hui les plus fertiles de la région.

Après la libération du territoire par le glacier, l'action des cours d'eau a également contribué au façonnement du relief. Les formes vigoureuses du terrain combinées à l'action de l'eau ont sculpté de nombreux rapides dans les rivières, ainsi que les méandres qui caractérisent le tracé de la rivière du Gouffre. De nombreux glissements de terrain ont également eu lieu dans les zones de dépôts argileux, notamment aux Éboulements (d'où la paroisse tire son nom) et sur le rebord des vallées du Gouffre et de la Malbaie.

Le climat de la région est tempéré. Le littoral bénéficie cependant de températures plus clémentes que les terrasses et les hautes terres. Le climat des basses terres et des plateaux du littoral est soumis à des influences maritimes : le fleuve retarde le froid en automne. Ce climat plutôt doux fait place au climat de montagne en s'élevant en altitude. Sur les plateaux de l'intérieur, la température est beaucoup plus rude que sur le littoral. Le climat est caractérisé par un hiver long et rigoureux. La neige tombe généralement pour y rester dès la première moitié du mois de novembre et persiste jusqu'à la fin d'avril. En raison de l'altitude, l'hiver s'y installe plus tôt que dans les basses terres et dure 15 jours de plus. Le minimum moyen des températures de janvier est inférieur à -15°C. De mai à septembre, les températures sont humides, chaudes et fréquemment accompagnées d'orages. Un tel climat n'est pas sans entraîner des difficultés notables pour l'agriculture. Les récoltes y sont plus tardives, on ne commence à faire les foins qu'à la fin de juillet et au début d'août. Les risques de gel au printemps et à l'automne y sont élevés. Les rendements de l'agriculture sur les plateaux dépendent grandement de la température.

Les influences du climat se retrouvent aussi dans la végétation de la région, un étagement de climat à la limite nord de la forêt décidue et à la limite sud de la forêt boréale. Le climat amincit les particularités des climats topographiques et provoque des juxtapositions de formations végétales très diversifiées à l'intérieur desquelles feuillus et conifères alternent sur de courtes distances. La végétation suit l'organisation annulaire du relief et son étagement en altitude. Elle reflète également les oppositions climatiques entre la mer et la montagne. Les espèces caractéristiques de ces forêts sont le pin, l'érable, le hêtre, le merisier, le chêne et le frêne.

C'est ce paysage qui a interpellé les artistes de passage dans la région depuis la fin du XVIIIe siècle. Le caractère fortement contrasté du paysage et particulièrement son relief accidenté correspondait parfaitement aux goûts esthétiques de l'époque en ce qui a trait à l'art du paysage, comme nous l'avons vu au chapitre précédent. Le regard de l'étranger est cependant fort différent de celui qui occupe réellement cet espace. Ce milieu présentait de sévères contraintes à l'établissement pour les premiers colons qui durent apprendre à composer avec ce paysage particulier.

3.1.2 Démographie et occupation du sol : une population en mouvement

L'occupation du territoire de la vallée du Gouffre s'effectue de la même manière que celui des autres paroisses de la région. Le territoire occupé s'étend d'abord du littoral vers l'intérieur de la vallée aux XVIIe et XVIIIe siècles, pour déborder sur le plateau intermédiaire, de part et d'autre des versants de la vallée à partir de la décennie 1820-1830 (figure 3.2). Les colons s'enfoncent de plus en plus loin à l'intérieur de ce plateau au cours de la période. Cette expansion territoriale est commandée par la nécessité de défricher de nouvelles terres afin d'établir les surplus démographiques des basses paroisses. Un système particulier de reproduction familiale commande cette mobilité géographique des ménages, non seulement dans Charlevoix, mais dans l'ensemble de la vallée laurentienne de l'époque et même au-delà (Bouchard, 1996). Signalons que ce système vise la reproduction intégrale de la cellule familiale en établissant les fils de cultivateurs sur de nouvelles terres agricoles sans morcellement de l'exploitation paternelle. Cette volonté est à la base d'un long processus qui s'étale sur la durée de vie du ménage et qui comprend plusieurs étapes. Il culmine par la cession de superficies acquises ultérieurement au premier établissement du chef de famille à ses fils, ou encore par la migration de l'unité familiale complète à l'intérieur ou à l'extérieur de la région. Ce système de même que le cycle qu'il commande fait l'objet d'une présentation plus détaillée dans la seconde partie du chapitre.

FIGURE 3.2

OCCUPATION DU TERRITOIRE
BAIE-SAINT-PAUL ET SAINT-URBAIN, 1831 À 1871

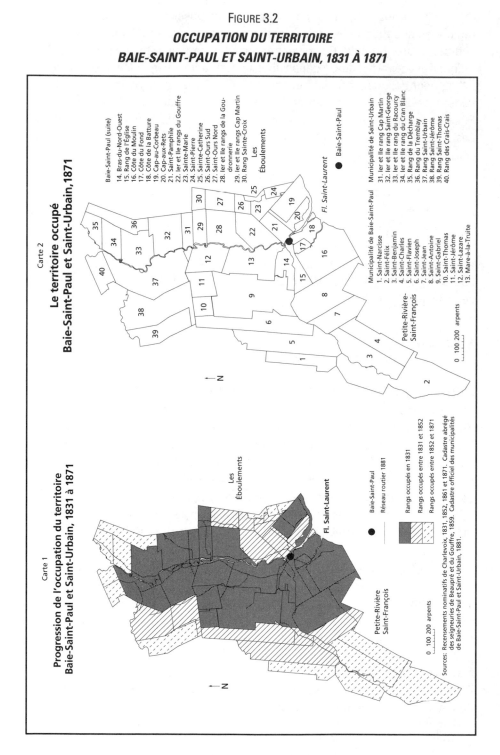

Carte 2

**Le territoire occupé
Baie-Saint-Paul et Saint-Urbain, 1871**

Baie-Saint-Paul (suite)
14. Bras-du-Nord-Ouest
15. Rang de l'Église
16. Côte du Moulin
17. Côte du Fond
18. Côte de la Batture
19. Cap-au-Corbeau
20. Cap-aux-Rets
21. Saint-Pamphile
22. 1er et Île rangs du Gouffre
23. Sainte-Marie
24. Saint-Pierre
25. Sainte-Catherine
26. Saint-Ours Sud
27. Saint-Ours Nord
28. 1er et Île rangs de la Gou-
     dronnerie
29. 1er et Île rangs Cap Martin
30. Rang Sainte-Croix

Municipalité de Saint-Urbain
31. 1er et Île rang Cap Martin
32. 1er et Île rang Saint-George
33. 1er et Île rang du Racourcy
34. 1er et Île rang du Cran Blanc
35. Rang de la Décharge
36. Rang du Tremblay
37. Rang Saint-Urbain
38. Rang Saint-Jérôme
39. Rang Saint-Thomas
40. Rang des Crais-Crais

Municipalité de Baie-Saint-Paul
1. Saint-Narcisse
2. Saint-Félix
3. Saint-Benjamin
4. Saint-Charles
5. Saint-Flavien
6. Saint-Joseph
7. Saint-Jean
8. Saint-Antoine
9. Saint-Gabriel
10. Saint-Thomas
11. Saint-Jérôme
12. Saint-Lazare
13. Mare-à-la-Truite

Carte 1

**Progression de l'occupation du territoire
Baie-Saint-Paul et Saint-Urbain, 1831 à 1871**

Rangs occupés en 1831
Rangs occupés entre 1831 et 1852
Rangs occupés entre 1852 et 1871

Baie-Saint-Paul
Réseau routier 1881

Sources: Recensements nominatifs de Charlevoix, 1831, 1852, 1861 et 1871. Cadastre abrégé des seigneuries de Beaupré et du Gouffre, 1859. Cadastre officiel des municipalités de Baie-Saint-Paul et Saint-Urbain, 1881.

Deux mouvements migratoires touchent la population charlevoisienne au milieu du XIXe siècle, l'un est dirigé vers l'intérieur du territoire, à la recherche de nouvelles terres agricoles, à l'intérieur ou à l'extérieur de la région. Le second itinéraire est orienté vers le centre: le village ou la ville. Encore une fois, ceux-ci peuvent être situés à proximité ou à une grande distance du point de départ du migrant. Baie-Saint-Paul constitue le village le plus populeux de la région en 1831 et en 1852. Il enregistre une croissance rapide de son effectif (tableau 3.4). Sa population triple presque au cours de la période. En 1871, le village de Baie-Saint-Paul compte 645 habitants, ce qui représente 14,4% de la population paroissiale. Cette population est concentrée à l'intérieur de la vallée (figure 3.3).

Lors du recensement de 1831, la région compte 9 988 habitants. La population des paroisses de Baie-Saint-Paul et de Saint-Urbain représente alors 30,8% de la population régionale, soit 3 077 habitants. Cette proportion diminue légèrement au cours de la période pour atteindre 28,7% en 1871 (4 478 habitants). L'augmentation de la population régionale, qui a été fulgurante depuis la fin du XVIIIe siècle, est plus modérée après 1831, et elle devient faible durant la seconde moitié du siècle, comme en témoignent les données des recensements nominatifs (tableau 3.1). On attribue ce ralentissement marqué de la croissance de la population charlevoisienne au mouvement migratoire qui touche alors la région. L'ouverture de la région du Saguenay à la colonisation agricole ainsi que la poussée industrielle qui s'amorce dans les zones manufacturières de Montréal, de Sherbrooke et de Saint-Hyacinthe ont eu un impact important sur la balance migratoire régionale, tout comme le mouvement migratoire dirigé vers les États-Unis qui sévit alors au Québec (Courville, 1996: 66). Le taux de croissance annuel moyen de la population charlevoisienne se situe nettement sous la moyenne québécoise à partir de la décennie 1850-1860, avec un taux sous les 2% (Courville 1996: 66; Gauvreau, Guérin et Hamel, 1991).

La balance migratoire régionale est négative dès la période 1831-1844 (Gauvreau, Guérin et Hamel, 1991: 149-151). C'est à Saint-Urbain que le phénomène est le plus accentué, suivi de La Malbaie et de Baie-Saint-Paul. L'analyse des familles reconstituées à partir des registres paroissiaux saguenayens a permis d'établir à près de 30 000 le nombre total de personnes ayant immigré au Saguenay avant 1911. Entre 1838 et 1852, c'est 3 300 personnes qui ont émigré de Charlevoix vers le Saguenay. Les Charlevoisiens ont représenté jusqu'en 1870 près de 80% de toutes les entrées dans cette région. Ces migrations ont un caractère largement familial. Il s'agit alors non seulement de la famille immédiate, mais également de la famille élargie, des apparentés allant en rejoindre d'autres déjà établis. On estime que 31% de tous les couples charlevoisiens ont émigré au cours de la période 1852-1861. Les populations les plus mobiles sont celles des jeunes paroisses de colonisation. Les plus forts contingents d'immigrants au Saguenay ont cependant été fournis par les vieilles paroisses de La

FIGURE 3.3
RÉPARTITION DE LA POPULATION.
BAIE-SAINT-PAUL ET SAINT-URBAIN,1871

N

645
373
207
104
7

0 100 200 arpents

Source: Recensement nominatif de Charlevoix, 1871.

TABLEAU 3.1

ÉVOLUTION DE LA POPULATION DES PAROISSES
CHARLEVOIX, 1831 À 1871

Paroisses	1831		1852		1871	
	Nb.	%	Nb	%	Nb	%
Petite-Rivière-Saint-François	426	4,27	575	4,40	597	3,82
Baie-Saint-Paul	2395	23,98	3211	24,59	3623	23,20
Saint-Urbain	682	6,83	729	5,58	855	5,48
Les Éboulements	1491	14,93	2125	16,27	2116	13,55
Ile-aux-Coudres	620	6,21	730	5,59	718	4,60
La Malbaie	4374	43,79	2640	20,22	2961	18,96
Settrington	-	-	281	2,15	862	5,52
Saint-Irénée (a)	-	-	811	6,21	997	6,38
Sainte-Agnès (b)	-	-	1278	9,79	1615	10,34
Saint-Fidèle (c)			607	4,67	812	5,21
Callières (Saint-Siméon)			76	0,58	459	2,93
Total	9988	100	13053	100	15615	100

Source : Rencensements nominatifs de 1831, 1852 et 1871.
(a) Cette paroisse est détachée de La Malbaie en 1843.
(b) Cette paroisse est détachée de La Malbaie en 1833.
(c) Cette paroisse est détachée de La Malbaie en 1855, mais elle apparaît au recensement de 1852.

Malbaie et Baie-Saint-Paul qui étaient alors les plus populeuses et les plus densément occupées (Gauvreau, Guérin et Hamel, 1991 : 150-155). L'impact de ces migrations sur la démographie régionale a donc été considérable, délestant la région au cours de la période 1838-1911 de l'équivalent du double de sa population totale en 1871.

La population régionale croît de 17,9 % en six ans, soit entre 1825 et 1831. Cette croissance est de seulement 30,8 % entre 1831 et 1852 et elle est réduite à 19,6 % entre 1852 et 1871. L'examen du tableau 3.1 révèle également que cette stagnation est le fait des plus vieilles paroisses du littoral et des vallées. Ceci confirme les résultats de travaux cités plus haut voulant que l'occupation de ces secteurs soit complétée dès la fin de la décennie 1820-1830, et qu'elles constituent les paroisses mères de celles de l'arrière-pays malbaien et du Saguenay. Les plus fortes croissances démographiques sont localisées à Settrington au nord-est de Baie-Saint-Paul, à Sainte-Agnès au nord-ouest de La Malbaie ainsi que le long du littoral nord-est de la rivière Malbaie dans les paroisses de Saint-Fidèle et de Callières, ces jeunes paroisses s'étant récemment détachées du territoire de La Malbaie pour constituer les paroisses d'immigration les plus populaires à partir du milieu du siècle.

3.1.3 Des densités d'occupation faibles, qui demeurent relativement stables au cours de la période

Les densités moyennes augmentent très peu au cours de la période 1831-1871 (tableau 3.2[35]). La densité d'occupation[36] globale du secteur de Baie-Saint-Paul et de Saint-Urbain était faible en 1831 avec 19 habitants au km². En 1852, celle-ci s'élève légèrement pour atteindre 22 habitants au km² puis revient à 20,9 en 1871. Ces densités sont parmi les plus faibles de l'axe du Saint-Laurent (Courville, Séguin et Robert, 1995 : 19). Nous ne pouvons suivre statistiquement l'évolution des densités que pour deux des cinq grands secteurs géographiques de la vallée du Gouffre identifiés en 1871[37], ceux du village et du bas de Baie-Saint-Paul. Ces données affichent une légère augmentation entre 1831 et 1871, avec toutefois une fluctuation importante au milieu du siècle, à la hausse au village et à la baisse dans le secteur du bas de Baie-Saint-Paul. Il faut cependant être prudent quant à l'interprétation des données touchant les superficies en 1852. L'étude de Normand Fortier (1984 : 262) a révélé des irrégularités dans les données signalées au recensement de 1852, notamment au chapitre de la définition de la catégorie «occupant de terres» et «superficie occupée» ainsi que de la localisation des terres, à l'intérieur ou à l'extérieur du district du recenseur. Ces éléments pourraient être à l'origine d'une sous-évaluation de la taille et du nombre des exploitations. Le village présente l'une des densités les plus élevées de la vallée du Gouffre tout au long de la période. En 1831, c'est la plus élevée avec 34,7 habitants au km². Cette densité atteint 78,9 habitants au km² en 1852 puis revient à 33,5 en 1871. Le résultat de 1852 est toutefois étrange par rapport aux densités des autres recensements et même celles des rangs occupés en

---

35. Le tableau 3.2 a été réalisé en regroupant les rangs par secteurs d'occupation. Ces secteurs correspondent à la période d'occupation de ceux-ci et à leurs caractéristiques géographiques (milieu riverain, basses terres, plateau). Une liste détaillée de ces secteurs et des rangs qu'ils regroupent est présentée à l'annexe B.

36. Les densités ont été calculées à partir des superficies occupées déclarées au recensement nominatif et agrégées par rang.

37. Les découpages varient au cours de la période. En raison de certains regroupements que nous avons dû effectuer pour le traitement graphique des données de recensement, il est parfois impossible d'extraire les données de certains rangs qui se trouvent confondus avec d'autres, dont l'occupation est antérieure ou postérieure. C'est le cas notamment de l'est de la vallée du Gouffre en 1852.

1852[38]. Peut-être y a t-il eu un sous-enregistrement de la propriété villageoise, particulièrement si une partie de celle-ci se trouve en-dehors du district de recensement. Le secteur du Bas de Baie-Saint-Paul[39] voit sa densité globale augmenter légèrement, de 26,2 habitants au km² en 1831 à 29 en 1871, après toutefois une baisse prononcée en 1852, peut-être également attribuable à un sous-enregistrement.

TABLEAU 3.2

DENSITÉS MOYENNES D'OCCUPATION SELON L'ANCIENNETÉ DU TERROIR BAIE-SAINT-PAUL ET SAINT-URBAIN, 1831 À 1871

Secteurs	Densités au km²		
	1831	1852	1871
Village	34,74	78,89	33,48
Bas de Baie-Saint-Paul	26,18	19,30	23,02
Vallée du Gouffre	-	-	18,36
Rangs occupés entre 1831-1852	-	-	18,76
Rangs occupés entre 1852-1871	-	-	15,33
Moyenne générale	19,00	21,96	20,90

Note: Les densités ont été calculées à partir des superficies occupées.
Source: Recensements nominatifs de Charlevoix en 1831, 1852 et 1871.

Nous pouvons toutefois comparer sur les trois recensements l'évolution des densités d'occupation de certains rangs, occupés depuis 1831 au moins. Celui de Mare-à-la-Truite, au nord du village, voit sa densité diminuer légèrement, avec 16 habitants au km² en 1831, 15,9 en 1852 et 13,4 en 1871. Saint-Antoine voit sa densité progresser légèrement de 18,9 à 22,6 habitants au km² pour les mêmes années. La densité d'occupation est relativement stable au rang Saint-Urbain, avec 18,1 habitants au km2 en 1831 et 14,6 en 1871. On observe toutefois une croissance en 1852 avec une densité de 25,6 habitants au km². Les plus fortes variations sont observées au rang de la Goudronnerie dont la densité d'occupation double au cours de la période, passant de 15,3 à 31,7 habitants au km². On y remarque une diminution importante de la population, de l'ordre de

---

38. La densité maximale enregistrée pour un rang est de 46,4 habitants au km² et la moyenne générale est de 22 habitants au km². La superficie occupée déclarée par les villageois est plus faible qu'en 1831, avec seulement 5,5 km² (elle est de 7,5 en 1831 et 19,3 km² en 1871).

39. Regroupant les rangs Bras-du-Nord-Ouest, de l'Église, de la Batture, du Fond, du Moulin et du Cap-au-Corbeau.

FIGURE 3.4

**PROGRESSION DES DENSITÉS HUMAINES
BAIE-SAINT-PAUL ET SAINT-URBAIN, 1852 À 1871**

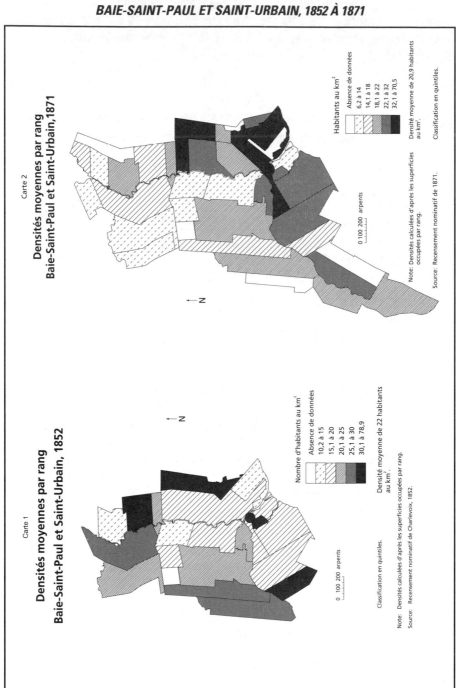

40,2 % (260 à 101 habitants). Le nombre de déclarants d'une superficie occupée passe de 114 en 1831 à 1871. La diminution de la superficie occupée est de 76,1 % (16,6 à 4,12 km²). Le rang de la Goudronnerie a donc été sévèrement touché par l'émigration au milieu du siècle. Ces quatre rangs, Mare-à-la-Truite, Saint-Antoine, Saint-Urbain et Goudronnerie, sont situés dans le troisième secteur, celui de la vallée du Gouffre, regroupant les rangs de la vallée et de l'ouest de celle-ci occupés en 1831. Le Cap-au-Corbeau, situé dans le bas de Baie-Saint-Paul, voit également sa densité d'occupation augmenter de façon notable, malgré une chute marquée en 1852 (14,7 habitants au km²). Celle-ci est par contre de 21 habitants au km² en 1831 et de 32,6 en 1871. Ce secteur est celui qui enregistre la plus forte diminution de la taille moyenne des propriétés entre 1852 et 1871, avec une chute de 59,1 % - comme nous le verrons au prochain chapitre. Sa population subit également une forte décroissance (50,6 %). Tout comme à la Goudronnerie, les migrations semblent avoir profondément affecté la structure démographique de ce rang, situé en bordure de l'escarpement est du plateau intermédiaire et à la limite ouest de la paroisse des Éboulements.

Le portrait global qui émerge des densités d'occupation des rangs dans la seconde moitié du siècle (figure 3.4) est celui d'un déplacement des densités maximales de la périphérie vers le centre. Globalement, les densités augmentent dans le bas de Baie-Saint-Paul et du côté est de la rivière du Gouffre et elles diminuent du côté ouest du plateau ainsi qu'au nord à Saint-Urbain. On observe toutefois une croissance soutenue à l'extrême est sur le plateau, dans les rangs récemment occupés après le premier tiers du XIXᵉ siècle. La superficie moyenne des exploitations de même que la population y sont faibles. Les rangs du littoral et le village sont le secteur enregistrant la plus forte croissance démographique de la vallée. Ils sont caractérisés par la présence de fonctions urbaines comme le commerce et la petite industrie. Ils sont également le siège d'une plus grande diversité socioprofessionnelle, comme nous le verrons plus loin. La taille moyenne de la propriété agricole du secteur augmente cependant de manière importante[40]. Les densités plus fortes y sont attribuables à la croissance des activités urbaines, qui entraînent une multiplication du nombre des petites propriétés non agricoles. Les rangs d'occupation plus ancienne situés du côté ouest de la rivière sont cependant très stables au plan des densités, celles-ci étant inférieures ou près de la moyenne générale. Les rangs situés au nord à Saint-Urbain et à l'extrême ouest de la paroisse de Baie-Saint-Paul, d'occupation récente,

---

40. La côte du Fond par exemple voit la taille moyenne de sa propriété augmenter de 238,3 % (50,3 à 170 arpents) entre 1852 et 1871. Celle du village croît de 210,8 % (24,9 à 77,4 arpents). Au rang de l'Église, cette croissance est de 106,7 % (116,9 à 241,6 arpents). Seule la côte du Moulin voit une diminution notable de la taille de sa propriété avec une chute de 16,1 % (124,6 à 104,6 arpents). Voir le chapitre 4.

voient leurs densités diminuer de manière significative entre 1852 et 1871. La population de ces rangs est en général faible et les superficies moyennes occupées sont grandes. On y observe une diminution sensible du nombre d'habitants au cours de la période (figure 3.5).

À l'échelle des différents milieux de la région (tableau 3.2), les densités diminuent du centre (le village) vers la périphérie. Les plus fortes densités observées dans les rangs d'occupation ancienne témoignent de la croissance démographique du secteur en raison de son plus grand dynamisme économique. La vallée du Gouffre et les rangs occupés entre 1831 et 1852 affichent des densités semblables en 1871, à 18,4 et 18,8 habitants au km^2. Nous verrons plus loin que ces secteurs sont occupés par une majorité d'agriculteurs, cultivant sur des superficies relativement grandes. Les densités moyennes les plus faibles sont concentrées dans les rangs dont l'occupation est postérieure à 1852, aux limites est et ouest des paroisses. La population de ces rangs est faible, tout au plus quelques ménages. Les densités demeurent donc réduites même si ces secteurs possèdent les plus petites propriétés du territoire. Cette distribution des densités se remarque également dans d'autres secteurs de l'axe du Saint-Laurent. Selon Courville, Séguin et Robert (1995: 19), elle confirme le rôle du village dans le délestement démographique des campagnes. Elle atteste également de la capacité des communautés locales à résoudre les difficultés posées par les trop fortes croissances démographiques.

Cette distribution des densités révèle une attitude face à l'espace et des pratiques socio-économiques différenciées. Les rangs les plus productifs sur le plan agricole tout comme les moins productifs affichent de faibles densités d'occupation en 1871. Nous verrons cependant plus loin que les densités faibles à l'intérieur de la vallée du Gouffre reflètent le maintien du nombre de grandes propriétés agricoles du secteur et sa stabilité démographique, alors que celles de Saint-Urbain sont plutôt le symptôme d'une agriculture peu productive et d'une stagnation démographique due aux fortes migrations qui sévissent dans le secteur. Les secteurs qui possèdent les plus fortes densités se trouvent d'abord sur le plateau à l'est de la vallée et dans sa partie sud, près du littoral. Alors que les rangs du plateau intermédiaire de l'est sont caractérisés par la présence de quelques ménages qui se partagent 3,1 km^2 de superficie, le bas de Baie-Saint-Paul regroupe plus de 32 % de la population de la vallée du Gouffre et 21,9 % du total des superficies occupées. Nous verrons également que ce secteur est le siège des fonctions d'échange et de la petite industrie. Son profil professionnel est beaucoup plus diversifié, en raison de sa fonction industrielle et commerciale.

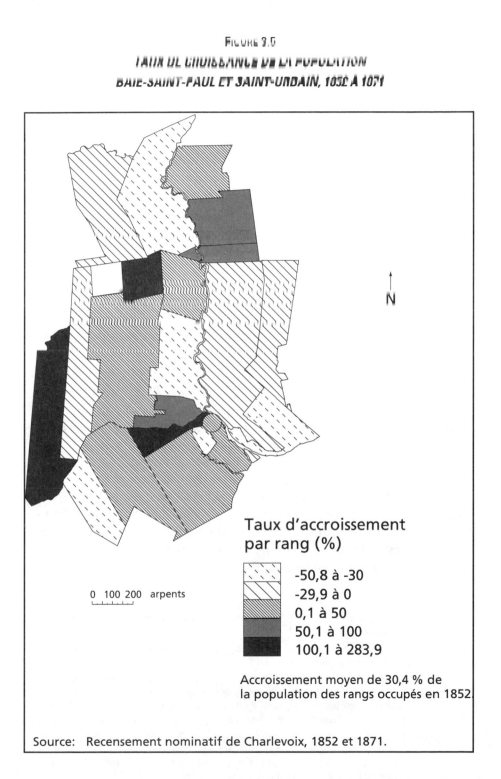

N

Taux d'accroissement
par rang (%)

-50,8 à -30
-29,9 à 0
0,1 à 50
50,1 à 100
100,1 à 283,9

Accroissement moyen de 30,4 % de
la population des rangs occupés en 1852.

0 100 200 arpents

Source: Recensement nominatif de Charlevoix, 1852 et 1871.

113

3.1.4 Âge et taille moyenne des ménages : une population jeune et des ménages nombreux

Les enfants de moins de 14 ans constituent de 41 % à 43 % du nombre total d'habitants dans la vallée du Gouffre au cours de la période 1831-1871. Le taux de jeunes gens de 15 ans et moins est supérieur à la moyenne provinciale pour les données disponibles à partir de 1852 (Courville, 1996: 67). L'âge moyen de la population de Baie-Saint-Paul et de Saint-Urbain varie peu entre 1852 et 1871, se situant autour de 23 ans[41] (tableau 3.3). Cette moyenne est légèrement plus élevée au village que dans les rangs. Les moyennes locales varient cependant beaucoup dans le temps et dans l'espace. Ainsi, répartis par classes d'âge pour les recensements nominatifs de 1831, 1852 et 1871[42], on observe des changements dans la structure démographique des rangs et du village de Baie-Saint-Paul (tableau 3.4). On remarque une augmentation de la proportion de jeunes hommes célibataires de 18 à 20 ans au village, qui passent de 1,2 % en 1831 à près de 3 % en 1871. Par contre, la proportion d'hommes de 21 à 29 ans diminue, de 9,3 % en 1831 à 5,3 % en 1871. Celle des hommes âgés diminue également au village, de 4,6 % à 1,2 % en 1871. D'un autre côté, la proportion de femmes âgées augmente dans la vallée du Gouffre, tant dans les rangs qu'au village. Signalons qu'on ne remarque pas d'écarts significatifs quant au statut matrimonial des individus à l'intérieur et entre les groupes au village et dans les rangs.

Cette évolution de la structure démographique régionale au cours du XIXᵉ siècle confirme les résultats de travaux récents sur le caractère familial et masculin des migrations vers les marges des zones de peuplement et vers les nouvelles régions de colonisation (Saint-Hilaire, 1996; Courville, Séguin et Robert, 1995). Les jeunes hommes de 21 à 29 ans et les hommes âgés cherchent plutôt à s'établir ou à établir leur fils sur une terre. Les familles qui comptent un nombre élevé de filles sont plutôt attirées par la ville, en raison des facilités d'emploi offertes aux femmes en zone urbaine[43]. Quant aux jeunes hommes de 18 à 20 ans, ils paraissent attirés au village par les petits emplois offerts par le marché local et par la navigation à Baie-Saint-Paul[44].

---

41. Cette donnée n'est pas disponible pour 1831, les âges étant répartis par catégories au recensement.

42. Nous avons utilisé à cette fin les catégories d'âge établies au recensement de 1831 par souci d'uniformité.

43. Voir notamment les travaux sur les migrations régionales au Saguenay de Saint-Hilaire, 1996: 196. Signalons au passage que 10,3 % des femmes de plus de 15 ans résidant au village de Baie-Saint-Paul déclarent une profession au recensement de 1871, comparativement à 4,5 % dans les rangs de la paroisse et de Saint-Urbain.

44. Sur les 10 hommes de 18 à 20 ans présents au village en 1852, six sont journaliers, deux sont cordonniers, un est apprenti et un autre est de profession indéterminée. En 1871, 14 des 19 hommes de 18 à 20 ans du village sont de profession indéterminée, deux sont cultivateurs, un est navigateur et l'autre boulanger.

TABLEAU 3.3

ÂGE ET TAILLE MOYENNE DES MÉNAGES
BAIE-SAINT-PAUL ET SAINT-URBAIN, 1831 À 1871

Catégories	1831			1852			1871		
	Général	Rangs	Village	Général	Rangs	Village	Général	Rangs	Village
Âge moyen	-	-	-	22,99	22,82	24,39	23,00	22,97	23,22
Nb. moyen personnnes/ménage	6,21	6,32	4,62	7,42	7,56	6,42	5,56	5,56	5,51

Source: Recensements nominatifs de Charlevoix, 1831, 1852 et 1871.

Tel que nous l'avons vu au chapitre précédent, le secteur du bas de la vallée dans Baie-Saint-Paul est le premier à être occupé au XVIIe siècle. Après une occupation rapide des terres du bas de la vallée, la croissance de la population est plutôt stable à partir de la décennie 1830-1840. Celle-ci s'accroît d'environ mille habitants entre 1831 et 1852, et de seulement 113 au cours des 20 années suivantes. La démographie de la paroisse de Saint-Urbain, située au nord de la vallée, est encore plus stagnante. Malgré son occupation récente au premier tiers du siècle, sa croissance s'essouffle vite. D'une population de 682 personnes en 1831, elle est de 729 en 1852 et 855 en 1871, ce qui représente un accroissement de seulement 25,4 % en 40 ans. Son solde migratoire est négatif et il est le plus faible de la région. Au cours de la période 1838-1911, plus de 30 % des couples de cette paroisse ont émigré. La moitié d'entre eux se sont dirigés vers le Saguenay et l'autre moitié a émigré ailleurs en province ou aux États-Unis (Gauvreau, Guérin et Hamel, 1991 : 150, 154).

À l'échelle du rang (figure 3.5), les croissances les plus fortes de la population entre 1852 et 1871 sont enregistrées dans les rangs situés à proximité du village, au rang de l'Église notamment qui enregistre une croissance maximale de 283,9 % de sa population. Deux rangs du plateau intermédiaire à l'ouest de la vallée, Saint-Flavien et Saint-Jérôme au nord suivent, même si ce dernier demeure faiblement peuplé avec seulement 57 habitants en 1871. C'est ensuite le rang Saint-George à Saint-Urbain qui enregistre une croissance de 72,2 % de sa population qui demeure toutefois faible avec seulement 62 habitants en 1871. Vient ensuite le Bras-du-Nord-Ouest près du village avec un taux de 65,1 %. À noter cependant la décroissance qui sévit dans 8 des 22 secteurs de recensement, notamment dans la partie est de la vallée du Gouffre. Le plus fort déclin est enregistré au rang de la Mare-à-la-Truite avec une perte de plus de 50 % de sa population entre 1852 et 1871. Ce rang est cependant l'un dont l'agriculture est la plus prospère au cours de la période. Ce déclin de la population des rangs les plus anciens de la région confirme l'hypothèse d'une saturation des terres de ce secteur et d'un délestage des surplus démographiques vers les autres paroisses de la région ou encore à l'extérieur de celle-ci. Nous pouvons également y voir les difficultés éprouvées dans certains rangs nouvellement occupés sur le plateau. Certains d'entre eux, comme le rang Saint-Joseph à l'ouest de la vallée, n'est occupé que depuis moins de 20 ans et perd déjà 14% de sa population en 1871. Ceci confirme le peu d'effet produit par l'occupation des rangs du plateau intermédiaire sur la balance démographique du secteur. La partie ouest de Saint-Urbain, notamment le rang Saint-Urbain occupé depuis la décennie 1820-1830, perd 35,9% de sa population entre 1852 et 1871.

TABLEAU 3.4

POPULATION PAR CATÉGORIES D'ÂGE, DANS LES RANGS ET AU VILLAGE BAIE-SAINT-PAUL ET SAINT-URBAIN, 1831 À 1871

Classes d'âges	1831				1852 (a)				1871 (b)			
	Rangs		Village		Rangs		Village		Rangs		Village	
	N.	%	N.	%	N.	%	N.	%	N.	%	N.	%
Enf. 0 à 13 ans	1318	43,20	106	40,93	1445	41,23	165	38,37	1561	40,83	267	41,40
H 14-17 ans	137	4,49	6	2,32	183	5,22	24	5,58	188	4,92	27	4,19
H 18-20 ans	94	3,08	3	1,16	120	3,42	10	2,33	109	2,85	19	2,95
H 21-29 ans	209	6,85	24	9,27	213	6,08	37	8,60	233	6,09	34	5,27
H 30-59 ans	350	11,47	33	12,74	393	11,21	52	12,09	453	11,85	90	13,95
H 60 ans et plus	97	3,18	12	4,63	100	2,85	15	3,49	130	3,40	8	1,24
F 14-44 ans	671	21,99	59	22,78	807	23,02	94	21,86	872	22,81	145	22,48
F 45 ans et plus	175	5,74	16	6,18	244	6,96	33	7,67	277	7,25	55	8,53
Total	3051	100,00	259	100,00	3505	100,00	430	100,00	3823	100,00	645	100,00

(a) Cinq individus sont d'âge indéterminé. $X2=51,86$ Significatif à 0,05.
(b) Deux individus sont d'âge indéterminé.
Source: Recensements nominatifs de 1831, 1852 et 1871.

La taille des ménages est relativement grande au milieu du siècle, avec une moyenne de 7,4 personnes par ménages (tableau 3.3). Elle diminue cependant en fin de période avec 5,6 personnes en 1871. L'écart entre le village et les rangs dans la taille des ménages, marqué jusqu'au milieu du siècle, disparaît en fin de période. C'est la moyenne des rangs qui chute de la façon la plus significative, passant de 7,6 personnes en 1852 à 5,6 personnes en 1871. On observe toutefois des écarts importants entre les différents secteurs géographiques de la région (figure 3.6). Les ménages sont de taille plus réduite dans les secteurs de colonisation récents (comme à Saint-Flavien, à Saint-Joseph et à Saint-Jean en 1852) et près du village alors que les rangs d'occupation plus ancienne comptent des ménages plus nombreux. L'extrême est de la paroisse de Baie-Saint-Paul fait toutefois exception, avec une taille moyenne des ménages élevée malgré son occupation récente. Le rang Saint-Urbain à Saint-Urbain possède des ménages de taille réduite. Son occupation est toutefois relativement ancienne par rapport aux rangs du plateau. La taille des ménages semble donc suivre dans son ensemble l'ancienneté du terroir, avec l'exception de Saint-Urbain (figure 0.0).

L'âge moyen de la population est plus élevé dans le bas de la vallée du Gouffre (figure 3.7), dans les rangs entourant le village. Ils sont les plus anciens de la région. L'âge moyen maximum est situé au rang de la Batture avec 39,4 ans. Saint-Urbain affiche également des moyennes supérieures à 24 ans dans la plus grande partie de son territoire en 1871, tant dans les rangs postérieurs à 1852 que les plus anciens du centre de la paroisse. Les migrations expliquent probablement l'âge moyen élevé de cette population. Peu des ménages qui s'y sont établis y sont effectivement demeurés pendant une longue période et le mouvement migratoire vers cette paroisse a diminué rapidement. Les rangs situés à l'extrême ouest et à l'extrême est de la paroisse de Baie-Saint-Paul possèdent la population la plus jeune. Le minimum se situe à Saint-Pierre au sud-est de la paroisse avec un âge moyen pour les trois ménages qui l'occupent de 14,1 ans.

Les travaux récents sur les mouvements migratoires en contexte de peuplement ont démontré une plus forte propension à émigrer chez les ménages qui comptent plusieurs fils en âge de s'établir. Ceux de Martine Hamel notamment (1993), ont clairement établi le caractère largement familial des migrations des habitants des paroisses de Charlevoix vers le Saguenay[45]. Celles-ci touchaient également en majorité des familles de cultivateurs et de journaliers. La faible qualité des sols aurait également eu un impact important sur l'émigration dans les paroisses de l'arrière-pays comme à Saint-Urbain. Pour la période 1852-1861, 30,6% des couples (26) ont quitté la paroisse de Saint-Urbain, comparativement à 25,3% (104) à Baie-Saint-Paul. De ce nombre, la moitié ont émigré au Saguenay (Hamel, 1993: 15). La situation dans Saint-Urbain en 1852 quant à l'âge et à la taille moyenne des ménages est conforme à une distribution selon l'ancienneté du terroir, avec un âge moyen plus élevé dans les rangs d'occupation plus ancienne près de la rivière du Gouffre, et une taille moyenne des ménages plus faible au premier rang d'occupation, celui de Saint-Urbain, à l'ouest de la rivière. En 1871 toutefois, l'âge moyen de la population est très élevé, même dans des rangs dont l'occupation est débutée depuis moins de 20 ans. Cette structure démographique est la résultante de 20 ans d'émigration, touchant particulièrement les jeunes hommes.

---

45. Signalons au passage que les immigrants en provenance de Charlevoix comptent pour 80% des personnes ayant immigré au Saguenay lors des premières décennies de la colonisation qui débute en 1842 (Hamel, 1993: 7-8).

FIGURE 3.6

**TAILLE MOYENNE DES MÉNAGES
BIAE-SAINT-PAUL ET SAINT-URBAIN, 1852 ET 1871**

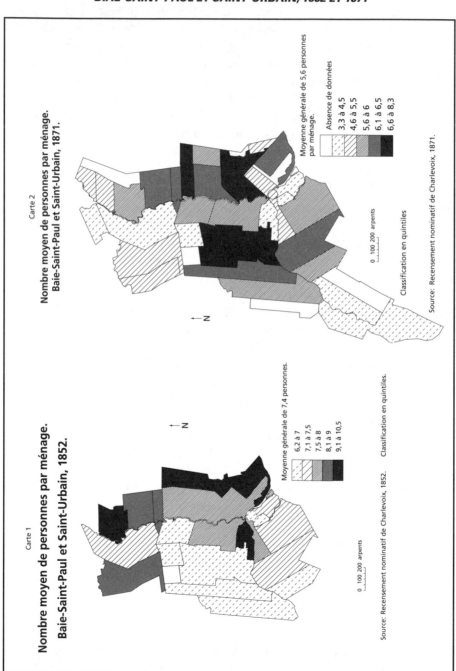

Carte 2

Nombre moyen de personnes par ménage.
Baie-Saint-Paul et Saint-Urbain, 1871.

Moyenne générale de 5,6 personnes
par ménage.

Absence de données
3,3 à 4,5
4,6 à 5,5
5,6 à 6
6,1 à 6,5
6,6 à 8,3

0 100 200 arpents

Classification en quintiles

Source: Recensement nominatif de Charlevoix, 1871.

Carte 1

Nombre moyen de personnes par ménage.
Baie-Saint-Paul et Saint-Urbain, 1852.

Moyenne générale de 7,4 personnes.

6,2 à 7
7,1 à 7,5
7,5 à 8
8,1 à 9
9,1 à 10,5

0 100 200 arpents

Source: Recensement nominatif de Charlevoix, 1852.   Classification en quintiles.

FIGURE 3.7

ÂGE MOYEN PAR RANG

BAIE-SAINT-PAUL ET SAINT-URBAIN, 1853 ET 1871

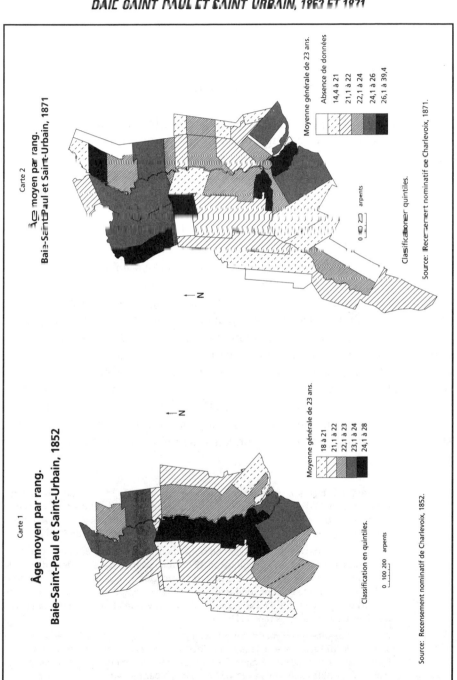

Carte 1

Âge moyen par rang.
Baie-Saint-Paul et Saint-Urbain, 1852

Moyenne générale de 23 ans.

18 à 21
21,1 à 22
22,1 à 23
23,1 à 24
24,1 à 28

Classification en quintiles.

0 100 200   arpents

Source: Recensement nominatif de Charlevoix, 1852.

Carte 2

Âge moyen par rang.
Baie-Saint-Paul et Saint-Urbain, 1871

Moyenne générale de 23 ans.

Absence de données
14,4 à 21
21,1 à 22
22,1 à 24
24,1 à 26
26,1 à 39,4

0 10 20   arpents

Classification en quintiles.

Source: Recensement nominatif de Charlevoix, 1871.

119

3.1.5 Une population qui migre dans l'espace

L'évolution de ces deux variables, taille des ménages et âge moyen de la population entre 1852 et 1871, témoigne de la mobilité de la population régionale et de la dynamique particulière de sa reproduction. Nous verrons plus loin que ce cycle est lié aux étapes d'occupation et de mise en valeur des terres agricoles. Nous pouvons identifier quatre différents secteurs caractérisés par une structure d'âge et de ménages particulière[46]. D'abord une zone plus urbaine, centrée autour de l'aire villageoise, qui correspond également à l'aire de peuplement la plus ancienne de la région. Elle est caractérisée par la présence de ménages de taille plus réduite et dont l'âge moyen est élevé. Il s'agit également d'un secteur occupé par une forte proportion de gens qui occupent une profession en-dehors de l'agriculture[47]. La taille moyenne des ménages des autres professions est en général plus faible que celle des agriculteurs[48]. Les densités d'occupation y sont également élevées, en raison d'une concentration de propriétés de petites tailles. Il s'agit des rangs du Fond, de la Batture, de l'Église, du Bras-du-Nord-Ouest et du Cap-au-Corbeau (annexe B et carte 2, figure 3.2).

Le deuxième secteur regroupe les rangs qui possèdent un certain équilibre démographique. Ces rangs sont localisés à l'intérieur de la vallée et le long du littoral (les rangs du Moulin, de la Mare-à-la-Truite, de la Goudronnerie, etc.). Ils sont d'occupation ancienne pour la plupart (fin du XVIIe siècle pour la Mare-à-la-Truite et le rang du Moulin) ou antérieure à 1831 dans le cas de Saint-Gabriel particulièrement. Ils sont caractérisés par un profil démographique plus stable au cours de la période, avec un âge moyen et une taille moyenne des ménages près de celle de l'ensemble du secteur, malgré une décroissance de leur population dans certains cas, à la Mare-à-la-Truite notamment. Nous verrons également plus loin que ces secteurs possèdent un profil foncier également plus stable, ainsi que les productions agricoles les plus importantes de la vallée.

---

46. Ces quatre secteurs correspondent aux trois grandes étapes de l'occupation des terres telles qu'elles sont définies à la carte 1 de la figure 3.2. Nous en avons extrait les rangs du bas de Baie-Saint-Paul pour en faire un quatrième secteur. Il s'agit des rangs du Bras-du-Nord-Ouest, de l'Église, du Fond, de la Batture et du Moulin.

47. 45,2 % des 270 personnes qui vivent en dehors du village et qui déclarent pratiquer une profession autre que l'agriculture en 1871 sont localisés dans les rangs du bas de la vallée entourant le village, soit le Bras-du-Nord-Ouest, le rang de l'Église, le rang de la Batture, la côte du Fond, du Moulin ou encore le rang Saint-Pamphile et le Cap-au-Corbeau. À noter que 43,2 % des journaliers qui vivent en dehors du village sont localisés dans les mêmes rangs.

48. La taille moyenne des ménages de cultivateurs de la vallée du Gouffre est de 6,6 personnes en 1871 alors que celle des individus qui déclarent une profession autre que l'agriculture est de 5,83 personnes. Ce sont les petits commerçants qui possèdent les ménages de plus faible taille avec 4,57 personnes par ménage.

Cependant, en raison de la saturation agricole dont ils sont l'objet, les jeunes se voient probablement confrontes a l'emigration vers le village ou les nouveaux rangs de l'arrière, mais, au contraire vers une autre région de colonisation.

Le troisième secteur est formé par les rangs d'occupation plus récente qui constituent le premier débordement de la population de la vallée vers le plateau au cours de la décennie 1820-1830 (le sud-ouest de la paroisse de Baie-Saint-Paul aux rangs Saint-Flavien, Saint-Joseph et Saint-Jean, l'est à Sainte-Marie, Saint-Ours et Saint-Jérôme notamment). Ces aires possèdent une population plus jeune et des ménages nombreux. Ces secteurs comptent donc une quantité importante de jeunes à établir. Toutefois, les bonnes terres y sont de plus en plus rares. Une part importante de ces jeunes gens et de leurs familles choisiront probablement de migrer. La dernière catégorie correspond aux rangs d'occupation récente, où l'on trouve une majorité de ménages de petite taille et jeunes en général. Le faible potentiel agricole des terres de ces rangs en font toutefois une terre d'émigration dès les débuts de leur occupation. Ils regroupent les rangs de l'extreme ouest de Baie-Saint-Paul à Saint-Félix, Saint-Benjamin, de l'est à Saint-Pierre et Sainte-Catherine et le plateau au nord et à l'ouest de Saint-Urbain (du Cran Blanc, de la Décharge, Saint-Thomas et des Crais-Crais).

Cette structure spatiale se met en place lentement au cours du siècle. Imperceptible en 1831, l'occupation des terres du plateau débutant à peine, cette structure apparaît lentement en 1852 et elle est bien définie en 1871. Elle s'inscrit en réponse au lien particulier établi entre le colon charlevoisien et le territoire. La partie suivante présente de façon plus détaillée le cycle de la reproduction familiale en milieu rural tel que Gérard Bouchard l'a défini pour le cas saguenayen, mais certainement applicable à d'autres régions de colonisation du Québec pendant la seconde moitié du XIXᵉ siècle, dont Charlevoix (Bouchard, 1996). Nous présenterons également les pratiques socio-économiques du ménage qui découlent de ce mode de reproduction sociale dans le cas particulier de la vallée du Gouffre.

3.2. LE MODE DE REPRODUCTION FAMILIALE EN MILIEU RURAL : LES PARAMÈTRES DE LA TERRITORIALITÉ CHARLEVOISIENNE

Nous avons vu au chapitre précédent se constituer petit à petit aux XVIIᵉ et XVIIIᵉ siècles une socio-économie caractérisée par une pluriactivité articulée autour de l'agriculture familiale. La socio-économie s'appuyait au premier tiers du XIXᵉ siècle sur un cadre institutionnel plutôt faible, centré autour du manoir seigneurial et de ses services et de l'église paroissiale située à proximité du domaine. L'isolement relatif de l'établissement de Baie-Saint-Paul a favorisé ici, tout comme dans d'autres aires de peuplement antérieur ou subséquent, le développement d'un fort esprit d'entraide familiale et communautaire. La petite communauté devait en effet pouvoir subvenir à la majorité de ses besoins, étant donné l'éloignement des grands centres et ses problèmes de communication avec les autres régions. Elle développe donc ses propres mécanismes de survie, axés autour d'un centre de services, où les cultivateurs peuvent obtenir l'assistance nécessaire au travail de la terre et au traitement des récoltes. Un réseau de commercialisation des productions rurales vers l'extérieur de la région se met également en place. Le développement des fonctions de service et d'échange suit la croissance démographique régionale, qui est rapide au début du XIXe siècle. Cette population s'étend dans l'espace, gagnant les marges de la vallée du Gouffre à la fin de la décennie 1820-1830. Les impératifs de la reproduction familiale, qui vise à établir un maximum de fils sur des terres, sont à la base de cette extension rapide de l'écoumène. La pluriactivité est également partie intégrante de ce lien particulier à l'espace. Celle-ci permet d'abord au nouveau colon de subsister pendant les premières années de son établissement, en lui procurant le revenu que sa terre ne lui permet pas encore d'atteindre. Également, la pluriactivité permet à l'habitant d'aller chercher des revenus supplémentaires pour soit combler les manques à gagner de l'agriculture, soumise aux étapes de la mise en valeur de la terre et aux aléas de la nature, soit augmenter le revenu familial, en vue de pourvoir à l'établissement futur de ses fils.

De nombreux éléments tirés des données des recensements nominatifs confirment les conclusions d'autres travaux réalisés sur la démographie régionale de Charlevoix au milieu du XIXe siècle[49].

3.2.1 Le cycle de la reproduction familiale en milieu rural

Des travaux récents sur les pratiques agricoles des populations rurales en contexte de peuplement ont démontré l'existence d'un cycle familial lié à la colonisation et à la pratique de l'agriculture familiale (Bouchard, 1996). Ce cycle repose sur les principes liés à la reproduction de la famille paysanne. La reproduction regroupe «l'ensemble des aménagements ou des dispositions - pouvant éventuellement prendre la forme de véritables stratégies - au gré desquelles, à chaque génération, les couples paysans disposaient de leurs avoirs (fonciers, mobiliers) en faveur de leurs descendants immédiats tout en servant des intérêts variés, souvent divergents» (Bouchard, 1996 : 159). Elle visait cinq objectifs, poursuivis de manière conjointe ou sélective : 1) assurer la sécurité du couple

---

49. Notamment les travaux réalisés par Gérard Bouchard et les chercheurs de l'IREP (Danielle Gauvreau, Mario Bourque) ainsi que des mémoires d'étudiants (Martine Hamel, Louise Boilard).

pendant la vieillesse; 2) préserver l'intégrité d'un « patrimoine » familial identifié à un nom et un lieu... 0) garantir la survie du nom ou de la lignée; 4) établir un maximum d'enfants sur des terres; 5) ménager aux autres la carrière ou le niveau de vie le plus enviable possible (Bouchard, 1996: 160). Ce système visait à la reproduction identique de l'unité de base, soit à établir un maximum de fils sur des terres, les filles étant la plupart du temps écartées de la transmission du patrimoine foncier.

À cette fin, la famille déployait une stratégie qui pouvait s'étendre sur plusieurs années et qui pouvait intégrer une expansion et une contraction de l'exploitation familiale au cours de la durée de vie du ménage. Des migrations individuelles ou familiales, sur une base permanente ou temporaire, pouvaient découler de ce processus. Le service familial des enfants, qui occupaient des emplois saisonniers ou permanents en-dehors de l'exploitation et même de la région, venait accentuer ces mouvements migratoires. L'éducation ou l'apprentissage professionnel de certains enfants faisaient également partie de cette dynamique. Un tel système favorisait l'expansion de la productivité chez la paysannerie, qui exploitait toutes les sources de revenus disponibles pour atteindre ses objectifs de reproduction. La persistance de ce système était favorisé, d'une part, par le taux de fécondité très élevé de la population laurentienne qui, malgré le nombre important d'enfants à établir, assurait la présence d'une main d'œuvre familiale importante au service de l'expansion physique de l'unité familiale, et, d'autre part, par l'abondance de terre non défrichée et par l'accès relativement aisé à la propriété foncière ou du moins à l'exploitation de celle-ci (Bouchard, 1996: 302). Les liens communautaires serrés qui unissaient les sociétés canadiennes-françaises du temps favorisait également ce système qui reposait sur l'entraide familiale et les liens de parenté.

Le système tendait, par la grande quantité de terres nécessaire à chaque génération en vue de l'établissement des enfants mâles, à une saturation rapide des terroirs agricoles. Dans Charlevoix, cette situation a été atteinte dès le premier tiers du XIXe siècle. Le seul exutoire possible demeurait alors la migration, qui débute à grande échelle à la fin de la décennie 1830-1840. Certains travaux concernant les liens communautaires, le peuplement fondateur, le mode de transmission des avoirs fonciers de même que les paramètres des migrations intra et extrarégionales dans Charlevoix confirment l'existence d'un mode de reproduction sociale à peu près semblable à celui qui avait cours au Saguenay. Le fait que la population saguenayenne soit largement issue de celle de Charlevoix renforce cet énoncé (Bouchard, 1996; Collard, 1991; Gauvreau, Guérin et Hamel, 1991; Jetté, Gauvreau et Guérin, 1991; Hamel, 1990; Gauvreau et Bourque, 1988; Bouchard et Larouche, 1988).

Les relations entre l'homme et le territoire dans Charlevoix au XIXᵉ siècle sont donc marquées d'abord par la nécessité de tirer la plus grande partie de la subsistance du ménage de la terre elle-même. L'agriculture et la socio-économie particulière qui en a découlé ont constitué le mode de vie privilégié et la forme d'implantation territoriale par excellence dans la vallée du Saint-Laurent à partir du XVIᵉ siècle. La seconde caractéristique de ce lien est sa reproduction à grande échelle en assurant l'établissement des fils à l'âge adulte. L'agriculture familiale, combinée à d'autres sources de numéraire en dehors de la production et de la commercialisation des denrées agricoles, ont permis cette reproduction. La pluriactivité est devenue l'élément clé du cycle de reproduction de l'unité familiale en milieu rural.

3.2.2 La place de la pluriactivité dans le cycle de la reproduction familiale en milieu rural

La pluriactivité peut être définie comme étant la pratique de diverses activités saisonnières pratiquées par les ménages ruraux parallèlement à une agriculture mixte. Ses formes vont de l'artisanat à domicile au travail en usine, de la double activité du chef de ménage à la répartition et à la spécialisation des tâches à l'intérieur du ménage, avec une large contribution des aides familiaux. Ses formes et ses rythmes dépendent étroitement des gisements d'emplois et des activités complémentaires disponibles et accessibles. Les ressources du milieu et ses capacités techniques sont très importantes. La pluriactivité peut être ouverte ou fermée, c'est-à-dire orientée vers des marchés extérieurs ou vers des métiers nécessaires à la vie communautaire (Hubscher et Garrier, 1988 ; Rinaudo, 1987). Il s'agit donc d'un ensemble vaste d'activités connexes ou non à l'agriculture, mais adaptées à son cycle annuel. L'industrie domestique est partie intégrante de cette pluriactivité. Nous pouvons la définir comme une activité de fabrication prenant place au sein même de l'exploitation qui vise la transformation d'une matière première en un produit commercialisable. Cette production se fait toutefois à petite échelle, sans grands investissements en capitaux et sans pénétration de la sphère de production par le capital marchand, à la différence de la proto-industrie définie par Franklin F. Mendels (1969). Tout comme d'autres formes de pluriactivité, elle nécessite souvent la participation de plusieurs membres du ménage et elle peut être attribuée à un sexe particulier, comme dans le cas de la production textile, pratiquée la plupart du temps par les femmes et les filles. Cette production familiale est également subordonnée au travail de la ferme. Elle était largement répandue dans Charlevoix au XIXᵉ siècle et elle était centrée sur la production textile, pratiquée par les femmes.

La pluriactivité, par les migrations qu'elle commande, vient accentuer la mobilité qui caractérise la société rurale charlevoisienne. Il résulte donc de ce mode de reproduction sociale un rapport à l'espace de type fonctionnel, où la terre constitue l'assise spatiale du ménage, certes, mais où elle est subordonnée à son impératif de reproduction. L'exploitation familiale, loin d'être fixe dans le temps et dans l'espace, se modifie au gré des besoins. Elle s'étend ou se contracte, ou disparaît à un endroit pour réapparaître à un autre, selon des modalités elles aussi changeantes selon les différentes étapes du cycle familial et des besoins du ménage (formation du couple et premier établissement, naissance des enfants, besoins de subsistance, nombre de fils à établir, âge au mariage, intervalles entre les établissements, etc.). Ce sont ces facteurs ainsi que les rapports sociaux qui caractérisent cette société, axés sur les solidarités familiales et l'entraide communautaire, qui déterminent la taille et la localisation de l'exploitation.

3.2.3 Pour une définition de la territorialité charlevoisienne

On trouve ainsi le modèle en trois composantes décrit par Claude Raffestin dans le concept de territorialité qui régit le rapport à l'espace de l'individu (Raffestin et Racine, 1990): les besoins de celui-ci, dans le cas qui nous intéresse lié au cycle de la reproduction familiale en milieu rural et son objectif principal qui est la reproduction identique de l'unité de base (Bouchard, 1996: 301-302); les paramètres sociaux qui régissent les rapports entre l'individu et la société, caractérisés ici par les solidarités familiales et l'entraide communautaire, conjointement à un faible réseau institutionnel qui renforce la dimension communautaire des relations sociales et leur donne un encadrement juridique minimal; et le territoire, constitué d'une vaste étendue de terre disponible à l'agriculture dont l'accès est relativement aisé et peu coûteux.

L'interaction de ces trois composantes crée une socio-économie caractérisée par une grande mobilité géographique des occupants et la pratique d'autres professions parallèlement à l'agriculture. Ces individus gravitent autour de l'agriculture familiale dont l'assise spatiale et les dimensions sont mobiles dans le temps. La taille et la localisation de l'exploitation sont déterminés en grande partie par des rapports sociaux basés sur une éthique familiale particulière qui privilégie d'abord la cohésion familiale et une utilisation de l'espace à des fins de subsistance et de moyen de reproduction. La territorialité charlevoisienne prend donc la forme d'un triangle basé sur l'interaction entre les besoins de subsistance et de reproduction de l'individu (assurés par l'agriculture et la pluriactivité), la disponibilité de l'espace nécessaire à la satisfaction de ces besoins (terre), l'éthique familiale et communautaire qui commande les rapports entre les individus et entre ceux-ci et la terre ainsi que le cadre institutionnel qui régit l'accès à la propriété. Ainsi les changements qui surviennent dans l'une ou

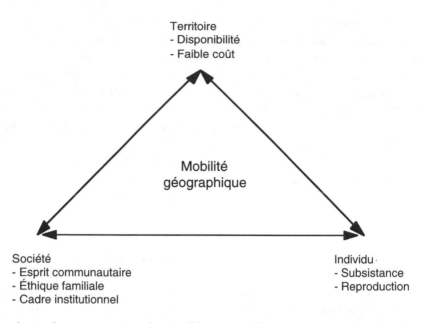

Territoire
- Disponibilité
- Faible coût

Mobilité
géographique

Société
- Esprit communautaire
- Éthique familiale
- Cadre institutionnel

Individu
- Subsistance
- Reproduction

l'autre des trois composantes du modèle se traduisent par une recherche d'un nouvel équilibre qui commande une adaptation particulière de l'individu devant ce changement.

Pour les occupants de la vallée du Gouffre au XIXᵉ siècle, une des façons priviliégiées de répondre à ces changements semble avoir résidé dans la mobilité. Des besoins accrus de reproduction ou de subsistance ou le départ d'autres membres du groupe familial ont été résolus par des départs permanents ou temporaires, vers des emplois en milieu urbain dans le cadre de la pluriactivité ou vers de nouveaux espaces de colonisation agricole. La plus grande partie de ces départs impliquaient plusieurs membres d'un même ménage et même le ménage entier. Cette mobilité était stimulée par la disponibilité du sol dans la périphérie de la vallée laurentienne au cours du XIXᵉ siècle et la croissance démographique sans précédent de cette population. La montée des échanges dans le premier tiers du XIXᵉ siècle et le passage de l'économie de marché au capitalisme industriel au milieu du siècle vient également stimuler les migrations des ruraux par les nombreux emplois créés en milieu urbain.

Nous verrons dans le chapitre suivant que certains ménages produisent bien au-delà de leurs besoins stricts et se comportent comme de petits entrepreneurs, ajoutant à une exploitation agricole prospère un moulin ou un navire, une production textile importante, etc. Cette expansion de la petite industrie est visible particulièrement à partir de l'abolition du régime seigneurial en 1853, qui permet par la suite l'acquisition et la construction de moulins, auparavant prérogatives du seigneur. Ce sont en règle générale les gros producteurs agricoles

qui les possèdent. Ces producteurs génèrent la plus grande partie des surplus
des paroisses de Baie-Saint-Paul et de Saint-Urbain. Ils sont également spatialement concentrés au centre de la vallée du Gouffre, sur les sols les plus favorables à l'agriculture. Leurs caractéristiques socio-économiques semblent traduire une logique différente par rapport à la propriété et au marché. Ils
témoignent des changements qui surviennent à l'échelle de la vallée laurentienne à partir du premier tiers du siècle, alors que le capital pénètre la sphère de
production.

La partie suivante présente le contexte matériel et technologique entourant la pratique de l'agriculture familiale dans Charlevoix au XIXe siècle. Ce
contexte nous permet de mieux comprendre la place qu'occupe cette activité
dans la dynamique familiale et les énergies qui y sont consacrées. Il permet de
ce fait de mieux saisir le rapport à l'espace particulier qui s'établit entre l'unité
familiale et la terre à travers le temps.

3.3 L'AGRICULTURE FAMILIALE:
UN CYCLE SUR UNE LONGUE DURÉE

Cette partie présente un aperçu des pratiques qui entourent l'agriculture dans
Charlevoix et dans la plus grande partie de la vallée laurentienne et de ses
débordements au XIXe siècle. Il importe de souligner la présence de disparités
entre les différents milieux de la région, traduisant des contextes particuliers,
liés à l'espace certes, mais également au contexte social particulier des aires de
colonisation récentes par rapport aux anciennes. Cet exposé est également réalisé dans un but comparatif, afin d'établir la présence de similitudes ou de différences entre les pratiques agricoles dans Charlevoix et le reste de la province à
la même époque.

La population de la vallée du Gouffre, tout comme celle du reste de la
région, est largement rurale tout au long de la période 1831-1871. Les données
des recensements nominatifs suggèrent toutefois une diminution sensible de la
proportion d'agriculteurs au cours de la période. En 1831, la part des cultivateurs parmi les chefs de ménage qui déclarent effectivement un profession est
de 80,4 %. Cette proportion tombe à 33,4 % en 1852 et remonte à 61,8 % en 1871.
Le mode d'enregistrement des professions au recensement varie cependant au
cours du siècle. Le recensement nominatif de 1831 ne tient compte que des professions des chefs de ménage. Il s'ensuit donc une sous-représentation du profil socioprofessionnel régional, particulièrement chez les jeunes gens. Les
autres hommes qui composent la maisonnée, ceux qui sont susceptibles de
déclarer d'autres professions que l'agriculture, ne sont pas recensés. En 1852,
on observe le phénomène inverse. Le recenseur a pour instruction d'attribuer

aux fils de cultivateurs qui travaillent pour le bénéfice de leur père le statut de journalier (Gagan, 1974: 359). C'est sans doute ce qui explique le nombre anormalement élevé de journaliers au recensement de 1852 dans la vallée du Gouffre. Ceux-ci constituent 55,9% de la main-d'œuvre comparativement à 11,3% en 1831 et 12,7% en 1871.

L'importance de l'agriculture pour cette population est également visible à travers la propriété foncière. En 1871, 513 individus de la vallée du Gouffre (paroisses de Baie-Saint-Paul et de Saint-Urbain) déclarent posséder une superficie de terre. Le nombre de ménages de ce secteur est de 689. Si on ne retient que les agriculteurs qui déclarent plus de 10 arpents de superficie, donc qui sont plus susceptibles de s'appuyer sur l'agriculture comme principal mode de subsistance, ce nombre est de 449 (65,2% des ménages), ce qui est à peu près conforme aux déclarations professionnelles. L'agriculture pratiquée est de type extensive et elle est marquée par une grande diversité dans les cultures pratiquées, qui s'accentue à partir du milieu du siècle. Les grandes cultures du Bas-Canada de l'époque (l'avoine, le blé, l'orge, le seigle, les pois et la pomme de terre) y côtoient les cultures potagères, le fourrage, les légumineuses, les plantes textiles, le tabac, la pomme et la cueillette du sirop d'érable. L'élevage, particulièrement celui du mouton, est également largement pratiqué. Même si l'on a longtemps qualifié cette agriculture de médiocre et d'axée sur l'autosubsistance, on remarque des aires de forte productivité agricole, comparable du reste à d'autres espaces de la vallée laurentienne. Le portrait de la petite production agricole centrée sur la satisfaction des besoins immédiats du ménage mérite d'être nuancé.

3.3.1 Pratiques agricoles dans Charlevoix au XIXᵉ siècle

Comme nous l'avons vu plus haut, l'agriculture constitue l'assise matérielle et spatiale de la famille charlevoisienne. Ses techniques sont généralement décrites comme primitives et peu innovatrices (Gérin, 1938; Gauldrée-Boilleau, [1862] 1968). L'examen de travaux récents[50] et de quelques données du recensement nominatif de 1871 confirment la lenteur de l'évolution des pratiques et de la technologie agraire dans Charlevoix au XIXᵉ siècle. Ce phénomène n'est toutefois pas exclusif à la région. La grande disponibilité de terres agricoles à bon marché, des coûts de main-d'œuvre élevés, le cloisonnement des marchés et

---

50. Ceux de Gérard Bouchard notamment (1996), qui a effectué une étude détaillée de l'évolution des pratiques agricoles au Saguenay à partir des débuts de la colonisation vers 1840. Les premiers colons du Saguenay provenant majoritairement de Charlevoix, les méthodes et techniques agricoles charlevoisiennes furent diffusées au Saguenay. Voir également Wien, 1990.

une grande vulnérabilité aux crises (Wien, 1990: 536) ont contribué à cette faible évolution. À cela il faut ajouter les caractéristiques propres au mode de reproduction sociale des agriculteurs français esquissées plus haut. Elles reposent sur l'agriculture familiale et visent à établir un nombre maximum de fils au moment du mariage (Bouchard, 1996). Il en résulte donc la pratique d'une agriculture à caractère extensif, misant sur la diversité des cultures. L'objectif de l'exploitant était à la fois de combler ses besoins domestiques et de commercialiser une partie de sa récolte, afin d'acquérir les biens qu'il ne peut produire et de pourvoir à l'établissement de ses fils (Wien, 1990: 536-537). Nous verrons toutefois que certains exploitants produisent bien au-delà des besoins stricts du ménage.

3.3.2 Travaux agricoles: calendrier et techniques

La première étape de mise en valeur d'une terre consistait à dégager le terrain des arbres et des pierres qui le recouvraient et à retourner le sol afin de le préparer aux premières semences. Les travaux de défrichement pouvaient s'échelonner sur plusieurs années, étant donné la difficulté de la tâche, qui consistait non seulement à abattre et à brûler les arbres, mais également à arracher les souches et à labourer profondément la terre à plusieurs reprises avant de l'ensemencer. Il fallait également retirer les blocs de pierre, nombreux sur les terres du plateau charlevoisien. Selon Bouchard (1996: 63), il fallait au Saguenay compter au moins une quinzaine d'années avant que la terre puisse être exploitée normalement. «Il fallait, dit-on, une génération pour mettre une terre en valeur (en l'occurrence, de 30 à 40 acres). Par ailleurs, il est évident que la norme proposée ici pouvait varier d'une paroisse et d'une famille à l'autre et que les travaux de défrichement se poursuivaient à la génération suivante (Bouchard, 1996: 63).» La mise en valeur d'une terre était donc un processus de longue haleine, rendu encore plus fastidieux par un sol de mauvaise qualité, un relief accidenté ou un climat capricieux.

Toujours en se référant aux études réalisées sur l'agriculture saguenayenne, les semences pouvaient s'étaler sur un mois environ, débutant entre la première et la dernière semaine de mai, selon les conditions climatiques du printemps. Les labours étaient effectués la plupart du temps au printemps. Les bœufs étaient généralement utilisés pour cette opération. Dans Charlevoix, les bœufs de travail sont nombreux. Dans les paroisses de Baie-Saint-Paul et de Saint-Urbain, on en compte 1 101 pour 639 ménages. La moyenne par déclarant est de 3,6. Les moyennes par rang varient cependant entre 1,8 et 10 bœufs par déclarant. Les moyennes les plus élevées se trouvent dans le bas de la vallée du Gouffre, dans les rangs entourant le village de Baie-Saint-Paul. Comme nous le verrons plus loin, ce secteur est marqué par la présence de vastes propriétés et la productivité agricole y est élevée.

L'engrais était peu utilisé pour la fertilisation des terres. Celui-ci se limitait au fumier des animaux de la ferme accumulé pendant l'hiver. Comme on réduisait souvent le troupeau à l'automne, ces quantités n'étaient pas considérables. Dans la vallée du Gouffre par exemple, alors que le troupeau moyen de cochon s'élevait à 3,13, on déclarait en avoir tué ou vendu pour l'exportation en moyenne 3,33 en 1871. Dans le cas du mouton, le troupeau moyen est de 11,2 bêtes et la quantité tuée ou vendue est de 6,86[51]. Le varech était également utilisé comme source d'engrais dans les secteurs riverains.

Les semailles étaient ordinairement effectuées à la volée, à partir de graines prélevées sur la récolte de l'année précédente. Les inspecteurs gouvernementaux jugeaient les semences insuffisantes et le fourrage pauvre (Bouchard, 1996: 64) au Saguenay. Selon Bouchard, cette situation était due à la pauvreté des colons qui ne pouvaient acheter des semences de meilleure qualité. Nous ne possédons pas d'informations qui permettent de confirmer ou d'infirmer ce fait pour la vallée du Gouffre dans Charlevoix. Signalons tout de même qu'une étude des rendements de certaines céréales et plantes fourragères dans les paroisses de Baie-Saint-Paul et de Saint-Urbain révèle une productivité à l'acre comparable aux moyennes bas-canadiennes et saguenayennes de l'époque, ce qui tend à confirmer une certaine similitude quant à la qualité et à la quantité des semences utilisées par les agriculteurs charlevoisiens par rapport au Saguenay.

Les récoltes et le battage étaient effectués manuellement. Certains colons pilaient eux-mêmes le grain au lieu de le porter chez un meunier, trop éloigné ou trop coûteux. Bouchard qualifie cette pratique de «courante» dans Charlevoix (1996: 66). Les soins accordés au bétail sont précaires et grossiers, et ce, non seulement pour Charlevoix et le Saguenay, mais également pour l'ensemble du Bas-Canada (Wien, 1990: 546). Les agriculteurs étaient d'une manière générale insouciants du soin des animaux: « "Races défectueuses", "dégénérées", bêtes mal nourries, "chicotues", sales, misérables, telles sont les épithètes qui reviennent le plus souvent sous la plume de nombreux observateurs. On ignorait la reproduction sélective jusqu'à la fin du XIXe siècle (Bouchard, 1996: 66). » C'est le manque de fourrage au cours de l'hiver qui était responsable de la mauvaise qualité des troupeaux. Les animaux étaient ainsi sous-alimentés pendant une bonne partie de l'année. Seul le cheval faisait l'objet d'une attention particulière

---

51. Il peut paraître surprenant que la déclaration des quantités moyennes vendues soit supérieure à la taille moyenne des troupeaux. On remarque effectivement dans le recensement de nombreux cultivateurs dont les déclarations d'animaux tués ou vendus sont supérieures à la taille de leur troupeau. La seule explication de ce phénomène réside dans le mode de calcul des animaux vivants qui exclurait la quantité d'animaux tués ou vendus. Il s'agirait donc de la taille du troupeau restant, une fois soustraite la quantité d'animaux tués ou vendus.

de la part de l'agriculteur, ceci en raison de l'attachement particulier dont il était l'objet et de son importance pour les transports et les travaux de la ferme.

3.3.3 Le système d'assolement

Le système d'assolement se déroulait sur quatre à six ans et se déployait sur trois soles: céréales ou grains, fourrage et pacage. Au Saguenay, ce système était pratiqué par 90% des agriculteurs (Bouchard, 1996: 67). La principale déficience de ce système consistait en l'absence de diversité des cultures et le peu de soin accordé aux travaux de la terre, aux labours notamment, qui, tout comme dans d'autres secteurs de la province, étaient plutôt sommaires (Greer, 1985: 28-34). Au tout début du cycle saguenayen, la terre était labourée, fumée et semée en grains. On pouvait ensuite récolter pendant deux années de suite sans fertilisation en alternant les céréales, principalement l'avoine et le blé. Le foin suivait, toujours sans fumier, l'engrais étant fourni par la chaume décomposée sur place. On passait ensuite au pacage, pendant une ou deux années. La terre n'était réellement labourée et engraissée qu'une fois tous les six ans, au début du cycle.

Ce système d'assolement était également couramment pratiqué dans Charlevoix, mais le plus souvent les céréales alternaient avec le pâturage et la friche, plus rarement avec le foin (Gérin, 1938: 23). L'assolement encore pratiqué dans Charlevoix dans le premier tiers du XXe siècle est le même que celui que Gauldrée-Boilleau ([1862] 1968) a remarqué près de 80 ans plus tôt. Il s'agissait de l'assolement de type double-biennal. On pratiquait, tout comme au Saguenay, deux récoltes successives de grains, alternant avec la friche, la jachère nue, ou, plus rarement, la jachère herbée. Gérin note également le peu d'engrais utilisé, en raison également de la faible taille des troupeaux (1938: 24). L'absence de diversité dans les cultures de même que la sole de pacage rendait ce système peu productif. De plus, on se livrait peu à des travaux de préparation de la terre, comme l'égouttement, le hersage et l'aplanissement au rouleau (Bouchard, 1996: 68). Ces pratiques agricoles n'étaient pas exclusives au Saguenay et à Charlevoix, mais elles étaient généralisées au Bas-Canada (Wien, 1990). L'assolement triennal, avec un cycle se déroulant sur trois ans au lieu de deux, était pratiqué presque exclusivement au sud de la vallée du Saint-Laurent. Ce type d'assolement était plus populaire dans la région de Montréal principalement, bien que deux fermes domaniales de la région de Québec, celle de La Malbaie dans Charlevoix et de Vincelotte à Québec, aient pratiqué cet assolement au XVIIIe siècle. L'avantage de l'assolement triennal était de permettre une récolte annuelle sur les deux tiers de la terre labourable au lieu de la moitié seulement dans le cas du régime biennal. Il nécessite cependant plus de travail et plus de terre. Le climat joue également un rôle important. La saison végétative plus longue de trois semaines à Montréal permet de cultiver certains grains en plus grande quantité, en parallèle avec le blé (Wien, 1990 : 538-543).

3.3.4 Outillage et machinerie

Les méthodes agricoles pratiquées par les Saguenayens, et probablement par la plupart des Charlevoisiens, sont rudimentaires. Celles-ci semblent cependant équivalentes à celles qui sont pratiquées ailleurs dans la province à la même époque, si l'on en juge par des travaux comme ceux de Thomas Wien et d'Allan Greer dans la vallée du Richelieu et également par une comparaison des rendements et de l'outillage agraire recensés en 1871 dans Charlevoix et dans le reste de la province. Selon les études réalisées au Saguenay, l'outillage et la machinerie sont peu répandus en agriculture et sont plutôt rudimentaires : la pioche, la herse et la traditionnelle charrue à rouelle en bois avec pointe de fer à laquelle on attelait de deux à quatre bœufs. Ces outils correspondent à ceux qui sont signalés par Gauldrée-Boilleau chez un exploitant de Saint-Irénée de Charlevoix en 1862 ([1862] 1968 : 31). Ces outils étaient artisanaux, fabriqués la plupart du temps au village ou par le cultivateur lui-même. Le foin était coupé à la faux et les grains à la faucille. Les gerbes étaient attachées à la main à l'aide d'une tige, généralement par les femmes. Le moulin à battre apparaît au Saguenay vers 1870 ; il est toutefois déjà présent dans la vallée du Gouffre en 1852[52]. Environ 19,3 % des occupants de terre en possèdent un en 1871. Les autres cultivateurs continuent donc de battre le grain au fléau. Gauldrée-Boilleau ([1862] 1968 : 31) signale également la présence de la herse métallique dans Charlevoix dès le milieu du XIXe siècle, environ deux à trois décennies avant son apparition au Saguenay. Le crible, qui permet de compléter les travaux de battage en séparant le grain de la paille, est plus répandu que le moulin à battre ; 35,4 % des occupants de terre de Baie-Saint-Paul et de Saint-Urbain en possèdent en 1871. Un seul râteau à cheval (ou râteau à foin) est recensé dans la vallée du Gouffre en 1871, au rang de la Batture, au sud du village de Baie-Saint-Paul. Il semble donc que l'outillage et la machinerie agricole utilisés par les Charlevoisiens, de même que les techniques qui s'y rattachent, soient à peu près équivalents à ce qui avait cours au Saguenay pendant la seconde moitié du XIXe siècle, avec toutefois un léger avantage en faveur de Charlevoix en ce qui a trait à l'équipement effectivement recensé en 1871 (Bouchard, 1996 : 78).

La distribution spatiale des machines à battre et des cribles signalés au recensement nominatif de 1871 semble confirmer l'hypothèse de Bouchard à l'effet qu'un certain recul dans la technologie agraire serait observable lors des

---

52. Données du recensement nominatif de 1852.

premières décennies du défrichement dans les nouvelles aires de colonisation (1996: 75-81). Ce recul serait moins attribuable à une pauvreté des nouveaux colons qu'aux difficultés de communication entre les nouvelles aires d'occupation et les anciennes ainsi qu'à l'éloignement de l'aire villageoise et de ses services. La faible rentabilité de l'agriculture en raison du climat et de l'état de développement moins avancé des nouvelles exploitations ne permettait pas non plus de rentabiliser de la machinerie coûteuse. La figure 3.8 présente la répartition spatiale des machines à battre et des cribles par rapport aux occupants de terre au recensement de 1871. Une comparaison de ces cartes avec la carte 1 de la figure 3.2 permet de constater la quasi-absence de ces outils dans les rangs occupés au cours de la période 1852-1871, et leur forte concentration dans les rangs d'occupation ancienne de la vallée.

3.3.5 Les rendements agricoles

Nous avons comparé les rendements de quelques cultures dans les paroisses de Baie-Saint-Paul et de Saint-Urbain au cours de la période 1852 à 1871 avec ceux qui ont été observés au Saguenay et dans l'ensemble de l'axe du Saint-Laurent pendant la même période, afin de constater la présence d'écarts ou de similitudes entre eux. Signalons d'abord que les rendements observés pour le blé, l'avoine, le foin et la pomme de terre sont comparables et, dans certains cas supérieurs (pour le blé et le foin), à ceux qui ont été observés pour l'ensemble de l'axe du Saint-Laurent. Ils se rapprochent également des moyennes saguenayennes pour la seconde moitié du XIXᵉ siècle. Ces moyennes générales permettent d'abord de constater que l'agriculture charlevoisienne est soumise aux mêmes contraintes et aux mêmes facteurs conjoncturels que dans l'ensemble du territoire québécois de la seconde moitié du XIXᵉ siècle. Le tableau 3.5 présente les rendements à l'acre globaux des paroisses de Baie-Saint-Paul et de Saint-Urbain. Il est cependant important de noter que ces rendements varient beaucoup d'un secteur à l'autre du territoire, selon les conditions physiques du milieu et selon l'ancienneté du terroir.

Un des premiers éléments qui attire l'attention dans ce tableau est la progression constante du rendement du blé dans Baie-Saint-Paul et Saint-Urbain, alors que cette culture décline au cours de la période. Contrairement aux rendements moyens de l'axe qui sont en baisse, celui de la vallée du Gouffre passe de 6,95 à 8,57 boisseaux à l'acre de 1852 à 1871. Le rendement de l'avoine diminue par contre. Le rendement du foin est largement supérieur dans la vallée du Gouffre par rapport à l'axe Saint-Laurent, 211,02 bottes à l'acre contre 140,59. On observe également une diminution du rendement de l'orge et une stagnation de celui du seigle. Il est difficile d'identifier les causes exactes de l'évolution de ces rendements. Ils peuvent être dus à des facteurs climatiques particuliers,

FIGURE 3.8

RÉPARTITION SPATIALE DES PROPRIÉTAIRES DE CRIBLES
ET DE MACHINES À BATTRE

BAIE-SAINT-PAUL ET SAINT-URBAIN, 1871

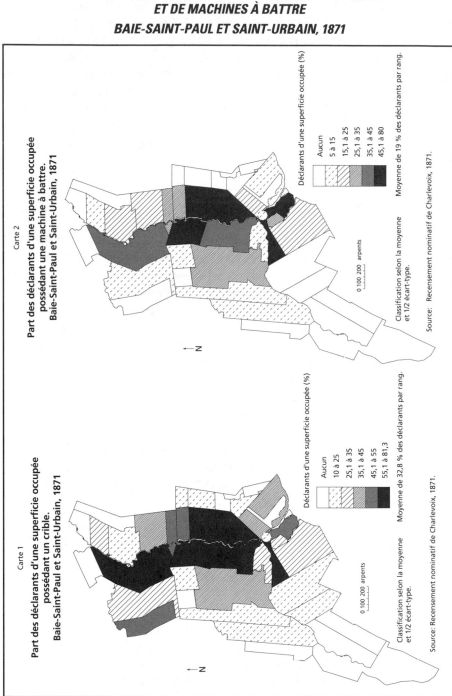

Carte 2

**Part des déclarants d'une superficie occupée
possédant une machine à battre.
Baie-Saint-Paul et Saint-Urbain, 1871**

Déclarants d'une superficie occupée (%)

Aucun
5 à 15
15,1 à 25
25,1 à 35
35,1 à 45
45,1 à 80

Moyenne de 19 % des déclarants par rang.

Classification selon la moyenne
et 1/2 écart-type.

Source: Recensement nominatif de Charlevoix, 1871.

0 100 200 arpents

Carte 1

**Part des déclarants d'une superficie occupée
possédant un crible.
Baie-Saint-Paul et Saint-Urbain, 1871**

Déclarants d'une superficie occupée (%)

Aucun
10 à 25
25,1 à 35
35,1 à 45
45,1 à 55
55,1 à 81,3

Moyenne de 32,8 % des déclarants par rang.

Classification selon la moyenne
et 1/2 écart-type.

Source: Recensement nominatif de Charlevoix, 1871.

0 100 200 arpents

favorisant ces cultures au moment des recensements, à une amélioration des pratiques agricoles et à l'impact produit par les nouveaux défrichements dont les sols sont plus productifs que les sols en culture depuis un certain temps.

TABLEAU 3.5

PROGRESSION DES RENDEMENTS AGRICOLES EN BOISSEAUX À L'ACRE
BAIE-SAINT-PAUL ET SAINT-URBAIN, 1852 À 1871

	Baie-Saint-Paul et Saint-Urbain			Axe Saint-Laurent (b)	
Cultures	1852	1861	1871	1851	1871
Blé	6,96	7,18	8,67	9,55	7,90
Avoine	18,32	14,27	-	19,09	-
Foin (a)			211,03		140,59
Pommes de terre	71,07	111,72	134,67	78,38	145,88
Orge	10,16	11,80			
Seigle	8,02	8,64			

(a) L'unité utilisée pour le foin est la botte à l'acre.
(b) Tiré de Courville, Séguin et Robert, 1995, p. 53, tableau 3 (corrigé par l'auteure).
Source: Recensements nominatifs de Charlevoix, 1852, 1861, 1871.

Ce dernier élément ressort plus particulièrement lorsqu'on examine les rendements moyens à l'échelle des rangs. En 1852 notamment, les rendements les plus élevés en blé sont concentrés sur les nouveaux rangs occupés sur le plateau à l'ouest de la vallée et à Saint-Urbain au nord, avec un rendement maximum de 10,7 boisseaux à l'acre dans la côte Saint-Flavien à l'extrême ouest de la paroisse (figure 3.9). En 1871 par contre, les rendements élevés en blé à l'ouest de la paroisse ont chuté, alors que ceux du bas de la vallée du Gouffre, près du village de Baie-Saint-Paul, ressortent nettement. C'est le cas également de ceux de Saint-Urbain aux rangs Saint-Urbain et Saint-Jérôme ainsi que du côté est de la rivière du Gouffre, dans la vallée par rapport au plateau. Les rendements maximums en pommes de terre se déplacent également au cours de la période 1852-1871. Les secteurs situés à l'est et à l'extrême ouest de la rivière du Gouffre ainsi que les producteurs résidant au village présentent des rendements maximums en 1852 allant de 75 à 110,7 boisseaux à l'acre. En 1871, même si les rendements de ces secteurs se maintiennent, ils sont dépassés par le centre et l'ouest de Saint-Urbain et par les rangs du bas de la vallée du Gouffre au sud du village (figure 3.10). D'une manière générale, les rendements élevés remarqués sur les marges du territoire en 1852 se trouvent sous la moyenne en 1871.

FIGURE 3.9

RENDEMENT MOYEN DU BLÉ

BAIE-SAINT-PAUL ET SAINT-URBAIN, 1852 ET 1871

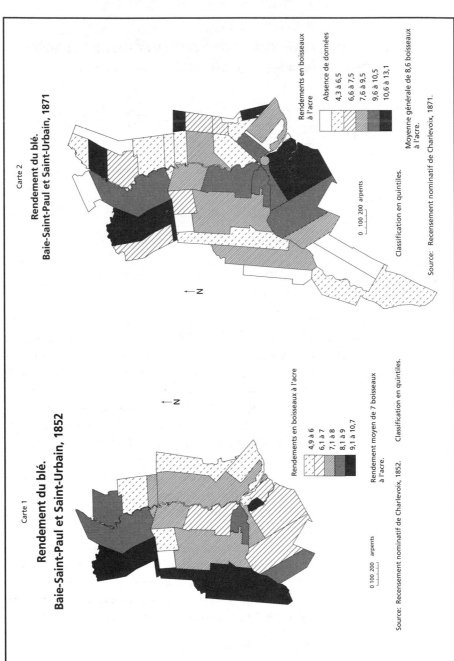

Carte 2

Rendement du blé.
Baie-Saint-Paul et Saint-Urbain, 1871

Rendements en boisseaux
à l'acre

Absence de données

4,3 à 6,5

6,6 à 7,5

7,6 à 9,5

9,6 à 10,5

10,6 à 13,1

Moyenne générale de 8,6 boisseaux
à l'acre.

Classification en quintiles.

0 100 200 arpents

Source: Recensement nominatif de Charlevoix, 1871.

Carte 1

Rendement du blé.
Baie-Saint-Paul et Saint-Urbain, 1852

Rendements en boisseaux à l'acre

4,9 à 6

6,1 à 7

7,1 à 8

8,1 à 9

9,1 à 10,7

Rendement moyen de 7 boisseaux
à l'acre.

Classification en quintiles.

0 100 200 arpents

Source: Recensement nominatif de Charlevoix, 1852.

FIGURE 3.10

RENDEMENT MOYEN DE LA POMME DE TERRE
BAIE-SAINT-PAUL ET SAINT-URBAIN, 1852 ET 1871

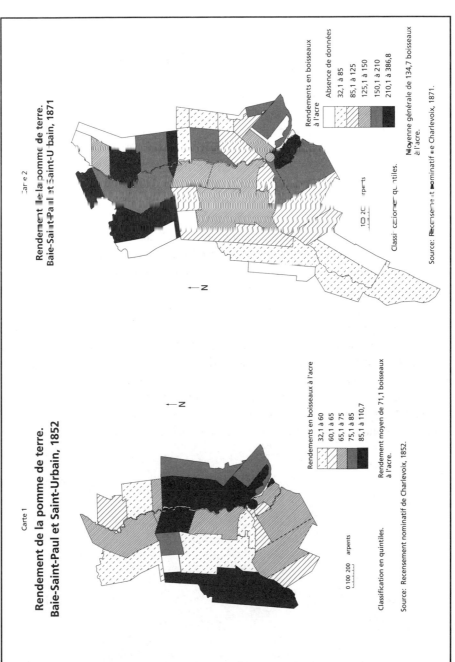

Carte 1

**Rendement de la pomme de terre.
Baie-Saint-Paul et Saint-Urbain, 1852**

Rendements en boisseaux à l'acre

- 32,1 à 60
- 60,1 à 65
- 65,1 à 75
- 75,1 à 85
- 85,1 à 110,7

Rendement moyen de 71,1 boisseaux à l'acre.

Classification en quintiles.

Source: Recensement nominatif de Charlevoix, 1852.

Carte 2

**Rendement de la pomme de terre.
Baie-Saint-Paul et Saint-Urbain, 1871**

Rendements en boisseaux à l'acre

- Absence de données
- 32,1 à 85
- 85,1 à 125
- 125,1 à 150
- 150,1 à 210
- 210,1 à 386,8

Moyenne générale de 134,7 boisseaux à l'acre.

Classification en quintiles.

Source: Recensement nominatif de Charlevoix, 1871.

Les rendements élevés en orge et en seigle en 1852 sont également concentrés dans les nouveaux rangs d'occupation du plateau et à Saint-Urbain. Les rendements les plus élevés en avoine en 1852 sont concentrés dans le bas de la vallée du Gouffre. Les rendements maximums en foin en 1871 se trouve dans le bas de la vallée du Gouffre à l'intérieur des rangs qui entourent le village, ainsi que sur le plateau à l'ouest de la vallée (notamment à Saint-Gabriel, Saint-Flavien et Saint-Félix), au nord-est sur le plateau à la Goudronnerie, à Saint-Ours nord et au rang Saint-Urbain à Saint-Urbain.

Il est difficile d'évaluer les causes exactes de la chute ou de la progression des rendements dans certains secteurs. Ces fluctuations peuvent être dues tant aux conditions climatiques, à la qualité des sols, qu'à des différences dans les méthodes et techniques agricoles. On constate cependant que les terres situées dans les nouvelles zones d'occupation aux limites des paroisses enregistrent des taux supérieurs à ceux des anciens terroirs lors des premières récoltes. Ces rendements élevés ne durent pas. Au bout de quelques années, les effets néfastes de la piètre composition du sol et du climat plus difficile de ces secteurs entraînent une chute des rendements en deçà de la moyenne globale. Bouchard note la présence du même phénomène dans les aires de colonisation récente au Saguenay (1996: 70). Il s'agit d'ailleurs d'un phénomène courant dans les nouvelles aires de colonisation.

Les techniques de même que les rendements de l'agriculture charlevoisienne se rapprochent donc de ceux qui sont observés ailleurs au Québec, notamment au Saguenay. Si l'on fait abstraction des rendements maximums enregistrés sur les terres neuves, les rendements les plus élevés sont situés à l'intérieur de la vallée, sur les terres qui bénéficient des meilleures conditions naturelles. D'une manière générale, les rendements augmentent au cours de la période 1852-1871, sauf dans le cas de l'avoine et de l'orge. Il est donc difficile de parler d'une baisse de la productivité de l'agriculture charlevoisienne.

3.1 UN PROFIL SOCIOPROFESSIONNEL DE PLUS EN PLUS DIVERSIFIÉ

La structure socioprofessionnelle de la population est également très discriminée spatialement. Comme on peut s'y attendre, le secteur villageois est le siège d'une plus grande diversité socioprofessionnelle que les rangs agroforestiers de l'arrière-pays (tableau 3.6). Cette structure témoigne du plus grand dynamisme du secteur villageois qui regroupe les fonctions industrielles et commerciales de la vallée du Gouffre. Le village et les rangs qui l'entourent comptent en 1871 la vaste majorité des manœuvres, des artisans, des membres des professions libérales et des services spécialisés ainsi que des petits commerçants. Plus on s'éloigne de l'aire villageoise plus la diversité de la main-d'œuvre s'estompe pour faire place, dans les rangs récemment occupés, à une main-d'œuvre composée à 73 % de cultivateurs auxquels s'ajoutent quelques journaliers, des domestiques, deux commerçants, un artisan et un membre des professions libérales qui dispensent des services aux nouveaux colons. Cette structure spatiale des professions orientée vers le village apparaît dès le début de la décennie 1830-1840 et perdure tout au long de la période (tableau 3.7).

Cette importance économique du village est accentuée par la pénurie de bonnes terres agricoles. Selon Michel Brassard, à partir du premier tiers du siècle, les jeunes qui n'émigrent pas tendent généralement à s'établir au village, tout près de la demeure familiale (1989 : 8). De nombreux fils de cultivateurs s'orientent alors vers la pratique de métiers en dehors de l'agriculture alors que d'autres occupent de petits emplois temporaires au village et dans ses environs en attendant l'occasion de s'établir à leur tour. Ces sont d'ailleurs les manœuvres[53] et les artisans qui représentent la plus forte proportion de cette main-d'œuvre urbaine, et ce, tout au long de la période (tableaux 3.6 et 3.7). Les célibataires de moins de 30 ans constituent 15,9 % (21 personnes sur 132) de tous les journaliers des deux paroisses et 57,1 % d'entre eux sont localisés au village et dans les rangs à proximité. Si on y ajoute les jeunes chefs de ménage de moins de 30 ans, on obtient 31,8 % du total des journaliers dont 47,6 % sont situés au village ou à proximité[54]. Ce sont toutefois les hommes mariés de 30 à 59 ans qui constituent la plus grande partie des journaliers du secteur avec 37,9 % (50 individus sur 132) de l'ensemble. Une proportion de 54 % d'entre eux sont localisés au village ou à proximité. Cette concentration des journaliers à proximité de l'aire villageoise et des principaux axes de transport témoigne de la présence dans ce secteur d'emplois qui requièrent une faible spécialisation de la main-d'œuvre. Ils sont liés à la petite industrie et aux activités de transport maritime.

---

53. Cette catégorie regroupe les journaliers et quelques navigateurs.
54. Selon les données du recensement nominatif de 1871. Les rangs du secteur villageois considérés ici sont le Cap-au-Corbeau, Saint-Pamphile, le Bras-du-Nord-Ouest, les rangs de l'Église, de la Batture, du Fond et du Moulin.

TABLEAU 3.6

RÉPARTITION SPATIALE DES GROUPES PROFESSIONNELS
BAIE-SAINT-PAUL ET SAINT-URBAIN, 1871

Catégories professionnelles	Secteurs géographiques											
	Village		Bas de la Baie		Vallée du Gouffre		Rgs occupés 1831-1852		Rgs occupés 1852-1871		Total de l'effectif	
	N.	%	N.	%	N.	%	N.	%	N.	%	N.	%
Cultivateurs, éleveurs et assimilés	30	4,73	88	13,88	286	45,11	176	27,76	54	8,52	634	62,46
Manoeuvres	33	20,75	55	34,59	40	25,16	22	13,84	9	5,66	159	15,67
Artisans	35	39,33	25	28,09	17	19,10	11	12,36	1	1,12	89	8,77
Professions libérales et serv. spéc.	19	43,18	11	25,00	10	22,73	3	6,82	1	2,27	44	4,33
Domestiques	5	13,89	8	22,22	17	47,22	2	5,56	4	11,11	36	3,55
Petits commerçants	16	59,26	6	22,22	3	11,11	0	0,00	2	7,41	27	2,66
Ouvriers spécialisés	1	33,33	2	66,67	0	0,00	0	0,00	0	0,00	3	0,30
Autres professions	6	26,09	4	17,39	10	43,48	0	0,00	3	13,04	23	2,27
Total	145	14,28	199	19,60	383	37,73	214	21,08	74	7,29	1015	100,00

Source: Recensement nominatif de Charlevoix, 1871.

TABLEAU 3.7

ÉVOLUTION DE LA STRUCTURE PROFESSIONNELLE
BAIE-SAINT-PAUL ET SAINT-URBAIN, 1831 À 1871

Catégories professionnelles	1831*				1852				1871			
	Rangs		Village		Rangs		Village		Rangs		Village	
	N.	%	N.	%	N.	%	N.	%	N.	%	N.	%
Cultivateurs, élev. et assimilés	391	83,55	7	13,20	452	40,42	9	6,52	604	69,43	30	20,69
Manoeuvres	41	8,76	18	33,96	590	52,77	80	57,97	126	14,48	33	22,76
Artisans	26	5,56	12	22,64	27	2,42	28	20,29	54	6,21	35	24,14
Petits commerçants	6	1,28	9	16,98	2	0,18	6	4,35	11	1,26	16	11,03
Professions libérales et serv. spéc.	1	0,21	6	11,32	11	0,98	7	5,07	25	2,87	19	13,10
Autres professions	3	0,64	1	1,89	5	0,45	5	3,62	17	1,95	6	4,14
Ouvriers spécialisés	0	0,00	0	0,00	0	0,00	0	0,00	2	0,23	1	0,69
Domestiques	0	0,00	0	0,00	31	2,77	3	2,17	31	3,56	5	3,45
Total	468	100,00	53	100,00	1118	100,00	138	100,00	870	100,00	145	100,00

*La profession n'est connue que pour les chefs de ménage en 1831.
Source: Recensements nominatifs de 1831, 1852 et 1871.

La croissance démographique du village[55] a également accentué sa fonction de service et de commerce. Des membres des professions libérales y apparaissent et le nombre de petits commerçants croît considérablement (tableau 3.6). Le nombre de boutiques et de magasins passe de 25 à 41 dans l'ensemble du secteur entre 1852 et 1871[56]. En 1871, 46,3% d'entre eux sont situés à l'intérieur du village et 12% dans les rangs qui l'entourent. Ces boutiques s'installent en majorité le long des deux rues principales, Saint-Joseph et Saint-Jean-Baptiste, qui traversent le village et qui sont encore aujourd'hui caractérisées par leur fonction commerciale. De plus, ces deux routes représentaient les principales voies d'accès vers le plateau à l'est, du côté des Éboulements, et vers le nord à Saint-Urbain.

Selon Brassard, la croissance de ces magasins est également liée à l'intensité du commerce maritime avec Québec, signalé par des observateurs dès le XVIIIe siècle, comme nous l'avons vu au chapitre précédent. La situation géographique du village de Baie-Saint-Paul, à l'entrée de la région de Charlevoix en provenance du sud-ouest, tant par le chemin des Caps ouvert depuis 1816 que par la navigation, explique également pour une bonne part la croissance du village. Brassard qualifie Baie-Saint-Paul de « porte d'entrée » sur la région (1989: 8). C'est donc la forte poussée démographique de la fin du XVIIIe et du début du XIXe siècle, la localisation géographique privilégiée de Baie-Saint-Paul à l'intérieur de la région ainsi que l'intensification des échanges avec l'extérieur - principalement la région de Québec - qui stimule la croissance des fonctions commerciales et industrielles[57] de Baie-Saint-Paul à partir du premier tiers du XIXe siècle.

3.5 CONCLUSION: UNE STRUCTURE DÉMOGRAPHIQUE MARQUÉE PAR LE RAPPORT À L'ESPACE

Une structure de la population se dessine dans la vallée du Gouffre à partir du premier tiers du XIXe siècle. Cette structure est tributaire des mouvements migratoires qui traversent alors cet espace et, en conséquence, des étapes de l'occupation du sol des rangs de l'arrière-pays de la vallée du Gouffre. La structure démographique est caractérisée en fin de période par une population plus vieille

---

55. La population villageoise s'élève à 259 habitants en 1831, 430 en 1852 et 645 en 1871, soit une croissance de 66% entre 1831 et 1852 et de 50% entre 1852 et 1871, alors que la croissance démographique totale du secteur Baie-Saint-Paul - Saint-Urbain à la même période est de respectivement 18,9 et 13,5% (chiffres des recensements nominatifs).

56. Données des recensements nominatifs.

57. Nous verrons au chapitre suivant que les moulins et les fabriques sont également concentrés au village et dans ses environs.

et des ménages moins nombreux dans les premiers rangs d'occupation en bordure du fleuve. Ceux-ci affichent également des densités d'occupation supérieures à la moyenne. La population de l'arrière-pays possède des âges moyens inférieurs à 22 ans et des ménages de taille nettement plus élevée au centre est et à l'ouest de la vallée, dans les rangs occupés depuis environ 40 ans. Les densités y sont plus réduites, en raison du faible nombre d'occupants et des superficies occupées relativement grandes. L'attrait des aires urbaines pour les jeunes ruraux se manifeste à travers la croissance démographique du secteur villageois et la diversification de son profil socioprofessionnel, marqué par la présence de groupes d'ouvriers, d'artisans, de petits commerçants et de membres des professions libérales.

Cette structure démographique résulte de la territorialité particulière de cette population. Celle-ci est caractérisée par une relation triangulaire entre l'individu et ses besoins de subsistance et de reproduction, la société marquée par un fort esprit communautaire et un système de relations basé sur les solidarités familiales et finalement le territoire qui sert de support à la subsistance et de moyen de reproduction sociale par le biais de l'agriculture familiale et de la pluriactivité. Le but ultime de ce système est la satisfaction des besoins de subsistance et de reproduction de l'individu. Celui-ci va donc déployer à cette fin des stratégies en conformité avec le code d'éthique dicté par la société ou le groupe qui, dans le cas présent, est articulé autour d'un principe de cohésion et d'entraide familiale qui doit pourvoir à l'établissement des enfants mâles. Ces stratégies devront également tenir compte de la disponibilité des ressources du territoire, en l'occurrence de la terre et de l'emploi. Le rapport à l'espace qui s'en dégage est de type fonctionnel. Il est étroitement lié aux besoins de subsistance et de reproduction de l'individu et aux codes sociaux qui le régissent. La migration deviendra le moyen privilégié d'atteindre la satisfaction de ce besoin de reproduction, particulièrement en contexte de saturation du terroir, comme c'est le cas dans la vallée du Gouffre au premier tiers du XIXᵉ siècle.

Tout comme celle du reste de la vallée du Saint-Laurent à l'époque, la population de la vallée du Gouffre est soumise à des forces polarisantes commandées par la transition économique qui s'opère au milieu du siècle. La montée des échanges qui résulte de la croissance du réseau urbain et donc de l'augmentation de la demande en produits agricoles et manufacturés, va introduire une diversification des sources d'emploi et l'apparition d'une main-d'œuvre non agricole. Elle va également accentuer l'échelle de la pratique de la pluriactivité chez ceux qui poursuivent leurs activités agricoles. La forte croissance démographique de la première moitié du XIXᵉ siècle va également conduire à une saturation rapide des terroirs agricoles de la vallée du Saint-Laurent.

Les migrations empruntent deux directions principales: d'abord vers des nouvelles aires de colonisation de l'arrière-pays laurentien, à la recherche de bonnes terres agricoles à faible coût — ces migrations sont largement familiales —; puis, vers la ville – empruntée par les familles ou les individus à la recherche d'emplois en dehors de l'agriculture, sur une base permanente ou temporaire, dans le cadre de la pratique de la pluriactivité. Ces deux mouvements vont modifier en profondeur les paysages régionaux de la vallée du Saint-Laurent, tout comme celui de la vallée du Gouffre dans Charlevoix. Ils permettent simultanément de délester les zones riveraines de leur surplus démographique tout en assurant la reproduction familiale des populations et de préserver la rentabilité des exploitations agricoles.

Le chapitre suivant présente un portrait de la structure spatiale de l'agriculture et de la petite industrie charlevoisienne. Cette partie vient compléter le portrait de la territorialité de la vallée du Gouffre et de son articulation à l'économie de marché. Nous nous intéressons principalement à la productivité de cette agriculture et à la façon dont la pluriactivité et la petite industrie y sont associés. Nous pourrons ainsi dégager la fonctionnalité du système individu-société-territoire.

Chapitre 4

LA STRUCTURE SPATIALE DE LA SOCIO-ÉCONOMIE DE LA VALLÉE DU GOUFFRE

Nous avons pu constater dans le dernier chapitre la présence d'une structure particulière de la population dans la vallée du Gouffre. L'analyse des données démographiques et professionnelles des recensements nominatifs de 1831, 1852 et 1871, en plus des résultats d'études démographiques et sociales réalisées sur cette population, permettent d'affirmer la présence dans cet espace d'une territorialité particulière. Celle-ci n'est pas exclusive à la population charlevoisienne. Elle est vraisemblablement typique d'une part importante de la population de l'ensemble de l'axe du Saint-Laurent au XIXᵉ siècle (Bouchard, 1996 : 339-345). Elle se caractérise par un rapport à l'espace très fonctionnel. Celui-ci constitue en effet le support de la subsistance, mais également de la reproduction sociale. Il est né de la nécessité d'établir un maximum de fils en agriculture à chaque génération, et ce, sans morceler l'exploitation première. L'abondance et le faible coût des terres dans les nouveaux espaces de colonisation ainsi que la prépondérance des réseaux familiaux et communautaires dans la vie sociale ont permis aux ménages de résoudre le problème posé par la forte croissance démographique au moyen de processus migratoires visant la recherche de nouveaux espaces où établir le surplus des aires de peuplement ancien.

L'agriculture de type familial, peu spécialisée et peu avancée au plan technologique, est à la base de ce lien particulier à l'espace. Des productions artisanales et connexes à l'agriculture ainsi que des emplois saisonniers ou temporaires à l'extérieur en font également partie. Nous verrons dans les pages suivantes la grande pluriactivité qui caractérise les exploitations agricoles des paroisses de Saint-Urbain et de Baie-Saint-Paul de même que la présence de clivages socio-économiques marqués à l'intérieur de cet espace. La géographie, les ressources naturelles, les voies de transport et la proximité du marché semblent exercer une profonde influence sur le type d'agriculture et de pluriactivité pratiquées par les ménages des différents milieux de l'axe de la vallée du Gouffre. Nous constaterons également l'émergence d'une certaine différenciation sociale à l'intérieur de cette population à partir du premier tiers du siècle. L'explosion des marchés et des sources d'emplois au Bas-Canada au milieu du XIXᵉ siècle ont également eu un impact sur la socio-économie régionale. Même si la grande industrie capitaliste pénètre la région et qu'on assiste à une certaine commercialisation de la production agricole ainsi qu'à son ajustement aux besoins générés par le marché, la socio-économie locale demeure, dans ses structures, préindustrielle.

Ce portrait de la structure spatiale de la socio-économie de l'axe de la vallée du Gouffre sera également obtenu par une analyse spatiale des données des recensements nominatifs de la période 1831-1871, particulièrement celles de 1852 et 1871. Notre objectif est d'abord descriptif. Il s'agit de caractériser le paysage socio-économique dans ses traits principaux. Le deuxième objectif est dynamique. Nous voulons saisir l'évolution de ces structures au cours de la période 1831-1871, à travers les éléments de continuité, mais également de changement qui apparaissent dans le paysage de la vallée du Gouffre. Le dernier objectif est comparatif. Nous tenterons de déterminer si ce paysage particulier évolue dans les mêmes conditions et selon les mêmes modalités que les autres paysages de la vallée laurentienne et plus particulièrement de sa périphérie. Le chapitre est ainsi divisé en trois parties. La première est consacrée au portrait général de la propriété dans la vallée du Gouffre, à sa structure spatiale et à son évolution au cours de la période 1831-1871. La deuxième partie présente l'étude des principales composantes de la pluriactivité qui caractérise l'exploitation agricole charlevoisienne: les cultures, les produits dérivés de l'agriculture (production de beurre, de viande et de textile) ainsi que la petite industrie. Nous verrons l'évolution de ces différentes activités entre 1831-1871 et la façon dont elles s'articulent à l'échelle de l'exploitation agricole. Nous concluons le chapitre avec une définition de la territorialité des habitants de la vallée du Gouffre au XIXᵉ siècle.

4.1 LA PROPRIÉTÉ AGRICOLE : UNE POLARISATION DE LA TAILLE DES EXPLOITATIONS

D'une manière générale, la propriété moyenne détenue par les occupants de terre dans Charlevoix est vaste. La moyenne régionale est de 148,49 arpents en 1831 et de 124,26 arpents en 1852. Elle surpasse de beaucoup la moyenne générale de la province établie à environ 93 arpents par exploitation en 1831 (Courville, Séguin et Robert, 1995: 51). Ces moyennes sont légèrement inférieures dans la vallée du

Gouffre, mais elles suivent l'évolution régionale au cours de la période. Le portrait de la propriété présenté ici tient compte de l'ensemble des terres détenues par un exploitant, et non le visage foncier des rangs. Si l'on en juge par les moyennes, et plus tard par les informations contenues dans le cadastre, ces exploitants possédaient plus d'un lot, et ceux-ci étaient souvent répartis dans plusieurs rangs et mêmes dans plus d'une paroisse. La difficulté de reconstitution de la répartition spatiale des lots possédés par les occupants nous oblige à traiter les superficies et les récoltes à l'échelle de l'exploitation et non du lot. Cette méthode permet par contre d'avoir une bonne idée des différents types d'exploitations agricoles dans le territoire à l'étude.

4.1.1 Le nombre et la taille des exploitations agricoles dans Charlevoix et dans la vallée du Gouffre entre 1831 et 1871, une mutation

Le nombre de propriétés dans Charlevoix et particulièrement dans la vallée du Gouffre est marqué par une faible croissance au cours de la période[58]. Pour l'ensemble de la région, ce nombre augmente faiblement entre 1831 et 1852, passant de 1258 à 1393 exploitations, soit une progression de 9,7 %, alors que la population régionale croît de 30,7 %. Entre 1852 et 1871, la croissance est plus marquée, quoique toujours faible. Le nombre d'exploitations de plus de 10 arpents est de 1 616, soit une augmentation de 16 % par rapport à 1852. Dans la vallée du Gouffre, le nombre d'exploitations agricoles augmente faiblement au milieu du XIXe siècle. Ce nombre passe de 436 en 1831 à 530 en 1852, pour une croissance de 21,6 %. On note toutefois une légère diminution lors de la période suivante, le nombre d'exploitations s'abaissant à 513 en 1871. La part de Baie-Saint-Paul et de Saint-Urbain dans l'ensemble des propriétés de la région diminue constamment entre 1831 et 1871. Les propriétés de ces deux territoires représentent 34,7 % du nombre total d'exploitations dans Charlevoix en 1831, 29,9 % en 1852 et 27,8 % en 1871. Cette baisse du poids relatif du secteur du Gouffre est probablement due à la croissance que connaît l'arrière-pays malbaien depuis le premier tiers du siècle (voir chapitre 2). Signalons que la vaste majorité de ces déclarants sont propriétaires de leur terre. Seulement 12 % d'entre eux sont inscrits comme locataires en 1871.

---

58. Nous avons considéré ici les exploitants déclarant plus de 10 arpents dans les trois recensements. Le seuil de 10 arpents est généralement admis comme un seuil minimal pour une propriété agricole.

Plus de 89 % de la superficie est détenue par les agriculteurs et cette part augmente au cours de la période. Le tableau 4.1 présente la répartition de la propriété détenue par les non-cultivateurs. Nous pouvons d'abord constater que celle-ci diminue entre 1831 et 1871, passant de 11,2 à 5,8 % de la superficie totale occupée dans Baie-Saint-Paul et dans Saint-Urbain. Cette chute est le fait de la propriété marchande qui accuse une baisse de ses superficies occupées de l'ordre de 86 %[59]. La part des autres groupes professionnels est faible et elle se maintient ainsi au cours de la période. Il est intéressant de constater le désengagement des marchands par rapport à la propriété foncière au XIXe siècle dans la vallée du Gouffre qui témoigne d'un changement dans la pratique de l'activité marchande et dans l'investissement des capitaux au XIXe siècle. Alors que la propriété foncière était l'objet d'investissements importants durant la première moitié du siècle, en raison du prestige social qu'elle conférait et des revenus qu'on pouvait en tirer (redevances seigneuriales, spéculation[60]), celle-ci est délaissée dans la seconde moitié du siècle au profit d'investissements dans la sphère de production des biens manufacturés.

TABLEAU 4.1

PART DE LA SUPERFICIE TOTALE DÉTENUE PAR LES NON-CULTIVATEURS
BAIE-SAINT-PAUL ET SAINT-URBAIN, 1831 ET 1871

Groupes	1831		1871		Croissance
professionnels	Arpents	% total	Arpents	% total	1831-1871
		arpents		arpents	
Petits commerçants	3 697,50	5,91	519,00	0,73	-85,96
Artisans	1 446,00	2,31	1 453,00	2,04	0,48
Professions libérales et serv. spéc.	686,50	1,10	1 069,00	1,50	55,72
Manoeuvres	407,25	0,65	881,00	1,24	116,33
Ouvriers spécialisés	-	-	1,00	0,001	-
Domestiques	-	-	0,00	0,00	-
Autres professions	-	-	232,00	0,33	-
Profession indéterminée	80,00	1,27	-	-	-
Total	6 317,25	11,24	4 155,00	5,84	-34,23

Source: Recensements nominatifs de Charlevoix, 1831 et 1871.

---

59. Nous avons retranché de cet échantillon la propriété du négociant W. Hest. Davies en 1831 en raison de son irrégularité par rapport à la distribution générale, avec 13 000 arpents de superficie. Avec sa propriété, la part de la propriété marchande s'élève à 26,7 % de la superficie totale en 1831. La part des non-cultivateurs dans la propriété foncière s'élève alors à 30,9 %.

60. Voir au sujet de l'importance de la propriété foncière dans la bourgeoisie bas-canadienne dans la première moitié du XIXe siècle, Bernier et Salée, 1995: 82-116.

La superficie moyenne occupée par exploitant dans la vallée du Gouffre est légèrement inférieure à la moyenne régionale avec 143,6 arpents en 1831 et 130,9 arpents en 1871 (tableau 4.2). La moyenne régionale plus élevée est le fait de la propriété du secteur de la Petite-Rivière-Saint-François qui était très vaste en 1831 avec 473,7 arpents en moyenne par exploitation. Autrement, la superficie moyenne des exploitations de Baie-Saint-Paul et de Saint-Urbain est comparable, et même supérieure dans certains rangs, à celle des autres secteurs de la région.

TABLEAU 4.2

ÉVOLUTION DE LA SUPERFICIE MOYENNE DES TERRES ET DES MAXIMUMS BAIE-SAINT-PAUL ET SAINT-URBAIN, 1831 À 1871

Superficies en arpents	1831 Moyenne	1831 Maximum	1852 Moyenne	1852 Maximum	1871 Moyenne	1871 Maximum	Évolution des moyennes 1831-1852	Évolution des moyennes 1852-1871
Occupée	118,88	1111	118,88	1888	888,88	8,88	88,88	88,88
Améliorée					89,92	707		
Cultivés	56,52	255	42,76	500			16,40	
Récoltés			22,08	78				
Pâturages			32,56	260	45,16	478		38,70
Jardins et vergers			0,81	2	1,35	6		66,67
Bois, incultes			90,38	1008				

Source: Recensements nominatif de Charlevoix, 1831, 1852 et 1871.

La propriété agricole progresse peu en nombre dans Charlevoix à partir du milieu du siècle. Entre 1831 et 1871, cette croissance n'est que de 17,7 % alors que la croissance de la population approche le 35 %. On peut aisément ici constater l'effet de la saturation des basses terres de la vallée du Gouffre qui augmente la pression sur le sol. Les données du tableau 4.3 révèlent plusieurs des changements qui se produisent dans la structure de la propriété du secteur. Le premier élément qui s'en dégage est l'augmentation marquée du nombre de petites propriétés de moins de 10 arpents et de celles de 11 à 50 arpents. Leur nombre double au cours de la période. À l'autre extrémité, on observe une crois-sance marquée des très grandes propriétés, de 201 à 250 et de plus de 250 arpents. Une croissance respective de 30,1 % et de 69,8 %. Cette croissance de la petite et de la grande propriété s'opère au détriment de la propriété de taille moyenne, d'une superficie de 76 à 100 arpents, dont le nombre chute de 28,7 % entre 1831 et 1871. Une polarisation semble donc s'effectuer dans la propriété. Celle de taille moyenne s'érode, soit pour se fragmenter en plusieurs petites propriétés ou au contraire pour contribuer à l'expansion des grandes proprié-tés. Ce portrait suggère donc des changements majeurs dans la perception et la pratique de l'agriculture de la part des occupants de la vallée du Gouffre. Christian Dessureault (1989) remarque le même phénomène dans la structure de la propriété de la seigneurie de Saint-Hyacinthe durant le premier tiers du XIXe siècle. Il interprète ce résultat comme étant la manifestation de l'apparition d'une différenciation sociale au sein de la paysannerie.

TABLEAU 4.3

LES TERRES OCCUPÉES
BAIE-SAINT-PAUL ET SAINT-URBAIN, 1831 À 1871

Superficies	Nombre de déclarants						Croissance		
occupées	1831		1852		1871		1831-1852	1852-1871	1831-1871
	N.	%	N.	%	N.	%	%	%	%
1 à 10 arp.	33	7,57	113	21,32	64	12,48	242,42	-43,36	93,94
11 à 50 arp.	32	7,34	49	9,25	66	12,87	53,13	34,69	106,25
51 à 75 arp.	56	12,84	49	9,25	52	10,14	-12,50	6,12	-7,14
76 à 100 arp.	101	23,17	84	15,85	74	14,43	-16,83	-11,90	-26,73
101 à 150 arp.	92	21,10	99	18,68	90	17,54	7,61	-9,09	-2,17
151 à 200 arp.	50	11,47	59	11,13	54	10,53	18,00	-8,47	8,00
201 à 250 arp.	28	6,42	31	5,85	37	7,21	10,71	19,35	32,14
> 250 arp.	44	10,09	46	8,68	76	14,82	4,55	65,22	72,73
Total	436	100,00	530,00	100,00	513,00	100,00	21,56	-3,21	17,66

Source: Recensements nominatifs de Charlevoix, 1831, 1852, 1871.

Signalons toutefois que les données du recensement de 1852 posent certains problèmes de traitement. Des études ont révélé des irrégularités dans les données signalées lors de ce recensement (Fortier, 1984: 262), notamment une possible sous-estimation des données relatives aux superficies et aux cultures en raison des nouvelles lois sur la taxation, du manque de formation des recenseurs et de leur mode de paiement (au nom inscrit au recensement personnel). Il est également possible que le recenseur ait exclu en 1852 les terres situées en dehors de son district, particulièrement les terres en bois debout, ce qui entraînerait une sous-évaluation de la taille réelle des exploitations. De même, il se peut que les recenseurs n'aient pas accordé la même importance, à chacun des recensements, aux petites propriétés de moins de 10 arpents (Fortier, 1984: 284). Ceci expliquerait peut-être cette forte croissance de la petite propriété de 10 arpents et moins en 1852 par rapport aux deux autres recensements.

L'examen des superficies totales occupées en 1852 accuse une baisse de 4,4% par rapport à 1831 (tableau 4.4), malgré une croissance de 21,6% du nombre total de propriétés (tableau 4.3). Cette croissance s'effectue cependant du côté des petites propriétés de 10 arpents et moins. Ces données indiquent une stagnation de la taille de la propriété de la vallée du Gouffre au milieu du siècle. Cette stagnation est confirmée non seulement par les superficies totales, mais également par les superficies moyennes (tableau 4.2). La taille moyenne de l'exploitation passe de 143,6 à 112,9 arpents entre 1831 et 1852. La situation est toutefois rétablie en 1871 alors que la superficie moyenne des exploitations se rapproche de celle de 1831 avec 130,0 arpents. La superficie totale occupée croît également de façon significative par rapport à 1831 et 1852, pour s'établir à 71 294 arpents en 1871 (tableau 4.4). Ce rétablissement des données en 1871 par rapport à 1831 nous incite fortement à croire à une sous-estimation de la taille de la propriété au recensement de 1852.

TABLEAU 4.4

ÉVOLUTION DES SUPERFICIES TOTALES
BAIE-SAINT-PAUL ET SAINT-URBAIN, 1831 À 1871

Superficie en arpents	1831	1852	1871	Croissance 1831-1852	Croissance 1852-1871	Total 1831-1871
Occupées	62 592	59 817,83	71 294	-4,43	19,19	13,90
Améliorées*			46 422		-	-
Cultivées	51 919	51 921,59	39 135	2,84	28,93	32,59
Récoltées	-	8 875,00			
En pâturages	-	12 700,33	18 195	-	43,20	
En jardins et vergers	-	88,33	92	-	4,16	

* Les superficies améliorées correspondent en 1871 au total des superficies en culture, en pâturage et en jardins et vergers.
Source: Recensements nominatifs de Charlevoix, 1831, 1852, 1871.

Les tableaux 4.2 et 4.4 révèlent, parallèlement à la stagnation de la taille de la propriété, une croissance des superficies cultivées et améliorées. Les superficies sous culture, après une période de stabilité entre 1831 et 1852, enregistrent une croissance de 28,9 % à la période suivante. Ce sont les pâturages qui semblent enregistrer la plus forte croissance avec 43,3 % entre 1852 et 1871 (tableau 4.4) ; phénomène confirmé par l'examen des moyennes (tableau 4.2). Les superficies moyennes en culture sont stables entre 1831 et 1852, à près de 50 arpents, alors que la superficie améliorée moyenne avoisine 90 arpents en 1871. Une croissance de 33,4 % de la superficie moyenne des pâturages est également enregistrée en fin de période. La taille moyenne des jardins et vergers croît également entre 1852 et 1871, passant de 0,9 à 1,4 arpents.

Malgré une faible progression du nombre et une légère diminution de la taille moyenne des propriétés, on observe une mutation importante au cours du XIXe siècle. Un examen plus attentif de la structure interne de la propriété révèle un changement notable au milieu du siècle. La polarisation de la taille des propriétés vers les très petites et les très grandes propriétés fait soupçonner l'apparition de clivages entre les agriculteurs. Ceux qui choisissent de réduire la taille de l'exploitation familiale devront faire appel de plus en plus à d'autres sources de numéraire que l'agriculture alors que ceux qui augmentent la taille de leur exploitation, dans un contexte de saturation des terres et de difficultés agraires, sont probablement les plus prospères. Pour Dessureault (1989 : 377), cette transformation de l'espace rural à travers des mouvements de consolidation et de parcellisation démontre la présence d'un jeu économique et social où les familles paysannes les plus prospères récupèrent les terres que d'autres ont dû abandonner, donnant ainsi lieu à un processus de remembrement foncier. Ce phénomène, conjugué à l'apparition de groupes socioprofessionnels divers, révèle la présence d'une différenciation sociale de plus en plus importante.

4.1.2 Structure spatiale de la propriété : l'expression de choix socio-économiques

Les moyennes et les répartitions globales des superficies occupées et cultivées présentées plus haut font place à une grande variabilité spatiale, tant à l'intérieur du secteur de la vallée du Gouffre que de la région entière. L'analyse spatiale des données du recensement nominatif de 1831 a déjà révélé une concentration des propriétés dont le taux de mise en valeur est plus élevé à l'intérieur des basses terres des vallées du Gouffre et de la Malbaie ainsi que le long du littoral, à l'Île-aux-Coudres, aux Éboulements et à Pointe-au-Pic. Quant aux superficies occupées, les plus vastes se trouvent dans la vallée du Gouffre, dans les rangs situées au nord du village de Baie-Saint-Paul, le long du littoral à Petite-Rivière, au Cap-au-Corbeau et au nord-ouest de l'arrière-pays malbaien (Villeneuve, 1992 : 81-89).

Dans la vallée du Gouffre en 1871, les superficies occupées les plus vastes sont également concentrées dans les rangs des basses terres et dans les environs du village de Baie-Saint-Paul. Les superficies moyennes les plus élevées se trouvent à Saint-Lazare au nord de la vallée avec une moyenne de 368,4 arpents par exploitation, suivi du rang de la Batture au sud du village avec 365,5 arpents (figure 4.1). Soulignons que ces rangs ne possèdent toutefois que cinq et deux exploitants. Les rangs Saint-Jean et Saint-Joseph, à l'ouest sur le plateau, affichent toutefois des superficies moyennes relativement vastes par rapport aux rangs du plateau avec 191,5 et 174,9 arpents par exploitation. Les superficies occupées les plus faibles sont concentrées dans les rangs d'occupation récente à l'extrême est et ouest de la paroisse de Baie-Saint-Paul et de Saint-Urbain. Le minimum se situe au rang Sainte-Croix au nord-est de la paroisse de Baie-Saint-Paul avec une taille moyenne des exploitations de 34,9 arpents. Le secteur nord-est de cette paroisse possède d'ailleurs les plus petites propriétés du secteur, avec des moyennes inférieures à 61 arpents. Cette répartition spatiale de la taille des propriétés selon l'ancienneté du terroir est également constatée par Christian Dessureault (1989) dans la seigneurie de Saint-Hyacinthe dans le premier tiers

FIGURE 4.1

TAILLE MOYENNE ET TAUX DE MISE EN VALEUR DES TERRES
BAIE-SAINT-PAUL ET SAINT-URBAIN, 1871

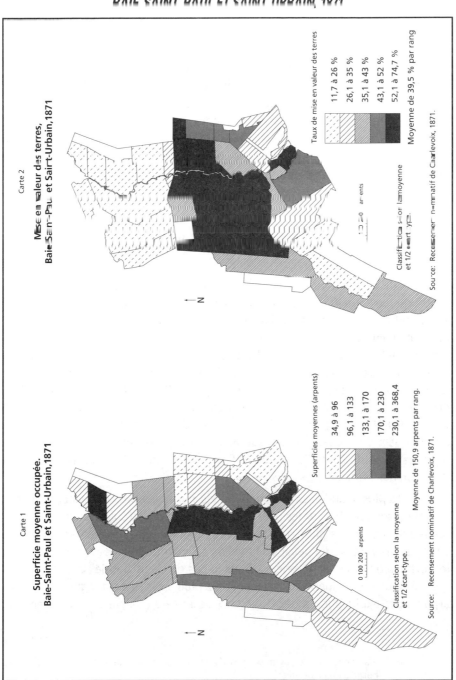

Carte 2

**Mise en valeur des terres,
Baie-Saint-Paul et Saint-Urbain, 1871**

Taux de mise en valeur des terres

11,7 à 26 %
26,1 à 35 %
35,1 à 43 %
43,1 à 52 %
52,1 à 74,7 %

Moyenne de 39,5 % par rang

Classification selon la moyenne
et 1/2 écart-type.

0 100 200 arpents

Source: Recensement nominatif de Charlevoix, 1871.

Carte 1

**Superficie moyenne occupée.
Baie-Saint-Paul et Saint-Urbain, 1871**

Superficies moyennes (arpents)

34,9 à 96
96,1 à 133
133,1 à 170
170,1 à 230
230,1 à 368,4

Moyenne de 150,9 arpents par rang.

0 100 200   arpents

Classification selon la moyenne
et 1/2 écart-type.

Source: Recensement nominatif de Charlevoix, 1871.

du XIXᵉ siècle. Elle est interprétée comme une volonté de consolidation de la grande propriété dans les vieux terroirs, alors que les faibles superficies des terres d'occupation récente sont attribuées à des conditions économiques et sociales différentes chez les colons qui vont s'établir sur des terres de qualité moindre. Dessureault parle dans le cas de la seigneurie de Saint-Hyacinthe d'une «sélectivité socio-économique de la population migrante (1989: 377). » Il est vrai que les ménages qui occupent les rangs de l'arrière-pays de la vallée du Gouffre jouissent de conditions moins favorables à l'agriculture et semblent éprouver certaines difficultés sur le plan agricole. Ce sont les secteurs les moins productifs des deux paroisses. Ces contrastes peuvent toutefois témoigner également de choix socio-économiques liés aux ressources du territoire, qui pousseraient les colons à privilégier d'autres sources de subsistance que l'agriculture. Les étapes du cycle de la reproduction familiale liés aux mouvements migratoires entre vieux et nouveaux terroirs influent également sur ces disparités.

4.1.2.1 Concentration de la grande propriété dans les basses terres

Les taux de mise en valeur[62] les plus élevés en 1871 sont concentrés dans le centre du territoire (figure 4.1), à la partie nord de la paroisse de Baie-Saint-Paul et au sud de celle-ci, près du fleuve et de l'embouchure de la rivière. Il s'agit généralement de rangs dont l'occupation est antérieure à 1831, à l'exception du rang Saint-Joseph toutefois, dont l'occupation est postérieure à 1831, mais dont le taux de mise en valeur est élevé (63,3% de la superficie totale occupée). Les taux les plus élevés se trouvent dans le rang de la Batture (74,7% de la superficie occupée en culture en 1871), celui de Saint-Joseph à 63,3% et celui de Saint-Gabriel (61,4%). Les taux de mise en valeur les plus faibles sont concentrés à Saint-Urbain au nord, sur le plateau au sud-ouest de Baie-Saint-Paul (au nord de la paroisse de Petite-Rivière-Saint-François) et au sud-est sur le plateau en direction des Éboulements.

Les plus grandes exploitations et les terres les plus intensément mises en valeur sont situées sur les plus anciens terroirs de la région, à l'intérieur des basses terres pour la plupart, quoique les rangs Saint-Gabriel et Saint-Joseph, situés sur le plateau à l'ouest de la vallée affichent également une proportion importante de grandes propriétés. Dans le cas de Saint-Gabriel, ce rang possédait déjà l'une des superficies moyennes les plus élevées de la région avec 244,3 arpents par exploitation en 1831. Le taux de mise en valeur de ces terres était

---

62. Nous avons calculé ces taux en divisant la superficie sous culture du rang par sa superficie totale occupée.

toutefois peu avancé avec seulement 16,9% (41,2 arpents en moyenne) des superficies en culture. En 1871 la superficie effectivement en culture y représentent 61,4% de la superficie totale, pour une moyenne de 94,1 arpents par exploitation. Par contre, la taille moyenne de l'exploitation y diminue de 35,9%. Le nombre de déclarants y est à peu près constant au cours de la période: 35 en 1831, 39 en 1852 et 34 en 1871. Le comportement des propriétaires de ce rang semble refléter les mouvements d'ensemble de la propriété dans la vallée du Gouffre au cours du siècle, qui tend à restreindre son étalement dans l'espace, mais l'exploite de manière plus intensive (figure 4.2). On peut y voir ici la manifestation d'une plus grande pression démographique sur le sol. La seconde exception est le rang Saint-Joseph, situé à l'ouest de Saint-Gabriel. Ce rang est d'occupation récente en 1871; elle a débuté après 1831. L'évolution de la taille de l'exploitation y suit le mouvement inverse de Saint-Gabriel, qui atteint un point de saturation au milieu de la période. Au même moment, l'occupation de Saint-Joseph, contigu à Saint-Gabriel, débute. Entre 1852 et 1871, la taille moyenne de la propriété et son taux de mise en valeur progressent rapidement. La taille de l'exploitation moyenne passe de 81,5 arpents en 1852 à 174,0 arpents en 1871. Le taux de mise en valeur évolue de 34,3% à 63,3% de la superficie occupée. Le territoire semble cependant atteindre rapidement un point de saturation, le nombre de propriétaires y diminuant de façon significative entre 1852 et 1871, passant de 27 à 18 déclarants en 1871[63]. Ces données suggèrent également la présence d'un processus de remembrement foncier important au cours de la période, les propriétaires restants accroissant la taille de leur propriété de façon importante.

4.1.2.2 Un schéma d'occupation influencé par les ressources du milieu

L'évolution de la propriété de ces deux rangs nous informe sur une partie de la dynamique de l'occupation du sol dans la vallée du Gouffre. Il faut cependant ici souligner la grande hétérogénéité spatiale du mouvement. La figure 4.2 tend à démontrer que l'explication de ce phénomène n'est pas que temporel et lié à un cycle démographique. Nous croyons que les possibilités du milieu jouent également un rôle important dans le mode de mise en valeur des nouveaux espaces de colonisation. Un simple examen des caractéristiques de l'évolution de la propriété des rangs d'occupation postérieure à 1831 le démontre aisément. Malgré une structure des ménages à peu près semblable, les rangs situés à l'extrême

---

63. Signalons toutefois que le recensement nominatif de 1852 est très vague concernant la localisation spatiale des déclarants, nous avons dû la déterminer à l'aide de sources secondaires, notamment le cadastre abrégé de la seigneurie de Beaupré en 1858 et le recensement nominatif de 1861.

FIGURE 4.2

***TAUX DE CROISSANCE DES PROPRIÉTÉS
BAIE-SAINT-PAUL ET SAINT-URBAIN, 1852 À 1871***

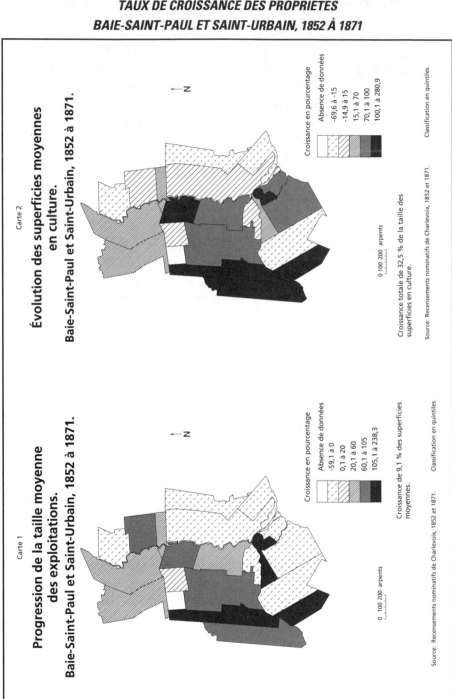

Carte 2

Évolution des superficies moyennes
en culture.
Baie-Saint-Paul et Saint-Urbain, 1852 à 1871.

Croissance en pourcentage

Absence de données
-69,6 à -15
-14,9 à 15
15,1 à 70
70,1 à 100
100,1 à 280,9

Classification en quintiles.

Croissance totale de 32,5 % de la taille des
superficies en culture.

Source: Recensements nominatifs de Charlevoix, 1852 et 1871.

Carte 1

Progression de la taille moyenne
des exploitations.
Baie-Saint-Paul et Saint-Urbain, 1852 à 1871.

Croissance en pourcentage

Absence de données
-59,1 à 0
0,1 à 20
20,1 à 60
60,1 à 105
105,1 à 238,3

Classification en quintiles.

Croissance de 9,1 % des superficies
moyennes.

Source: Recensements nominatifs de Charlevoix, 1852 et 1871.

ouest du plateau (Saint-Joseph, Saint-Flavien et Saint-Jean), à l'extrême est (regroupement du rang Sainte-Marie, Saint-Cyre et Sainte-Croix) et le rang Saint-Jérôme à Saint-Urbain présentent une évolution fort différente de la taille et de la mise en valeur de leurs propriétés. Le peuplement des rangs de l'arrière-pays de la vallée du Gouffre évolue de proche en proche, s'enfonçant de plus en plus à l'intérieur des terres. Alors que le secteur ouest voit la taille moyenne de ses exploitations et de ses superficies en culture augmenter rapidement, le côté est affiche des croissances négatives pour ces deux variables, alors que le rang Saint-Jérôme à Saint-Urbain possède une faible croissance (figure 4.2). La progression du nombre de propriétaires (figure 4.3) est également inégale. Celui du secteur ouest décroît rapidement, à l'exception de Saint-Flavien qui enregistre un taux de croissance parmi les plus élevés de l'ensemble (le nombre de propriétaires passe de 9 en 1852 à 20 en 1871). L'extrême est enregistre par contre une croissance relativement élevée de 52,9 % (17 à 26 déclarants). La croissance du rang Saint-Jérôme à Saint-Urbain est faible avec 12 % (25 à 28 déclarants). Les migrations semblent donc jouer un rôle inégal dans les différents secteurs. Les possibilités offertes par le milieu (qualité des sols et conditions agricoles générales, sources d'emplois supplémentaires, ressources naturelles – forestières notamment) expliquent probablement, en plus de la structure démographique des ménages des nouveaux occupants, les choix de ceux-ci quant aux pratiques agricoles adoptées.

Ainsi, malgré le fait que les ménages de l'est du plateau possèdent en général des superficies inférieures à la moyenne de l'ensemble et qui déclinent rapidement entre 1852 et 1871 (de 91 à 49 arpents), des superficies en cultures également sous la moyenne du secteur et en déclin (32,9 à 24,5 arpents), ainsi qu'une population en décroissance, le nombre de déclarants augmente. À l'inverse, la forte croissance de la taille de la propriété à l'ouest s'accompagne d'une diminution du nombre de déclarants. Ces schémas particuliers d'occupation territoriale témoignent probablement de choix socio-économiques qui privilégient la pluriactivité du côté est. La croissance du nombre de déclarants d'une superficie y est probablement liée à des possibilités d'emplois en dehors de l'agriculture (en forêt probablement) qui permettent à ces petits exploitants de vivre sur une terre de superficie réduite. Le côté ouest, caractérisé par un agrandissement constant des exploitations et une progression de leur taux de mise en valeur, parallèlement à une décroissance du nombre de propriétaires (à l'exception de Saint-Flavien), mise probablement davantage sur l'agriculture comme mode de subsistance. Les occupants qui n'arrivent pas à tirer leur subsistance de la terre préfèrent migrer.

Si l'on compare l'évolution de la propriété des rangs du plateau à celle des basses terres (figures 4.2 et 4.3), on remarque des oppositions marquées entre ces deux entités territoriales. La taille de la propriété agricole des basses terres, même si elle est vaste (figure 4.1) est plutôt stagnante au cours de la période. Par contre, la mise en valeur continue de progresser. On remarque un contraste entre le secteur villageois et le reste de la vallée. La propriété détenue par les gens qui résident au village ou dans ses environs (rangs de l'Église, du Bras-du-Nord-Ouest et côte du Fond) croît de manière importante au cours de la période 1852-1871. Tout porte à croire cependant que la propriété détenue par ces exploitants se situe en-dehors de ce secteur. Le taux de mise en valeur de celles-ci demeure faible, ce qui suggère des acquisitions de terres à des fins autres que l'agriculture.

Soulignons que les grandes superficies sont les plus propices à la pratique des grandes cultures céréalières qui nécessitent de grandes superficies en exploitation. La figure 4.1 montre la localisation des exploitations les plus grandes et les mieux mises en valeur des territoires de Baie-Saint-Paul et de Saint-Urbain. C'est le rang de la Batture qui possède le taux le plus important de déclarants d'une superficie classée comme grands propriétaires, alors que les deux seuls propriétaires qui y sont recensés ont des superficies occupées égales ou supérieures à 210 arpents et des superficies améliorées égales ou supérieures à 139 arpents[64]. D'une manière générale, les maximums se trouvent dans les basses terres de la vallée et sur le plateau à l'ouest de celles-ci à Saint-Gabriel et Saint-Joseph, où, comme nous le verrons, les grandes cultures céréalières sont également concentrées .

Nous pouvons donc conclure cette partie en soulignant le caractère différencié de la propriété foncière du secteur des paroisses de Baie-Saint-Paul et de Saint-Urbain au cours de la période 1831-1871. Même si, à petite échelle, la structure spatiale de la propriété reste la même au cours de la période, la dynamique de cette structure révèle des contrastes marqués entre les différents milieux géographiques et socio-économiques du secteur. D'une manière générale, les propriétés les plus grandes et les mieux mises en valeur sont concentrées dans les basses terres de la vallée du Gouffre, alors que l'arrière-pays est caractérisé par des propriétés de taille plus réduite et dont la mise en valeur est nettement moins avancée. L'évolution de la propriété à l'échelle du rang est

---

64. Pour cet exercice, nous avons extrait de la base de données les exploitants dont la superficie des terres est supérieure à la moyenne plus la moitié de l'écart-type de la distribution générale du secteur Baie-Saint-Paul et Saint-Urbain. Nous avons fait de même pour les superficies améliorées. Les superficies amélioriées répertoriées au recensement de 1871 correspondent au total des superficies en pâturages, en jardins et vergers ainsi qu'en culture énumérées au recensement de 1852.

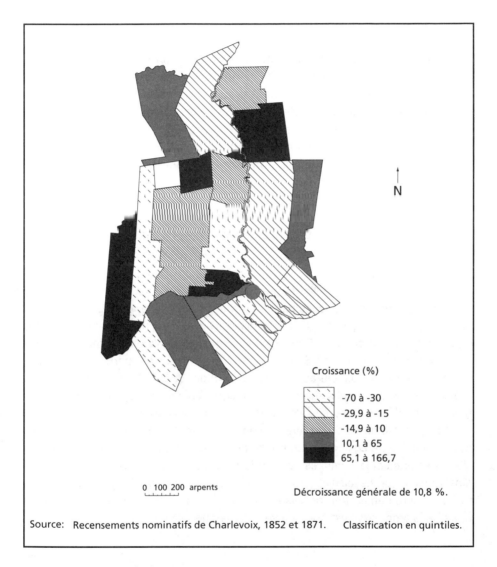

N

Croissance (%)

-70 à -30
-29,9 à -15
-14,9 à 10
10,1 à 65
65,1 à 166,7

0 100 200 arpents

Décroissance générale de 10,8 %.

Source: Recensements nominatifs de Charlevoix, 1852 et 1871.   Classification en quintiles.

cependant tributaire de nombreux facteurs qui orientent les choix socio-économiques de l'habitant. Les impératifs du mode de reproduction familiale y jouent certes un rôle important, mais la présence de certains facteurs économiques, notamment les ressources du territoire et les sources d'emplois qu'il présente, affectent également la structure foncière de ces rangs. Normand Séguin (1977: 45-51) souligne l'effet induit par l'économie agro-forestière sur l'évolution de la propriété rurale. Celle-ci permet à l'habitant de subsister sur des terres de taille réduite par le revenu supplémentaire que l'activité forestière procure au ménage. En rétroaction, l'extension du tissu agraire assure une main-d'œuvre toujours plus nombreuse au secteur forestier. Le déplacement du centre de gravité des opérations forestières entraîne l'extension dans l'espace de ce tissu agraire axé sur la subsistance de plus en plus loin sur les marges du territoire. Séguin souligne également le rôle transitoire du travail en forêt entre l'agriculture et l'emploi citadin, donc son encouragement à la mobilité géographique. Le nombre plus élevé de petites propriétés du côté est du plateau à Baie-Saint-Paul, les fortes densités d'occupation de ce secteur de même que son instabilité démographique témoignent probablement du poids de cette économie dans ce secteur.

La qualité des terroirs et l'ancienneté de leur mise en valeur favorisent la constitution de grandes exploitations. Nous avons pu constater plus haut que ces exploitations, caractérisées par une grande superficie et un taux de mise en valeur élevé, sont concentrées dans les basses terres de la partie sud de la vallée, en bordure du littoral à Baie-Saint-Paul ainsi que sur le plateau à l'ouest de cette paroisse, à Saint-Gabriel et à Saint-Joseph. Nous verrons à la partie suivante que ce secteur joue un rôle clé au plan socio-économique. Cette localisation de la grande propriété n'est pas surprenante puisque, en plus de conditions naturelles favorables à l'agriculture, ce secteur présente une plus grande cohésion sociale. Il est situé à proximité d'une aire de concentration du pouvoir social et économique. Il présente également un noyau ancien de peuplement. De plus, il est le siège des principales activités économiques du secteur, des voies de transport ainsi que du marché local et d'exportation. Tous ces facteurs favorisent la constitution et la rentabilisation de vastes propriétés agricoles, dont une part importante de la production est orientée vers le marché.

4.2 CARACTÉRISTIQUES ET STRUCTURE SPATIALE DE LA PRODUCTION AGRICOLE, ARTISANALE ET DE LA PETITE INDUSTRIE

Dans cette partie, nous présentons les principales caractéristiques de l'agriculture, de l'élevage et de quelques produits dérivés de cette agriculture (la viande, le beurre et le textile) dans Charlevoix au cours de la période 1831-1871. Nous nous attardons principalement à la composition des récoltes et des élevages, aux volumes de production et à la spatialité particulière des différents éléments de cette agriculture. Deux grands ensembles spatiaux se distinguent sous ce rapport. Ils se distinguent selon la temporalité de l'occupation des terres, de leur distance par rapport au marché et aux voies de transport ainsi que de leurs conditions biophysiques particulières. Il s'agit d'abord des basses terres du littoral et de l'axe de la vallée du Gouffre dans Baie-Saint-Paul. Le second secteur couvre le nord de la vallée du Gouffre à Saint Urbain, et les rangs du plateau intermédiaire de l'est et de l'ouest de la vallée.

4.2.1 Évolution générale des productions : une mutation de l'agriculture

D'un point de vue dynamique, signalons qu'on observe peu de changements dans la structure spatiale de la production au cours de la période, sinon que deux nouveaux secteurs d'occupation apparaissent entre 1831 et 1871. Tout comme en 1831, les récoltes les plus importantes en 1871 sont concentrées dans l'axe de la vallée du Gouffre, sur les terres qui bénéficient des meilleures conditions naturelles de la région. Cependant, la composition de la récolte change. Ce changement s'inscrit dans le contexte de la restructuration de l'agriculture bas-canadienne au milieu du XIXe siècle. Cette restructuration se voulait une réponse aux nouveaux besoins générés par les marchés urbains en expansion dans l'axe du Saint-Laurent ainsi qu'un ajustement aux fluctuations de la demande extérieure en céréales, à la suite des guerres napoléoniennes en Europe. Une série de mauvaises récoltes de blé, dues à des épidémies de parasites et des problèmes climatiques, contribuèrent également à l'abandon progressif de cette culture dans la vallée du Saint-Laurent à partir de 1815 environ (Dickinson et Young, 1992 : 156). Le volume de la production de cette céréale chute de plus de 71 % dans Baie-Saint-Paul et Saint-Urbain entre 1831 et 1871 (tableau 4.5). C'est l'avoine, le foin et surtout la pomme de terre qui prennent la relève avec des hausses de production de 155,6 % pour l'avoine et 89,3 % pour la pomme de terre au cours de la période 1831-1871. Les données pour le foin ne sont disponibles qu'à partir de 1852. Cette culture augmente cependant de 38,6 % entre 1852 et 1871. Une autre caractéristique de l'agriculture charlevoisienne du milieu du siècle est l'introduction de nouvelles cultures en plus de celles des grandes céréales et du fourrage pratiquées depuis les débuts de l'établissement. Il s'agit notamment du tabac, qui enregistre une hausse rapide entre 1852 et 1871 dans la vallée du Gouffre, de la pomme et du sucre d'érable, dont l'importance demeure toutefois négligeable dans la socio-économie globale.

Tableau 4.5

PROGRESSION DU VOLUME DES RÉCOLTES
BAIE-SAINT-PAUL ET SAINT-URBAIN, 1831 À 1871

Cultures	1831	1852	1871	Croissance 1831-1852	Croissance 1852-1871	Croissance 1831-1871
Blé (minots)	32 303,00	10 566,00	9 141,00	-67,29	-13,49	-71,70
Avoine (minots)	11 535,00	22 900,50	29 486,00	98,53	28,76	155,62
Pomme de terre (minots)	29 464,00	19 678,00	55 776,00	-33,21	183,44	89,30
Orge (minots)	6 724,00	10 460,50	5 376,00	55,57	-48,61	-20,05
Seigle (minots)	11 413,00	21 366,50	27 432,00	87,21	28,39	140,36
Pois (minots)	4 849,00	4 953,00	4 755,00	2,14	-4,00	-1,94
Blé d'Inde (minots)	3,00	20,00	140,00	566,67	600,00	4 566,67
Sarrasin (minots)	-	777,50	13 997,00	-	1 700,26	-
Foin (bottes)	-	436 954,00	605 736,00	-	38,63	-
Lin, chanvre (lb)	-	9 299,00	6 844,00	-	-26,40	-
Tabac (lb)	-	3 584,00	11 663,00	-	225,42	-
Sirop ou sucre d'érable (lb)	-	22 757,00	14 835,00	-	-34,81	-

Source: Recensements nominatifs de Charlevoix, 1831, 1852, 1871.

L'élevage charlevoisien suit le mouvement général d'expansion de la production bas-canadienne à partir de la décennie 1820-1830. Cet essor de l'élevage est lié aux besoins générés par les marchés urbains en pleine croissance (Courville, Robert et Séguin, 1995: 68-69). En 1831, l'élevage du mouton domine dans Charlevoix. Il représente 46% (18 372 bêtes) du cheptel régional, pour une moyenne de 14,2 bêtes par éleveur. Les bêtes à cornes viennent ensuite avec 9 865 têtes (une moyenne de 7 bêtes par éleveur), suivi du porc, avec 9 383 têtes pour 6,8 bêtes par éleveur. La vallée du Gouffre enregistre les moyennes maximales en nombre de moutons par éleveur, avec 23,4 bêtes à la concession de la Mare-à-la-Truite au nord du village de Baie-Saint-Paul. Ce portrait change cependant entre 1831 et 1871 alors que, d'une manière générale, l'élevage chute dans la région (tableau 4.6). Cette diminution importante semble être due en grande partie au porc dont le cheptel est amputé de près de 47% de son effectif dans la vallée du Gouffre. Seul l'élevage bovin progresse de façon significative avec une croissance de 19,1% du troupeau, toutes catégories confondues. Il semble que le fléchissement le plus marqué ait eu lieu entre 1831 et 1852, avec une légère reprise à la période suivante. Le portrait de l'élevage est donc plutôt sombre dans la vallée du Gouffre au milieu du siècle, malgré une hausse notable des superficies en pâturages et de la production de fourrage. Il est probable que ce soit le bovin qui ait bénéficié de ces améliorations.

TABLEAU 4.6

ÉVOLUTION DE LA TAILLE DES CHEPTELS
BAIE-SAINT-PAUL ET SAINT-URBAIN, 1831 À 1871

Bétail	1831		1852		1871		Croissance 1831-1852	Croissance 1852-1871	Croissance 1831-1871
	N.	%	N.	%	N.	%			
Moutons	6 089	44,33	4 922	42,04	5 295	42,77	-19,17	7,58	-13,04
Cochons	2 985	21,73	1 322	11,29	1 585	12,80	-55,71	19,89	-46,90
Chevaux	765	5,56	854	7,29	861	6,96	11,63	0,82	12,55
Bêtes à cornes (total) (a)	3 896	28,36	4 609	39,36	4 638	37,46	18,30	0,63	19,05
Taureaux, bœufs,...	-	-	1 602	13,68	-	-	-	-	-
Bœufs de travail	-	-	-	-	1 101	8,89	-	-	-
Vaches laitières	-	-	1 469	12,55	1 621	13,09	-	10,35	-
Veaux, génisses	-	-	1 538	13,14	-	-	-	-	-
Autres bovins	-	-	-	-	1 916	15,48	-	-	-
Total	13 735	100,00	11 707	100,00	12 379	100,00	-14,77	5,74	-9,87

(a) Pour cette catégorie présente en 1831, nous avons additionné, pour les années subséquentes,les catégories: taureaux et bœufs, bœufs de travail, vaches, veaux et génisses, autres bovins.

Source: Recensements nominatifs de 1831, 1852 et 1871.

Nous débuterons notre analyse de l'agriculture de la vallée du Gouffre par un examen de l'évolution des récoltes totales et des moyennes globales par culture et par élevage afin de cerner les grandes mutations de l'agriculture au cours de la période 1831-1871. Comme nous l'avons déjà mentionné, il s'agit d'une agriculture diversifiée et peu spécialisée qui repose sur l'exploitation de grandes cultures commercialisables (blé, pomme de terre, avoine, tabac, foin). L'élevage et ses produits dérivés (lait, beurre, textile, viande, volaille) viennent compléter l'éventail des revenus agricoles. La taille relativement grande des exploitations permet cette diversité des activités. Même si l'on observe parfois des seuils de production considérables pour des cultures particulières, il n'y a pas à proprement parler de spécialisation des exploitations.

L'examen des récoltes totales et des récoltes moyennes des paroisses de Baie-Saint-Paul et de Saint-Urbain entre 1831 et 1871 révèle une modification importante dans la répartition des différentes cultures au cours de la période. On remarque d'abord une chute importante de la production du blé (tableau 4.5). Les autres récoltes enregistrent par contre des hausses marquées, particulièrement la pomme de terre (après une chute momentanée au milieu de la période) et l'avoine. Les autres grandes cultures recensées en 1831 enregistrent une hausse constante. Certaines cultures recensées à partir de 1852, comme le sarrasin et le tabac, augmentent de façon fulgurante en 20 ans, avec des taux de croissance de 1700,3% pour le premier et 225,4% pour le second. La culture du foin augmente de 38,6% au cours de la même période. L'examen du volume moyen des récoltes révèle également une volonté de combler les manques à gagner du blé au milieu du siècle en intensifiant la culture d'autres plants. L'apparition du tabac et des produits de l'érable témoigne également de cette volonté.

Les cultures recensées depuis 1831 qui enregistrent les hausses les plus remarquables de leur moyenne par déclarant sont l'avoine et le seigle (tableau 4.7). Par contre, la récolte moyenne du sarrasin croît de près de 300% entre 1852 et 1871, même si la quantité totale demeure faible. Le tabac et le foin connaissent également une croissance soutenue au cours de la même période. L'observation des moyennes par période et des maximums enregistrés par culture confirme l'hypothèse d'une mutation importante de l'agriculture régionale. Celle-ci reposait essentiellement sur le blé et la pomme de terre en 1831; après cette date, le blé est abandonné au profit d'une diversification de la production, sans doute pour se ménager des portes de sorties et se prémunir contre les mauvaises récoltes, les aléas du marché et les crises périodiques. Le changement de la nature de la demande sur le marché extérieur explique également cette mutation. Les maximums démontrent la très grande variabilité des productions à l'échelle de l'exploitation, avec des chiffres de production de beaucoup supérieurs aux moyennes.

TABLEAU 4.7

ÉVOLUTION DES RÉCOLTES MOYENNES ET MAXIMALES
BAIE-SAINT-PAUL ET SAINT-URBAIN, 1831 À 1871

Cultures	1831		1852		1871		Croissance	Croissance	Croissance
	Moyenne	Maximum	Moyenne	Maximum	Moyenne	Maximum	1831-1852	1852-1871	1831-1871
Blé (minots)	99,09	532	47,45	380	29,49	200	-52,11	-37,85	-90,06
Avoine (minots)	39,10	426	56,95	800	84,49	800	45,67	48,36	94,03
Pomme de terre (minots)	78,15	1000	54,86	600	100,51	700	-29,80	83,21	53,41
Orge (minots)	24,36	250	31,05	350	20,21	120	27,46	-34,91	-7,45
Seigle (minots)	38,56	160	43,99	300	64,10	300	14,08	45,71	59,79
Pois (minots)	15,01	75	18,46	140	15,08	140	22,98	-18,31	4,67
Sarrasin (minots)	-	-	9,13	70	35,80	200	-	292,11	-
Foin (bottes)	-	-	1027,01	35000	1411,94	11900	-	37,48	-
Lin, chanvre (lb)	-	-	31,74	300	23,20	150	-	-26,91	-
Tabac (lb)	-	-	14,90	80	32,41	275	-	117,52	-
Sirop ou sucre d'érable (lb)	-	-	229,07	2000	176,61	900	-	-22,90	-

Source: Recensements nominatifs de Charlevoix, 1831, 1852, 1871.

Dans l'élevage, le cheptel global de la vallée du Gouffre chute de près de 10% entre 1831 et 1871 (tableau 4.6). La diminution maximale se situe entre 1831 et 1852 avec une perte de 14,8% du cheptel. Le même mouvement est présent dans l'évolution de la taille moyenne du cheptel, avec encore plus d'ampleur cependant (tableau 4.8). Ce fait est surprenant puisque la superficie des pâturages croît de 43,3% entre 1852 et 1871, pour une taille moyenne de 45,2 arpents en pâturage par déclarant en 1871. Nous pouvons formuler l'hypothèse que cette restructuration de l'exploitation vers de plus grandes superficies en pâturage et une diminution de la taille du troupeau vise en fait à améliorer les conditions entourant l'élevage. Il est probable que ces changements, tout comme ceux qui sont survenus dans la taille des propriétés et leur taux de mise en valeur et dans la distribution de la récolte, témoignent d'une plus grande sensibilité de l'habitant envers une saine gestion de son exploitation. Les bonnes terres sont rares dans les paroisses de Baie-Saint-Paul et de Saint-Urbain à cette époque et il devient nécessaire, pour tirer sa subsistance et assurer sa reproduction, de tirer le meilleur profit des terres disponibles. Un cheptel réduit sur une plus grande superficie en pâturage et qui dispose d'une plus grande quantité de fourrage en hiver signifie un troupeau plus sain qui a une plus grande valeur sur le marché. Toutefois, même si les troupeaux moyens demeurent de taille réduite, à l'exception du mouton qui encore en 1871 est d'une taille moyenne de 11,2 bêtes par éleveur, certains exploitants possèdent des troupeaux beaucoup plus grands. Comme nous le verrons dans la partie suivante, ces exploitants sont cependant concentrés dans des espaces précis.

TABLEAU 4.8

ÉVOLUTION DES CHEPTELS MOYENS ET DES MAXIMUMS BAIE-SAINT-PAUL ET SAINT-URBAIN, 1831 À 1871

Bétail	1831		1852		1871		Croissance 1831-1852	Croissance 1852-1871	Croissance 1831-1871
	Moyenne	Maximum	Moyenne	Maximum	Moyenne	Maximum			
Moutons	14,53	79	10,89	48	11,2	61	-25,05	2,85	-22,92
Cochons	6,49	27	2,9	50	3,13	33	-55,32	7,93	-51,77
Chevaux	1,84	11	1,94	7	1,38	5	5,43	-28,87	-25,00
Bêtes à cornes	8,18	36	-	-	-	-	-	-	-
Taureaux, bœufs,...	-	-	4,98	32	-	-	-	-	-
Bœufs de travail	-	-	-	-	3,55	16	-	-	-
Vaches laitières	-	-	2,89	14	2,74	18	-	-5,19	-
Veaux, génisses	-	-	4,16	18	-	-	-	-	-
Autres bovins	-	-	-	-	5,22	48	-	-	-

Source: Recensements nominatifs de 1831, 1852 et 1871.

Le beurre et le textile sont les produits dérivés de l'agriculture dont la production est la plus importante dans Charlevoix à partir du milieu du XIXe siècle[65]. Les productions textiles signalées aux recensements de 1852 et de 1871 sont la laine, la toile, le drap et la flanelle. L'étoffe foulée est citée au recensement de 1852 seulement. Ces produits enregistrent un forte croissance entre 1852 et 1871 dans la vallée du Gouffre. La production du drap et de la flanelle notamment triple au cours de la période alors que celle du beurre double (tableau 4.9). La laine et la toile enregistrent une croissance plus modérée avec respectivement 25,2 et 4,7 %. Cette croissance de la production se vérifie également dans les productions moyennes, avec moins d'ampleur cependant (tableau 4.10). Cette forte augmentation de la production du beurre et du textile, produits recherchés sur les marchés urbains, peut être interprétée de plusieurs façons à la lumière de cette analyse de la socio-économie de la vallée du Gouffre au XIXe siècle. Elle peut d'abord être considérée comme une tentative de la part des agriculteurs de diversifier leur source de revenus, en cette période d'incertitude économique générée par des crises ponctuelles de production et de vente des produits agricoles et de restructuration de l'agriculture bas-canadienne.

TABLEAU 4.9

PRODUCTION TOTALE DE TEXTILE, DE BEURRE, DE VIANDE ET DE POISSON PRÉPARÉ BAIE-SAINT-PAUL ET SAINT-URBAIN, 1852 ET 1871

Produits	1852	1871	Croissance 1852-1871
Textile			
Laine (lb)	12 536,75	15 699	25,22
Étoffe foulée (verges)	7 560,1	-	-
Toile (verges)	10 020,55	10 490	4,68
Drap, flanelle (verges)	7 335,5	21 299	190,36
Produits alimentaires			
Beurre (lb)	23 144	49 200	112,58
Boeufs (lb)	43 278	-	-
Lard (lb)	263 778	-	-
Poisson préparé (barils)	108	-	-

Source: Recensements nominatifs de Charlevoix, 1852 et 1871.

---

65. Ces productions ne sont pas recensées en 1831. Les productions textiles apparaissent pour la première fois au recensement de 1842. Les données du secteur de Baie-Saint-Paul et de Saint-Urbain sont toutefois manquantes à cette date.

Tableau 4.10

PRODUCTION MOYENNE DE TEXTILE, DE BEURRE, DE VIANDE ET DE POISSON PRÉPARÉ BAIE-SAINT-PAUL ET SAINT-URBAIN, 1852 ET 1871

Produits	1852		1871		Croissance
	Moyenne	Maximum	Moyenne	Maximum	1852-1871
Textile					
Laine (lb)	30,50	160,00	36,21	260	18,72
Étoffe foulée (verges)	21,06	92,00	-	-	-
Toile (verges)	39,61	134,33	32,14	108	-18,86
Drap, flanelle (verges)	22,09	96,00	50,39	320	128,11
Produits alimentaires					
Beurre (lb)	65,56	370,00	110,24	1 500	68,15
Bœufs (lb)	166,66	2 600,00			
Lard (lb)	500,00	4 700,00			
Poisson préparé (barils)	6,00	60,00	-	-	-

Source: Recensements nominatifs de Charlevoix, 1852 et 1871.

Nous pouvons également y voir une volonté d'une partie de cette société rurale de répondre aux besoins générés par les marchés urbains en expansion, tant à l'intérieur qu'à l'extérieur de la région. À ce sujet, mentionnons un effet majeur créé par ce nouveau marché urbain sur la campagne charlevoisienne du milieu du XIXe siècle: le tourisme de villégiature. Les visiteurs commencent à affluer en grand nombre dans la région à partir de la décennie 1850-1860. Une aire de villégiature de luxe avec hôtels et villas s'installe alors sur le versant de la falaise à partir de la décennie 1860-1870 et génère une demande importante en services, nourriture, hébergement, produits de l'artisanat local, etc. (voir chapitre 6) Cette nouvelle demande en denrées, conjuguée à celle du marché local et extérieur, a probablement constitué un fort incitatif à augmenter ces productions en utilisant au maximum la main-d'œuvre familiale disponible. Ainsi, la production moyenne de beurre par déclarant est passée de 65,6 à 110,2 livres entre 1852 et 1871 (tableau 4.10). Une production maximale de 1 500 livres est à noter en 1871. Celle du drap et de la flanelle passe de 22,1 à 50,4 verges, pour un maximum de 320 verges en 1871.

Nous pourrions ajouter au beurre et au textile les quantités de bœuf et de lard déclarées en 1852, le nombre de porcs, de bœufs et de moutons tués ou vendus pour la boucherie ou l'exportation en 1871, de même que le poisson préparé en 1852 et les barils de poisson divers recensés en 1871. Au chapitre des autres productions marginales déclarées par les cultivateurs figurent les pêcheries, concentrées bien sûr dans les rangs de la côte et au village. Les espèces pêchées les plus populaires sont l'anguille, la morue et la truite. On signale toutefois moins de 25 déclarants par catégorie dont la production n'excède pas 2,6 barils chacun. Par contre, quelques pêcheurs du village se démarquent nettement de l'ensemble, tel le seul déclarant de harengs qui réside au village avec une production de 500 barils en 1871. De plus, trois déclarants d'huile de poisson, également localisés au village, déclarent en moyenne 134 barils chacun.

Les habitants déclarent également des quantités variables de bois. Le plus répandu est le bois de chauffage, présent pour 474 déclarants. C'est l'une des productions les plus répandues à Baie-Saint-Paul et à Saint-Urbain. La déclaration moyenne est de 32,3 cordes par habitant, mais on remarque toutefois quelques rangs ayant des moyennes supérieures à 35 cordes. Ces secteurs sont concentrés à Saint-Urbain, au nord-est de la vallée du Gouffre, de même qu'à Sainte-Marie à l'est, au village et au rang de l'Église (figure 4.4). Les gros producteurs, ceux déclarant plus de 45,4 cordes de bois de chauffage, sont par contre concentrés à Saint-Urbain et à Sainte-Marie. Les productions moyennes de billots de pin et d'autres bois, moins répandues que le bois de chauffage (respectivement 71 et 145 déclarants) sont également nettement plus élevées à Saint-Urbain, même si les quantités demeurent somme toute marginales. Cette plus grande importance du bois dans l'économie familiale tend à démontrer la vocation plus forestière de ce secteur, particulièrement avantagé sous ce rapport. Rappelons que les rangs de Saint-Urbain possèdent les superficies effectivement en culture les plus faibles du secteur.

Une dernière source supplémentaire de revenu pour les ménages cités au recensement nominatif de 1871 est celle des fourrures. Il s'agit cependant de la production la plus marginale de cette économie, et probablement la plus aléatoire. C'est le rat musqué qu'on trouve en plus grande quantité au recensement de 1871, avec un total de 766 bêtes, déclarées par 68 individus, soit environ 11 bêtes par déclarant. Les moyennes les plus élevées sont déclarées au rang de l'Église près du village, soit 54 animaux pour les deux déclarants du secteur. Le Cap Martin dans Baie-Saint-Paul avec 27 animaux pour le seul déclarant de l'endroit affiche la seconde moyenne en importance. Le rang de la Goudronnerie affiche également une des meilleures moyennes avec 22,3 animaux pour ses quatre déclarants. Les rangs de Saint-Urbain comptent également plusieurs chasseurs de rat musqués (20 en tout contre 48 à Baie-Saint-Paul). C'est au rang du Racourcy que la moyenne est la plus considérable avec 15 bêtes prises par un seul chasseur. Après le rat musqué, c'est le vison qui rapporte le plus avec 103 bêtes prises en 1871, suivi du castor et de la martre. Toutes catégories confondues toutefois, la chasse la plus importante est faite par les habitants du rang de la Mare-à-la-Truite dans la vallée du Gouffre avec 18,2 % du total des prises (199 des 1 093 prises), suivi du rang Saint-Urbain à Saint-Urbain (15 % soit 164) et du rang des Crais-Crais, au nord-ouest de la même paroisse, à l'entrée du parc des Laurentides (11,6 % soit 127 animaux).

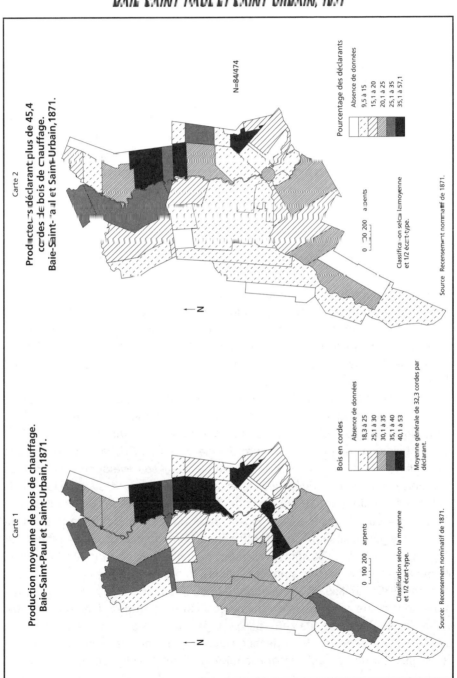

FIGURE 4.4
LA PRODUCTION DE BOIS DE CHAUFFAGE
BAIE-SAINT-PAUL ET SAINT-URBAIN, 1871

Carte 1

Production moyenne de bois de chauffage.
Baie-Saint-Paul et Saint-Urbain, 1871.

Bois en cordes

Absence de données
18,3 à 25
25,1 à 30
30,1 à 35
35,1 à 40
40,1 à 53

Moyenne générale de 32,3 cordes par déclarant.

0 100 200   arpents

Classification selon la moyenne et 1/2 écart-type.

Source: Recensement nominatif de 1871.

Carte 2

Producteurs déclarant plus de 45,4 cordes de bois de chauffage.
Baie-Saint-Paul et Saint-Urbain, 1871.

N=84/474

Pourcentage des déclarants

Absence de données
9,5 à 15
15,1 à 20
20,1 à 25
25,1 à 35
35,1 à 57,1

0 100 200   arpents

Classification selon la moyenne et 1/2 écart-type.

Source: Recensement nominatif de 1871.

L'examen de ces quelques productions à l'intérieur et en marge de l'agriculture proprement dite fournit certains indices sur la nature de la pluriactivité pratiquée sur une base individuelle ou familiale par la population des deux paroisses. Nous pouvons voir que les productions orientées vers les besoins du marché local et, dans une moindre mesure, du marché extérieur sont concentrées dans le bas de la vallée du Gouffre. La proximité de ces marchés de même que la plus grande abondance des cultures et des élevages nécessaires à leur fabrication (notamment la production laitière, l'élevage du mouton de même que la culture du lin et du chanvre) ont facilité la concentration progressive à partir du milieu du siècle de la production de ces biens et denrées dans l'axe de la vallée, où les sols de bonne qualité sont les plus abondants et où les conditions offertes à l'agriculture sont les meilleures. De plus, la proximité des axes de transport maritime et terrestre vers Québec ont certainement favorisé l'écoulement de la production. L'arrière-pays de Saint-Urbain a vu ses activités hors ferme concentrées autour du facteur de production le plus abondant et ne nécessitant pas la proximité du marché : la forêt. Même si les productions domestiques de bois sont souvent marginales, une donnée essentielle de cette économie n'est pas révélée par le recensement, celui des chantiers d'hiver. Les sources orales, l'histoire locale, le folklore et le roman citent abondamment les exemples d'habitants peinant sur leur terre à la belle saison, puis prenant la route des chantiers aussitôt la première neige tombée. Ces chantiers étaient situés pour la plupart sur la Côte-Nord et au Saguenay. La figure 4.5 montre sept chantiers forestiers le long du chemin entre le lac Nairne, au nord de La Malbaie et la Baie des Ha-Ha au Saguenay au milieu du XIXe siècle. Selon Raynold Tremblay (1977 : 126-127), la forêt constituait « la principale ressource naturelle qui rapportait des revenus à la maison » (1977 : 127). Toujours selon Tremblay, de un tiers à trois quarts des hommes étaient des habitués des chantiers d'hiver. Le géographe Raoul Blanchard dans *L'est du Canada français* (1935 : 357-359) parle également de la vocation agroforestière de Saint-Urbain au cours de la seconde moitié du XIXe siècle. Il signale que celle-ci se développe vers 1861. La demande est d'abord dirigée vers les scieries puis, plus tard, s'ajoute le bois de pulpe. Ce développement n'est pas limité qu'à Saint-Urbain puisqu'il suscite l'apparition de villages tels Saint-Fidèle, Saint-Siméon et Saint-Firmin au nordest de la région. Il souligne toutefois les effets défavorables de cette pratique sur l'agriculture : « Le bois devient la ressource qui fait entrer de l'argent à la maison, ce qui engageait d'ailleurs, sinon à négliger, du moins à ne pas améliorer l'agriculture (1935 : 357-359). » C'est peut-être là qu'il faut chercher certaines des raisons de la piètre performance agricole de Saint-Urbain de même que la faible taille des exploitations de cette paroisse par rapport à celles de la vallée du Gouffre. L'économie locale s'oriente de plus en plus vers les chantiers, sans toutefois susciter un véritable essor économique local. En plus de l'importance de

l'agriculture dans le mode de reproduction sociale, les représentations défavorables de cette activité en regard de l'idéologie agriculturiste de l'époque et la
mainmise des capitaux étrangers sur la forêt ont certainement eu pour effet
d'empêcher un tel essor.

FIGURE 4.5
ANONYME, CHARLEVOIX, S.L.S.É., 1850

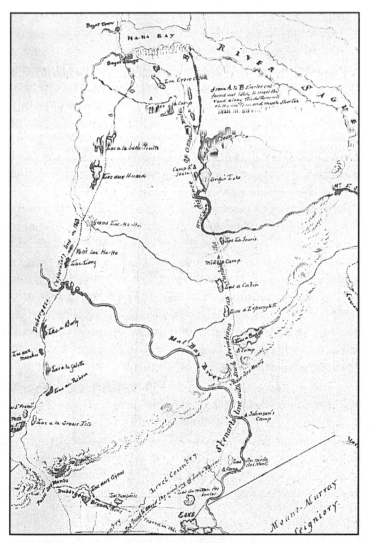

Source: Archives nationales du Canada, Ottawa, H12 320/NMC-1236.

4.2.2 La concentration de la grande production dans les basses terres

Malgré l'extension du terroir, la structure spatiale de la production dans la vallée du Gouffre change peu au cours de la période. L'analyse des données du recensement nominatif de 1831 (Villeneuve, 1992) a démontré une concentration des récoltes importantes ainsi que des plus grands troupeaux dans les basses terres de la région, plus particulièrement à proximité des villages, des moulins et des voies de transport fluvial. Dans la vallée du Gouffre, il s'agissait des rangs situés dans l'axe de la vallée et en bordure du littoral. L'examen des moyennes par rang pour 1871 de même que des producteurs excédentaires[66] confirment cette structure (figures 4.6, 4.7 et 4.8). Les moyennes de même que les récoltes importantes sont localisées pour la plupart dans l'axe de la vallée du Gouffre, sur les basses terres dont les sols sont les plus fertiles et les exploitations de taille plus considérable. Le rang de Saint-Gabriel sur le plateau se tire également assez bien d'affaire avec des moyennes élevées en tabac, pomme de terre et seigle. Cette dernière culture de même que l'orge suit une répartition spatiale différente des autres cultures. La production moyenne de seigle est en général supérieure à l'ensemble dans le centre de la paroisse de Baie-Saint-Paul, tant sur le plateau que dans les basses terres à l'exception de l'extrême sud et du secteur villageois (sauf le Cap-au-Corbeau). Toutefois les producteurs importants sont localisés à l'intérieur des basses terres, avec un débordement vers l'est à Saint-Ours et à l'extrême sud-ouest à Saint-Félix (figure 4.9). L'orge enregistre des moyennes maximales dans les nouveaux rangs d'occupation à l'ouest de la paroisse, à l'intérieur des terres ainsi que du côté est de la rivière du Gouffre et à la Goudronnerie. La concentration des gros producteurs par contre est centrée sur la vallée du Gouffre à Baie-Saint-Paul et dans les rangs Saint-Flavien et Saint-Félix au sud-ouest de la paroisse. La structure spatiale de ces deux dernières cultures en 1871 correspond également à celle que nous avons observée en 1831.

Il importe également de souligner l'importance du secteur villageois dans les cultures comme le lin et le chanvre, le sucre d'érable, le blé, la pomme de terre, le foin, le pois et l'avoine. On peut y observer une corrélation spatiale évidente avec la proximité du marché local et d'exportation, des moulins ainsi que des voies de transport fluvial et terrestre. À l'inverse, la paroisse de Saint-Urbain fait piètre figure au chapitre de la production agricole. Seul le rang Saint-Urbain enregistre des récoltes supérieures à la moyenne en blé, en foin et en

---

66. La méthode que nous avons choisie afin d'évaluer les producteurs excédentaires est de calculer ceux dont la récolte ou le cheptel est supérieur à la moyenne générale plus 1/2 écart-type de cette moyenne. Cette méthode nous permet ainsi de dégager les producteurs les plus susceptibles de commercialiser une part relativement importante de leur récolte.

FIGURE 4.6

LA PRODUCTION DE BLÉ
BAIE-SAINT-PAUL ET SAINT-URBAIN, 1871

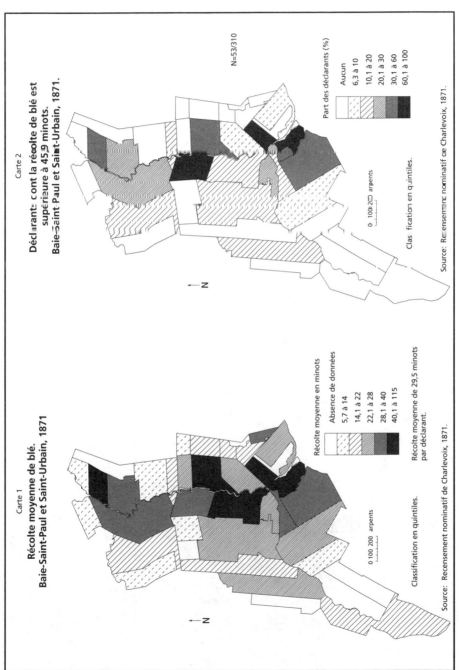

Carte 2

Déclarants dont la récolte de blé est
supérieure à 45,9 minots.
Baie-Saint-Paul et Saint-Urbain, 1871.

N=53/310

Part des déclarants (%)

Aucun
6,3 à 10
10,1 à 20
20,1 à 30
30,1 à 60
60,1 à 100

0 100 200 arpents

Classification en quintiles.

Source: Recensement nominatif de Charlevoix, 1871.

Carte 1

Récolte moyenne de blé.
Baie-Saint-Paul et Saint-Urbain, 1871

Récolte moyenne en minots

Absence de données
5,7 à 14
14,1 à 22
22,1 à 28
28,1 à 40
40,1 à 115

Récolte moyenne de 29,5 minots
par déclarant.

0 100 200 arpents

Classification en quintiles.

Source: Recensement nominatif de Charlevoix, 1871.

173

FIGURE 4.7

LA PRODUCTION D'AVOINE
BAIE-SAINT-PAUL ET SAINT-URBAIN, 1871

Carte 1

Récolte moyenne d'avoine.
Baie-Saint-Paul et Saint-Urbain, 1871

Récolte moyenne en minots

Absence de données
9 à 26
26,1 à 48
48,1 à 76
76,1 à 140
140,1 à 343,3

Récolte moyenne de 81,3 minots par déclarant.

0 100 200 arpents

Classification en quintiles.

Source: Recensement nominatif de Charlevoix, 1871.

Carte 2

Déclarants dont la récolte d'avoine est supérieure à 137,9 minots.
Baie-Saint-Paul et Saint-Urbain, 1871.

N=63/349

Part des déclarants (%)

Aucun
7,1 à 18
18,1 à 25
25,1 à 35
35,1 à 55
55,1 à 66,7

0 100 200 arpents

Classification en quintiles.

Source: Recensement nominatif de Charlevoix, 1871.

174

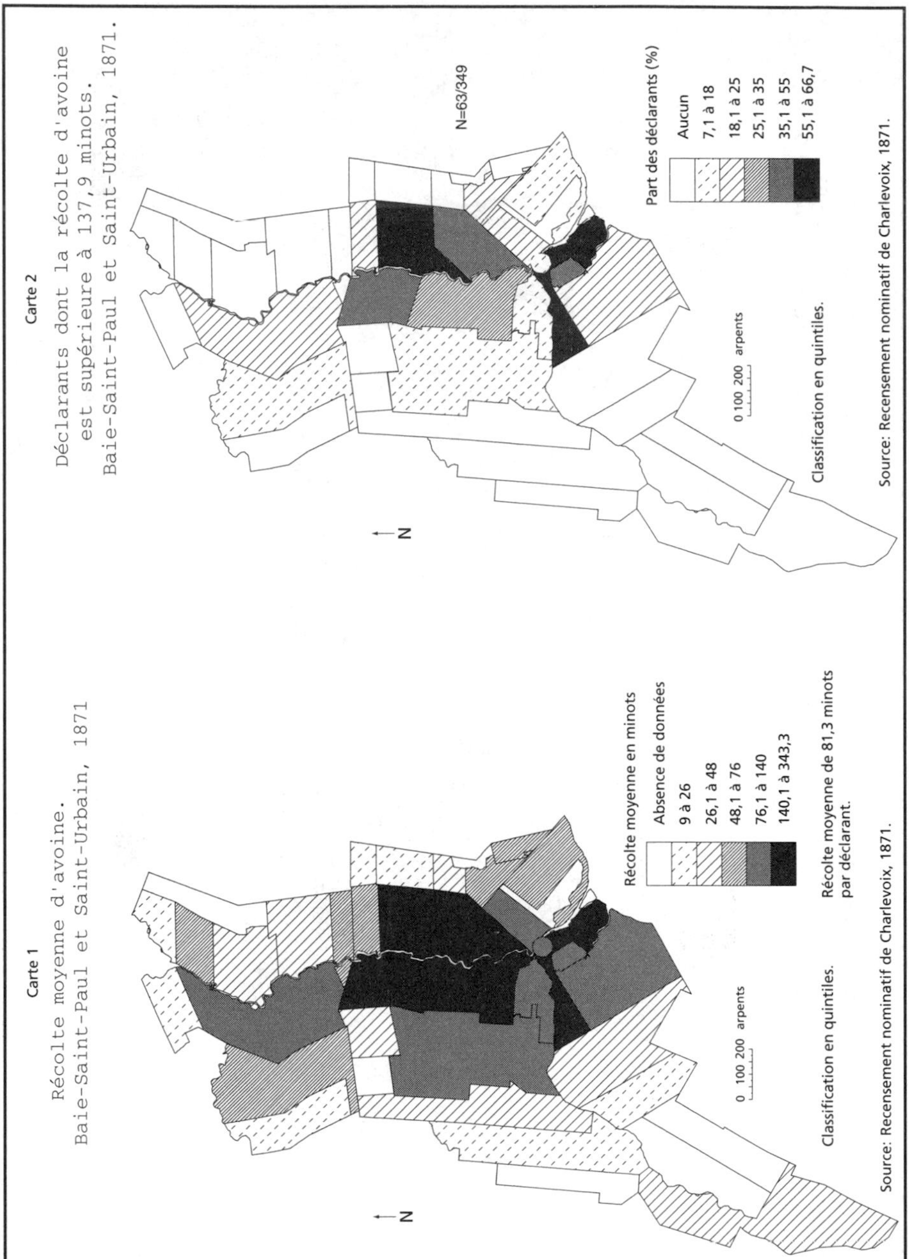

FIGURE 4.8

LA PRODUCTION DE POMMES DE TERRE
BAIE SAINT PAUL ET SAINT URBAIN, 1871

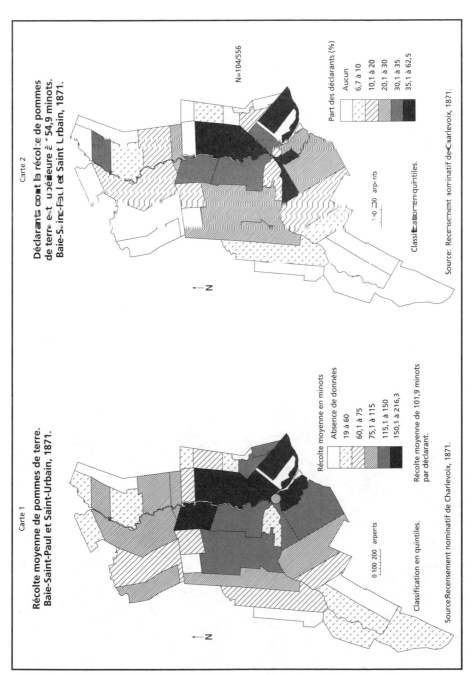

Carte 2

Déclarants dont la récolte de pommes de terre est supérieure à 54,9 minots. Baie-Saint-Paul et Saint Urbain, 1871.

N=104/556

Part des déclarants (%)

Aucun
6,7 à 10
10,1 à 20
20,1 à 30
30,1 à 35
35,1 à 62,5

1 100 200 arpents

Classification en quintiles.

Source: Recensement nominatif de Charlevoix, 1871.

Carte 1

Récolte moyenne de pommes de terre. Baie-Saint-Paul et Saint-Urbain, 1871.

Récolte moyenne en minots

Absence de données
19 à 60
60,1 à 75
75,1 à 115
115,1 à 150
150,1 à 216,3

Récolte moyenne de 101,9 minots par déclarant.

0 100 200 arpents

Classification en quintiles.

Source: Recensement nominatif de Charlevoix, 1871.

175

FIGURE 4.9

LA PRODUCTION DE SEIGLE
BAIE-SAINT-PAUL ET SAINT-URBAIN, 1871

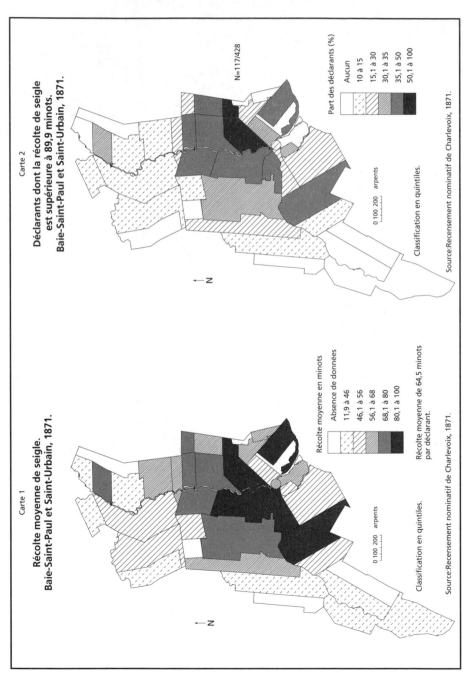

Carte 1

Récolte moyenne de seigle.
Baie-Saint-Paul et Saint-Urbain, 1871.

Récolte moyenne en minots

Absence de données

11,9 à 46
46,1 à 56
56,1 à 68
68,1 à 80
80,1 à 100

Récolte moyenne de 64,5 minots
par déclarant.

0 100 200 arpents

Classification en quintiles.

Source:Recensement nominatif de Charlevoix, 1871.

Carte 2

Déclarants dont la récolte de seigle
est supérieure à 89,9 minots.
Baie-Saint-Paul et Saint-Urbain, 1871.

N=117/428

Part des déclarants (%)

Aucun

10 à 15
15,1 à 30
30,1 à 35
35,1 à 50
50,1 à 100

0 100 200 arpents

Classification en quintiles.

Source:Recensement nominatif de Charlevoix, 1871.

pois qui sont cultivés avec un certain succès. Si l'on considère toutefois les difficultés de commercialisation que connaît le blé à partir de la décennie 1830-1840 et de la chute des volumes de production, il est probable que cette céréale n'a pas pu assurer la subsistance des ménages de ce secteur. Quant aux pois, ils constituent une culture marginale tout au long de la période, même si quelques cultivateurs ont des productions appréciables. Les ménages de Saint-Urbain devaient donc s'en remettre à des activités autres que l'agriculture afin d'assurer leur subsistance et leur reproduction.

La répartition des gros cultivateurs vient appuyer la structure spatiale de la production moyenne. Nous avons effectué le calcul des gros producteurs agricoles de la même façon que pour le recensement de 1831, en considérant les producteurs dont la récolte est supérieure à la moyenne plus 1/2 écart-type de celle-ci. Cette méthode présente le double avantage d'être uniforme d'un traitement à l'autre et de s'adapter aux seuils de production, qui varient considérablement au cours de la période. Pour le blé par exemple, le seuil des gros producteurs était de 132,7 minots en 1831, alors qu'en 1871 il n'est que de 46 minots, la moyenne et l'écart-type de l'ensemble des producteurs de la vallée du Gouffre étant considérablement réduits en fin de période. Les pourcentages globaux de gros producteurs par rapport à l'ensemble demeurent comparables entre les trois recensement, avec environ 22 % du nombre total de producteurs pour chacun des produits. Ils représentent toutefois plus du double de leur poids dans la récolte avec environ 50 % de celle-ci (tableau 4.11). Le poids des rangs de la vallée du Gouffre émerge également dans les chiffres. Les gros producteurs de ce secteurs représentent au long de la période 8,4 % à 13 % du nombre total de producteurs, mais ils assurent entre 17,8 % et 28,1 % de la récolte totale. Les taux les plus bas sont enregistrés en 1852. À noter cependant la performance des gros producteurs localisés au village. Ils ne représentent que 2,1 % du total des déclarants, mais ils produisent trois fois leur poids dans la récolte en 1871 avec 6,2 % en moyenne de la récolte totale.

TABLEAU 4.11

PART DES GROS CULTIVATEURS DANS LA PRODUCTION TOTALE ET LES CHEPTELS
BAIE-SAINT-PAUL ET SAINT-URBAIN, 1871

Productions	Village		Bas de la Baie		Vallée du Gouffre		Rangs 1831-1852		Rangs 1852-1871		Total	
	déclarants %	production %	déclarants %	production %	déclarants %	production %	déclarants %	production %	déclarants %	production %	déclarants %	production %
Blé > 45,9 minots	1,29	5,27	3,87	11,31	8,39	25,18	2,58	5,49	0,97	3,34	17,10	50,60
Avoine > 137,9 minots	2,29	8,26	4,01	11,49	8,02	24,31	3,72	10,03	0,00	0,00	18,05	54,09
Pomme de terre > 154,9 minots	2,34	7,80	4,14	12,21	7,55	17,75	4,14	9,86	0,54	1,21	18,71	48,83
Orge > 29,9 minots	3,76	10,34	0,75	1,23	7,52	16,89	5,26	15,22	3,38	8,61	20,68	52,29
Seigle > 89,9 minots	1,17	3,13	4,21	8,37	14,72	29,82	6,31	12,16	0,93	1,88	27,34	55,36
Pois > 23,9 minots	1,90	9,00	2,86	5,95	11,43	27,84	3,49	11,90	0,63	1,37	20,32	56,07
Foin > 2 241,9 bottes	1,64	5,12	4,44	11,67	10,51	30,11	3,27	7,84	0,00	0,00	19,86	54,74
Tabac > 50,9 livres	1,11	3,69	1,95	7,29	8,36	25,06	3,06	7,31	0,28	0,49	14,76	43,84
Lin, chanvre > 31,9 livres	1,69	4,62	2,03	4,54	13,22	25,72	5,42	11,56	1,02	1,53	23,39	47,97
Vaches laitières > 3	2,54	5,43	4,74	11,17	15,57	29,67	5,25	9,62	1,02	1,85	29,10	57,74
Cochons > 3	2,77	7,00	4,55	8,08	18,38	31,55	6,52	10,79	1,78	2,65	33,99	60,06
Moutons > 15	2,75	5,67	4,23	8,42	16,28	33,94	4,86	9,61	0,42	0,72	28,54	58,36
Beurre > 166,9 livres	2,99	7,83	5,05	15,60	8,04	18,51	3,55	6,99	0,37	0,69	20,00	49,62
Laine > 52,9 livres	2,29	6,50	4,16	9,50	12,47	27,76	4,16	9,46	0,21	0,32	23,28	53,54
Drap, flanelle > 79,9 verges	1,91	6,00	3,40	8,07	8,70	18,82	3,61	7,58	0,42	0,74	18,05	41,21
Toile > 41,9 verges	1,18	1,96	3,82	7,66	12,06	23,28	6,76	13,41	1,18	1,78	25,00	48,09
Moyenne	2,10	6,10	3,64	8,91	11,33	25,39	4,50	9,93	0,82	1,70	22,39	52,03

Source: Recensement nominatif de Charlevoix, 1871.

La structure spatiale de l'élevage est corrélée avec celle de l'agriculture, comme le démontrent les figures 4.10 et 4.11 qui illustrent la répartition spatiale de l'élevage du mouton et des vaches laitières en 1871. Les troupeaux de taille plus importante sont également concentrés sur les basses terres de la vallée du Gouffre, particulièrement dans les secteurs au nord du village, soit à la Mare-à-la-Truite et à la Goudronnerie, avec des proportions de gros éleveurs oscillant entre 30 % et 68 %. Le rang Saint-Gabriel à l'ouest présente également des proportions élevées de gros éleveurs. La paroisse de Saint-Urbain affiche un portrait plus favorable au chapitre de l'élevage que de l'agriculture. Le porc particulièrement semble faire l'objet d'un élevage important. Les vaches laitières y sont également parmi les plus nombreuses. Le nombre de bœufs de travail est également supérieur à la moyenne au rang Saint-Urbain. À l'exception du porc toutefois, l'élevage ne semble pas faire l'objet d'un commerce intensif dans cette paroisse. Celui-ci est encore une fois concentré à Baie-Saint-Paul.

L'examen des données concernant le nombre d'animaux tués ou vendus pour l'exportation permet de constater que le porc est l'objet de la consommation et de la commercialisation les plus intenses, ceci en raison de la faible taille des troupeaux moyens, qui suggèrent une production souvent orientée vers la subsistance. Les ménages de Baie-Saint-Paul et de Saint-Urbain déclarent avoir tué ou vendu en 1871 plus de porcs qu'ils ne déclarent en posséder au moment du recensement. C'est au centre de la paroisse de Baie-Saint-Paul et au sud du village au rang de la Batture que cette production est la plus importante, là même où sont concentrés les plus gros cheptels. Dans ce secteur, on déclare avoir tué ou vendu de 4,1 à 8,5 porcs en moyenne par déclarant. L'exploitant se départit également d'un peu plus de la moitié de son troupeau de mouton. C'est dans la vallée du Gouffre à Baie-Saint-Paul et à proximité du village, ainsi qu'à Saint-Gabriel à l'ouest qu'on trouve le nombre le plus important de moutons tués ou vendus. Les bovins viennent ensuite avec 38 % du cheptel de bœufs, taureaux et veaux éliminés ou encore vendus par rapport au cheptel total. C'est également dans la vallée du Gouffre à Baie-Saint-Paul que l'on produit le plus de bœuf de boucherie, là où les troupeaux sont les plus grands. Cette part est tout de même faible avec en moyenne seulement 2,6 animaux tués par déclarant, comparativement à 3,3 porcs et 6,7 moutons.

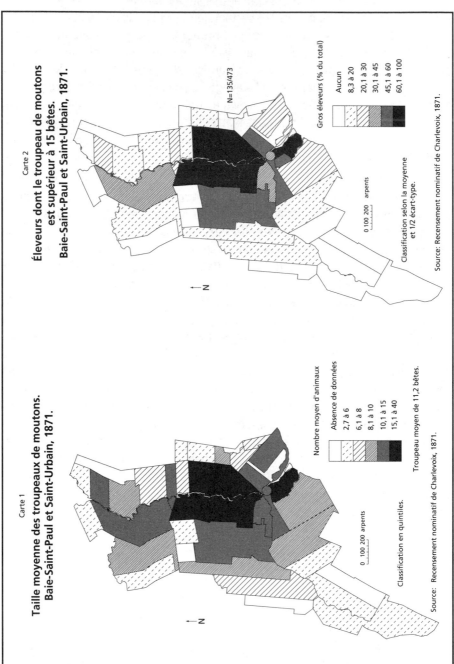

FIGURE 4.10

L'ÉLEVAGE DU MOUTON
BAIE-SAINT-PAUL ET SAINT-URBAIN, 1871

Carte 2

Éleveurs dont le troupeau de moutons est supérieur à 15 bêtes.
Baie-Saint-Paul et Saint-Urbain, 1871.

N=135/473

Gros éleveurs (% du total)

Aucun
8,3 à 20
20,1 à 30
30,1 à 45
45,1 à 60
60,1 à 100

0 100 200   arpents

Classification selon la moyenne et 1/2 écart-type.

Source: Recensement nominatif de Charlevoix, 1871.

Carte 1

Taille moyenne des troupeaux de moutons.
Baie-Saint-Paul et Saint-Urbain, 1871.

Nombre moyen d'animaux

Absence de données
2,7 à 6
6,1 à 8
8,1 à 10
10,1 à 15
15,1 à 40

Troupeau moyen de 11,2 bêtes.

0 100 200 arpents

Classification en quintiles.

Source: Recensement nominatif de Charlevoix, 1871.

FIGURE 4.11

L'ÉLEVAGE DES VACHES LAITIÈRES

BAIE-SAINT-PAUL ET SAINT-URBAIN, 1871

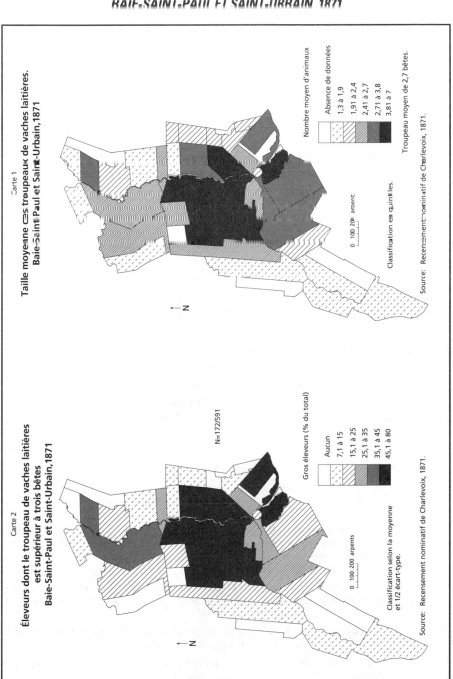

Carte 1

Taille moyenne des troupeaux de vaches laitières.
Baie-Saint-Paul et Saint-Urbain, 1871

Nombre moyen d'animaux

- Absence de données
- 1,3 à 1,9
- 1,91 à 2,4
- 2,41 à 2,7
- 2,71 à 3,8
- 3,81 à 7

0 100 200 arpent

Classification en quintiles.

Troupeau moyen de 2,7 bêtes.

Source: Recensement nominatif de Charlevoix, 1871.

Carte 2

Éleveurs dont le troupeau de vaches laitières
est supérieur à trois bêtes
Baie-Saint-Paul et Saint-Urbain, 1871

N=172/591

Gros éleveurs (% du total)

- Aucun
- 7,1 à 15
- 15,1 à 25
- 25,1 à 35
- 35,1 à 45
- 45,1 à 80

0 100 200 arpents

Classification selon la moyenne
et 1/2 écart-type.

Source: Recensement nominatif de Charlevoix, 1871.

Ces productions maximales et, en corollaire, la presque totalité des surplus sont le fait des cultivateurs. Leur part diminue toutefois au cours de la période. Nous avons regroupé et traité les gros volumes de production de même que les cheptels maximums par ménage, afin d'obtenir un portrait de la grande production à l'échelle individuelle[67]. En 1831, les cultivateurs représentent 92,7 % des 233 gros producteurs de diverses cultures et élevages (tableau 4.12). Les autres groupes représentés[68] sont très marginaux. En 1871, la part des cultivateurs diminue légèrement, avec 88,5 % des 323 gros producteurs dont la profession est connue. Ce sont les artisans qui représentent le second groupe avec 5,3 % du total, suivi des petits commerçants avec 2,2 %[69]. La croissance de la part des artisans dans la production des surplus agricoles fait écho à leur croissance numérique sur le territoire. En 1831, on en compte 38 pour 7,3 % du total des déclarants de profession, alors qu'ils sont au nombre de 89 et représentent 8,8 % des déclarants de profession en 1871. Ils sont numériquement plus nombreux dans les rangs, mais ils constituent une part importante de la main-d'œuvre du village[70]. L'importance des petits commerçants diminue sensiblement. Leur proportion passe de 2,6 % à 2,2 % chez les gros cultivateurs. Cette diminution est liée à leur décroissance dans la propriété foncière. Les manœuvres, formés majoritairement de journaliers, enregistrent également une diminution de leur importance dans la récolte, passant de 2,2 % à 1,2 % de la part des gros producteurs. Nous pouvons y voir une orientation de plus en plus marquée de leurs activités vers les emplois non agricoles à partir du milieu du siècle. Le groupe des membres des professions libérales et des services spécialisés voit sa part augmenter. De 0,9 % leur proportion passe à 1,9 % des gros producteurs. Il faut peut-être y constater la conséquence de la croissance du prestige social de ce groupe à partir de la décennie 1840-1850 en milieu rural et leur implication active dans la promotion de la colonisation et de l'agriculture.

---

67. Les variables que nous avons considéré pour cet exercice sont le blé, l'avoine, la pomme de terre, le seigle, l'orge, le pois, le foin, le tabac, le lin et le chanvre, les troupeaux de vaches laitières, le mouton, le porc, la production de toile, flanelle, laine, beurre et bois de chauffage.

68. Il s'agit des petits commerçants avec 2 % du total, des artisans et des manœuvres représentant chacun 1 % du total, et des membres des professions libérales et services spécialisés avec 0,9 %.

69. 8,6 % des gros producteurs de 1871 sont de profession indéterminée. Plusieurs comptent cependant dans leur ménage au moins un cultivateur.

70. Ils représentent 22,6 % à 24,1 % de la main-d'œuvre du village tout au long de la période.

Cette évolution du profil socioprofessionnel des plus grands producteurs établit une influence des modifications profondes qui prennent place dans la socio-économie bas-canadienne en général au milieu du XIX° siècle. La grande production agricole, même si elle demeure concentrée entre les mains des agriculteurs, devient également le fait d'un nombre de plus en plus grand d'artisans et de membres de la petite bourgeoisie rurale. Ce phénomène témoigne de la place croissante qu'occupent ces groupes socioprofessionnels dans la socio-économie rurale. La diminution sensible de la part des manœuvres de la grande production agricole révèle également le détachement progressif de cette part de la main-d'œuvre de l'emploi agricole et en conséquence de leur dépendance de plus en plus grande envers l'emploi industriel.

TABLEAU 4.12

GROS PRODUCTEURS PAR CATÉGORIES PROFESSIONNELLES BAIE-SAINT-PAUL ET SAINT-URBAIN, 1831 ET 1871

Catégories	1831		1871	
professionnelles	N.	%	N.	%
Cultivateurs, éleveurs et assimilés	216	92,70	286	88,54
Artisans	4	1,72	17	5,26
Petits commerçants	6	2,58	7	2,17
Professions libérales et serv. spéc.	2	0,86	6	1,86
Manœuvres	5	2,15	4	1,24
Autres professions	-	-	3	0,93
Total	233	100	323	100

Note : 31 gros producteurs sont de profession indéterminée en 1871.
Ils représentent 9,6 % des déclarants.
Source : Recensements nominatifs de Charlevoix, 1831 et 1871.

4.2.3 La concentration des surplus chez une faible proportion d'agriculteurs

Une autre caractéristique de la grande production est sa concentration spatiale. À cette fin, nous avons analysé la grande production à l'échelle du rang et à l'échelle de l'exploitation. Nous avons construit un indice permettant de rendre compte du poids individuel des producteurs par rapport à l'ensemble des surplus. Nous avons sélectionné 17 variables qui représentent les grandes cultures, les élevages et certains produits résultant d'une transformation de la production

FIGURE 4.12

RÉPARTITION DE LA RÉCOLTE
BAIE-SAINT-PAUL ET SAINT-URBAIN, 1871

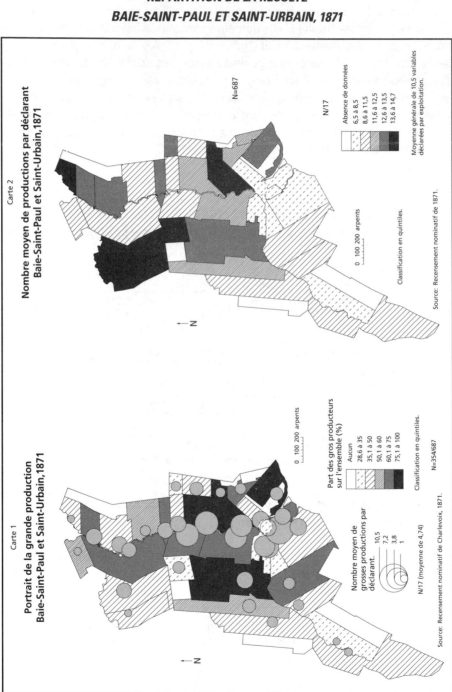

Carte 2

Nombre moyen de productions par déclarant
Baie-Saint-Paul et Saint-Urbain, 1871

N=687

N/17

0   100 200 arpents

Absence de données
6,5 à 8,5
8,6 à 11,5
11,6 à 12,5
12,6 à 13,5
13,6 à 14,7

Moyenne générale de 10,5 variables
déclarées par exploitation.

Classification en quintiles.

Source: Recensement nominatif de 1871.

Carte 1

Portrait de la grande production
Baie-Saint-Paul et Saint-Urbain, 1871

0   100 200 arpents

Part des gros producteurs
sur l'ensemble (%)

Aucun
28,6 à 35
35,1 à 50
50,1 à 60
60,1 à 75
75,1 à 100

Classification en quintiles.

N=354/687

Nombre moyen de
grosses productions par
déclarant.
10,5
7,2
3,8
1

N/17 (moyenne de 4,74)

Source: Recensement nominatif de Charlevoix, 1871.

première comme le beurre et le textile[71]. Nous avons évalué pour chacun des gros producteurs le nombre de variables parmi les 17 considérées qui se situent au dessus de la moyenne plus 1/2 écart type par rapport à l'ensemble des déclarants (n/17). Nous avons associé ce rapport au pourcentage d'individus déclarant au moins une grande production sur tous les déclarants à la figure 4.12, carte 1. Ce jumelage nous permet à la fois de constater la part occupée par les déclarants d'au-moins une grande production par rapport à l'ensemble des déclarants du rang, ainsi que le poids relatif de ces gros producteurs dans les surplus. De plus, la variable nombre moyen de grosses productions par déclarant (n/17) donne une idée du type d'agriculture pratiquée selon les différents secteurs des deux paroisses et de son degré de diversité en comparant cette variable à celle de la carte 2, qui illustre la même donnée, toutes catégories de producteurs confondues.

Ainsi, nous pouvons aisément voir la concentration spatiale des gros producteurs au centre du territoire, dans la vallée du Gouffre. Le rang Sainte-Marie paraît avoir un poids important au chapitre des déclarants de grande production. Il faut toutefois souligner que seulement huit ménages occupent ce rang. L'examen des cercles qui représentent le nombre moyen de variables dont la production est supérieure à la moyenne révèle par contre le poids beaucoup plus grand des rangs du bas de la vallée du Gouffre et des rangs situés dans l'axe de celle-ci. En plus de révéler la concentration spatiale des surplus aux mains d'un petit nombre de producteurs, ces variables démontrent également la plus grande spécialisation de ces exploitations.

La pauvreté agricole de l'arrière-pays transparaît également. Ces rangs possèdent peu de gros producteurs. Les quelques-uns qu'on y trouve ne déclarent une récolte supérieure à la moyenne plus 1/2 écart-type que pour une seule production la plupart du temps, contre sept à 10 pour les producteurs des rangs de la vallée du Gouffre. De plus, certains de ces rangs, dont ceux de Saint-Urbain notamment, affichent une diversité de la récolte plus prononcée que l'ensemble, mais, en corollaire, très peu de grandes productions. Les exploitants de ces rangs (particulièrement à Saint-Thomas, à Saint-Jérôme, au Racourcy, au Cran Blanc et à la Décharge) déclarent une récolte pour 12,6 à 14,7 des 17 produits traités en moyenne. C'est Saint-Jérôme à l'ouest du rang Saint-Urbain qui détient le maximum. Ces rangs semblent pratiquer une agriculture davantage orientée vers la subsistance des ménages.

---

71. Les variables que nous avons considéré pour cet exercice sont le blé, l'avoine, la pomme de terre, le foin, le tabac, l'orge, le seigle, les pois, les troupeaux de vaches laitières, de cochons, de moutons, la production de lin et de chanvre, de beurre, de laine, de drap et de flanelle, de toile et de bois de chauffage.

Cette analyse à l'échelle globale et individuelle de la grande production révèle un fait important: même chez les propriétaires des exploitations les plus prospères, l'agriculture telle qu'elle est pratiquée en 1871 l'est toujours dans une optique de pluriactivité et non d'agriculture spécialisée de type capitaliste. L'agriculteur de Baie-Saint-Paul vise à diversifier au maximum ses sources de revenus en faisant appel, lorsque les conditions le permettent, aux différents produits que peut générer son exploitation. Cette concentration de la production est également révélée par la forte corrélation spatiale observée entre l'élevage du mouton, la culture du lin et du chanvre et la production textile. Ces données révèlent des coefficients de corrélation supérieurs à 0,8[72]. Dans le cas des grands troupeaux de moutons et de la production de laine, la corrélation spatiale est de 0,97. La corrélation spatiale entre les propriétaires de troupeaux de vaches laitières dont le nombre est supérieur à 3 et les producteurs déclarant plus de 166,9 livres de beurre est de 0,9. Les taux de corrélation les plus élevés sont encore une fois concentrés dans le bas et au centre de la vallée du Gouffre, où les déclarants des deux productions sont à peu près les mêmes. La propriété des équipements industriels est également révélatrice à ce sujet (figure 4.13). Ces équipements[73] sont majoritairement détenus par de grands propriétaires terriens qui ajoutent ainsi une source de revenus supplémentaire à leur exploitation.

Une évaluation des surplus de la production de blé en 1831 (Villeneuve, 1992: 221-223) avait permis d'établir leur volume à 32 397 minots pour l'ensemble de la région, ce qui représentait un peu moins du tiers (32,1%) de la récolte totale. Il faut dire cependant que 1831 fut une année agricole exceptionnelle et que les récoltes furent supérieures à la moyenne. Le secteur du nord-est de la rivière du Gouffre, aux environs du Cap-Martin et de Sainte-Croix était alors en troisième position avec un surplus évalué à 3 478,8 minots. La Mare-à-la-Truite dans la vallée du Gouffre a également enregistré un des plus importants surplus avec 2 637,5 minots. Les autres secteurs de la vallée du Gouffre avaient une production nettement moins considérable au chapitre du blé. Il s'est avéré plus difficile d'évaluer les surplus de production pour les années 1852 et 1871. Très peu d'études ont été faites sur les seuils de subsistance et de commercialisation des différentes denrées pour cette période. Nous avons donc

---

72. Nous avons calculé des coefficients de corrélation par rang de Spearman pour les variables indépendantes suivantes: les éleveurs de moutons dont le cheptel est supérieur à 15 bêtes et les gros producteurs de laine (> 52,9 livres) ainsi que les gros éleveurs de moutons avec les producteurs de plus de 79,9 verges de flanelle. Nous avons également corrélé la culture du lin et du chanvre dont la récolte est supérieure à 31,9 livres avec la production de toile supérieure à 41,9 verges.

73. Moulins à farine, à scie, à fouler et à carder de même que les fours à chaux et les tanneries.

procede de maniere statistique pour évaluer approximativement le volume de
ces surplus. Pour cet exercice, nous avons extrait la part de la production effectivement supérieure a la moyenne plus 1/2 écart-type de celle-ci pour les productions choisies (tableau 4.13). Nous pouvons en effet postuler que les pro
ductions dont le volume excède la moyenne générale fournissent une part
excédentaire au producteur, après la consommation domestique et les prélève-
ments divers effectués sur la récolte (dîme, semences, droit de mouture, etc.).
La part moyenne des productions qu'on pourrait qualifier d'excédentaire est
d'environ 20% de la production totale en 1871. Ce nombre varie toutefois d'une
production à l'autre. Alors que celle-ci n'est que de 12,2% pour le bois de chauffage, elle s'élève à 27,5% pour le porc. En nombre absolu, ces chiffres sont parfois importants, comme dans le cas du beurre, où le surplus serait d'environ
11 423,7 livres. Le foin et la pomme de terre présentent également des surplus
importants en 1871, avec respectivement 141 015,5 bottes et 11 120,4 minots.
Nous n'observons pas d'écart significatif entre ces données et celles de 1852 et
1831. Les nombres absolus varient selon les conditions agricoles annuelles,
mais tout au long de la période, les surplus constituent près de 20% de la production. Quant à la spatialité de la production, elle est le fait des gros producteurs concentrés dans l'axe de la vallée du Gouffre qui, bon an mal an, assurent
près de la moitié de la production totale des deux paroisses.

TABLEAU 4.13

PART DES SURPLUS DANS LA PRODUCTION TOTALE
BAIE-SAINT-PAUL ET SAINT-URBAIN, 1871

Productions	Surplus	Production totale	% production totale
Blé > 45,9 minots	2 192,30	9 141	23,98
Avoine > 137,9 minots	7 260,30	29 486	24,62
Pomme de terre > 154,9 minots	11 128,40	55 776	19,95
Orge > 29,9 minots	1 166,50	5 376	21,70
Seigle > 89,9 minots	4 668,70	27 432	17,02
Pois > 23,9 minots	1 136,40	4 755	23,90
Foin > 2 241,9 bottes	141 015,50	605 736	23,28
Tabac > 50,9 livres	2 415,30	11 663	20,71
Cochons > 3	436,00	1 585	27,51
Moutons > 15	1 065,00	5 295	20,11
Lin, chanvre > 31,9 livres	1 081,90	6 844	15,81
Beurre > 166,9 livres	11 423,70	59 010	19,36
Laine > 52,9 livres	3 407,20	17 431	19,55
Drap, flanelle > 79,9 verges	3 000,50	23 759	12,63
Toile > 41,9 verges	1 700,50	10 943	15,54
Bois de chauffage > 45,4 cordes	1 873,40	15 328	12,22
Moyenne	-	-	19,87

Source : Recensement nominatif de Charlevoix, 1871.

4.2.4 La structure socio-économique tributaire des ressources du territoire

Une structure spatiale de l'agriculture se dessine donc à partir du début de la décennie 1830-1840. Tout au long de la période, un clivage se définit entre l'agriculture pratiquée dans les basses terres, qui jouissent des conditions naturelles les plus favorables et d'un niveau de mise en valeur plus avancé des terres par rapport aux nouveaux rangs d'occupation. Ceux-ci sont situés sur le plateau de l'arrière-pays charlevoisien et leur occupation débute à partir de la décennie 1820-1830. Non seulement la qualité des terres contribue à ce contraste territorial, mais également les étapes de leur mise en valeur agricole dans les nouvelles aires de colonisation conjuguées à celles du cycle de la reproduction familiale en milieu rural. Les ressources du territoire, les emplois disponibles de même que la proximité des marchés et des voies de communication ont également eu un impact sur cette structure.

Malgré une stabilité spatiale apparente de l'agriculture dans Baie-Saint-Paul et Saint-Urbain, l'examen attentif de l'évolution des superficies des exploitations, des niveaux de production et des espèces cultivées révèlent une mutation profonde de l'agriculture de ce secteur. D'abord, une adaptation à la demande sur le marché local et extérieur commande l'abandon progressif de certaines cultures (le blé principalement) au profit d'autre cultures comme l'avoine, la pomme de terre et le fourrage. Les mutations observées dans la taille des exploitations et leur taux de mise en valeur semblent avoir eu un plus grand impact sur les exploitations des basses terres de la vallée, où les terres commencent à manquer. La croissance des superficies des pâturages, également plus marquée dans les basses terres, parallèlement à la diminution de la taille des troupeaux, semble traduire une amélioration des conditions de l'élevage. Ce sont encore une fois les exploitations des basses terres qui semblent avoir suivi ce processus de façon plus assidue. Les nouveaux rangs d'occupation du plateau affichent un net retard par rapport à ces changements, dû vraisemblablement au caractère récent des défrichements et aux étapes du cycle de la reproduction familiale, qui commande une logique de mise en valeur différente des terres. D'abord, l'exploitation y est en général de taille plus réduite. Il s'agit souvent du premier établissement d'un jeune ménage. Peu d'enfants sont disponibles pour les travaux de la terre et les distances par rapport au marché et aux aires de services sont plus grandes. Certaines études ont démontré que les premières années, les terres étaient semées en blé sur la plus grande partie des défrichements, alors que la terre offre les meilleurs rendement pour cette céréale, et qu'elle permet une plus grande commercialisation de la récolte. Les récoltes élevées en blé des rangs défrichés plus récemment sur le plateau confirment cette hypothèse. Le bois fait également l'objet d'une commercialisation.

Les troupeaux sont plus réduits, en raison des faibles superficies disponibles pour les pâturages et du coût du fourrage.

On remarque dans un net retard de l'agriculture dans les rangs rustiques entre 1831 et 1852 par rapport aux basses terres qui perdure en 1871. De plus, les densités d'occupation y demeurent réduites. La faible productivité des terres de l'arrière-pays et, en conséquence, le fort taux d'émigration de ces secteurs sont ici en cause. Ces zones sont caractérisées par une socio-économie qui se situe en marge de celle des basses terres et qui repose sur une agriculture qui génère peu de surplus. Les ménages de ces secteurs comptent de plus en plus, à partir de la seconde moitié du siècle, sur l'emploi à l'extérieur de la ferme, dans les chantiers forestiers notamment, situés souvent à l'extérieur de la région. Ces migrations saisonnières, qui se muent parfois en migrations définitives, sont le fait des chefs de ménages et des fils en âge de travailler. L'argent ainsi recueilli est, selon toute probabilité, destiné à l'établissement futur de ces fils en agriculture, soit ailleurs dans la région, soit à l'extérieur de celle-ci.

Nous verrons dans la partie suivante la faiblesse de l'armature industrielle de la vallée du Gouffre, qui repose sur la petite industrie artisanale. Les grandes entreprises qui emploient plusieurs personnes et qui génèrent des revenus importants sont absentes. L'industrie se limite à des moulins dont les plus nombreux sont des scieries. On y trouve également quelques fours à chaux et des tanneries qui ne fonctionnent que quelques mois par année.

4.2.5 La croissance de la petite industrie

Ce sont les moulins qui constituent la part la plus importante des petites industries de la vallée du Gouffre au XIXe siècle. Les plus nombreux sont les moulins à scie. Globalement, le nombre d'industries croît de 96 % entre 1831 et 1871 (tableau 4.14). Cette croissance est cependant postérieure à 1852. La période 1831-1852 est au contraire marquée par une perte du quart des moulins des paroisses de Baie-Saint-Paul et de Saint-Urbain. Ce sont les moulins à farine et à fouler qui enregistrent les chutes les plus importantes. Cette chute du nombre de moulins est probablement due à l'impact du mouvement migratoire qui atteint son maximum pendant cette période. Cette décroissance industrielle témoigne des difficultés économiques rencontrées dans cette région au milieu du XIXe siècle. On assiste toutefois à une reprise marquée de la petite industrie à la période suivante avec une croissance globale de 157,9 % de leur nombre. Cette augmentation est probablement due à la forte croissance de la population villageoise. L'abolition du régime seigneurial en 1854 permet aux habitants de construire et d'opérer des moulins. Les petites industries du territoire de la vallée du Gouffre sont cependant peu productives. Ce sont de petites entreprises familiales employant peu de main-d'œuvre. Leur production est limitée et semble, dans la plupart des cas, orientée vers le marché local.

TABLEAU 4.14

**NOMBRE DE MOULINS ET FABRIQUES
BAIE-SAINT-PAUL ET SAINT-URBAIN, 1831 À 1871**

Industrie	Recensements			Croissance	Croissance	Croissance
	1831	1852	1871	1831-1852	1852-1871	1831-1871
Moulins à farine	6	3	11	-50,00	266,67	83,33
Moulins à scie	14	13	21	-7,14	61,54	50,00
Moulins à fouler	3	1	3	-66,67	200,00	0,00
Moulins à carder	2	2	3	0,00	50,00	50,00
Fours à chaux	-	-	9	-	-	-
Tanneries	-	-	2	-	-	-
Total	25	19	49	-24,00	157,89	96,00

Source: Recensements nominatifs de 1831, 1852 et 1871.

4.2.5.1 Les moulins

Les moulins à scie prennent la forme de petits établissements dont la valeur moyenne (capitaux fixes) est de 67,30 $ en 1871. Ils sont mus par l'eau. Ils n'emploient que une à deux personnes et ne fonctionnent que un à deux mois par année. Leur production principale est le bois de construction. La valeur moyenne de leur production en 1871 était de 170,30 $. Le moulin le plus productif a une production valant 562 $. La moitié d'entre eux sont localisés dans le bas de la vallée du Gouffre en 1871 (figure 4.13), dont cinq sont à l'intérieur du village. C'est là que sont localisés les moulins à scie ayant la plus grande production, à l'exception de celui de Saint-Urbain. Le marché villageois de même que la construction navale devait absorber la plus grande partie de leur production. En 1831, 9 des 14 moulins recensés dans les deux paroisses étaient également localisés au Bas-de-la-Baie, au sud-ouest de la rivière du Gouffre (tableau 4.15). En 1871, les moulins à scie sont plus dispersés dans l'espace. Quelques-uns sont apparus dans les nouveaux rangs d'occupation sur le plateau à l'est et à l'ouest de la vallée ainsi qu'au nord de celle-ci, à la limite sud de la paroisse de Saint-Urbain (figure 4.13). Ils étaient probablement destinés à l'usage des nouveaux colons du plateau qui pouvaient ainsi faire scier leur bois. Cette fonction de service au colon est confirmée par la faible valeur de ces moulins dont la production se situe nettement au-dessous de la moyenne. C'est le cas des moulins du nord de la vallée notamment. Par contre, d'autres présentent des rendements supérieurs à la moyenne comme celui du rang Saint-Félix au sud-ouest de la paroisse de Baie-Saint-Paul.

Figure 4.13

LOCALISATION DES MOULINS, DES FOURS À CHAUX ET DES TANNERIES
BAIE-SAINT-PAUL ET SAINT-URBAIN, 1871

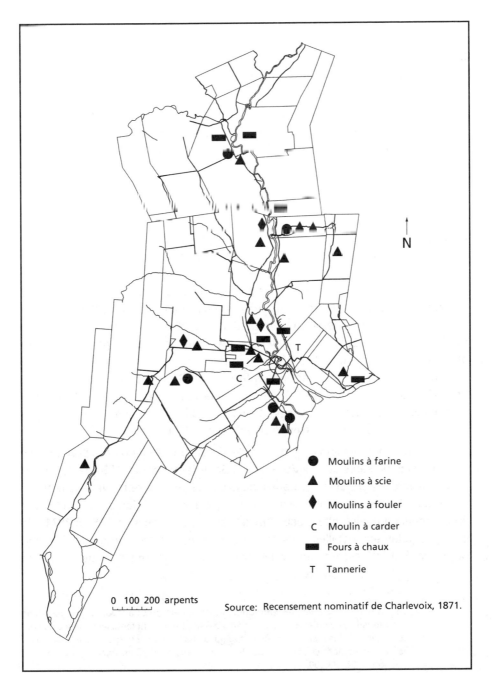

N

● Moulins à farine

▲ Moulins à scie

◆ Moulins à fouler

C Moulin à carder

▰ Fours à chaux

T Tannerie

0 100 200 arpents

Source: Recensement nominatif de Charlevoix, 1871.

Presque tous les moulins à scie de Saint-Urbain ont disparu au cours de la période. De cinq en 1831 dans le rang Saint-Urbain, il n'en reste plus que un en 1871. Ce phénomène est peut-être lié au déplacement de l'industrie forestière vers les forêts du nord et la région du Saguenay[74]. Les moulins à scie de la vallée du Gouffre appartiennent majoritairement à des cultivateurs (13 des 21 moulins à scie en 1871) qui possèdent de vastes superficies de terres inexploitées à des fins agricoles. Ce sont également souvent de gros producteurs agricoles. On compte également trois artisans, un journalier et un membre des professions libérales (médecin). Certains d'entre eux déclarent posséder jusqu'à quatre moulins différents.

Les deuxièmes moulins en importance sont les moulins à farine. Leur nombre passe de 6 à 11 entre 1831 et 1871 (tableau 4.14). Leur croissance est également postérieure à 1852. Ce sont les moulins ayant la plus grande valeur en capitaux fixes avec une moyenne de 2527,30$ en 1871. Le maximum est de 8000$. Ils génèrent également les revenus les plus importants avec une moyenne de 7773,50$ en 1871 et un revenu maximum de 18600$. Les moulins à farine fonctionnent 12 mois par année et emploient une à deux personnes seulement. Six des onze moulins à farine de 1871 sont localisés au village même; deux, à la côte du Moulin; et un, à Saint-Antoine au sud et à l'ouest du village. Les deux autres sont localisés dans la partie nord du territoire, au Cap-Martin et au rang Saint-Urbain (figure 4.13). Trois de ces moulins sont déclarés par des meuniers ou des meuniers-cultivateurs, deux par des cultivateurs, deux par un médecin (le même qui déclare également un moulin à scie), un par une rentière et deux par des individus de profession indéterminée. Ici également, la possession d'un moulin à farine est liée à la prospérité agricole ou bourgeoise. Propriété du seigneur avant 1853, le moulin à farine passe aux mains de la petite bourgeoisie rurale par la suite, venant ainsi consolider le pouvoir économique et social de ce groupe sur la société rurale de Baie-Saint-Paul.

Le nombre de moulins à fouler reste stable tout au long de la période. Les trois moulins présents au Bas-de-la-Baie à Baie-Saint-Paul en 1831 se déplacent toutefois vers le nord et le nord-ouest de la vallée pour se retrouver à la Mare-à-la-Truite, à Saint-Lazare et à Saint-Gabriel. Les moulins à fouler sont de petits équipements qui nécessitent peu d'investissements (moins de 10$ en 1871). Ils sont généralement installés dans des bâtiments qui abritent un moulin à farine ou à scie. Fait intéressant à noter, les propriétaires sont des hommes, mais les

---

74. Voir la figure 4.5. Quelques entrepreneurs forestiers de Charlevoix regroupés dans l'entreprise de colonisation de la société des Vingt-et-un ont tenté leur chance du côté des forêts saguenayennes à la fin des années 1830 et au début des années 1840, d'où ils ont rapidement été délogés par les entreprises de William Price. Voir à ce sujet Gagnon, 1996 : 93-100.

employées (une seule par moulin), des femmes, ce qui confirme leur importance dans la production textile. Ces propriétaires se déclarent cultivateurs. Ce sont des cultivateurs dans la moyenne, ou prospères qui déclarent des productions textiles supérieures à la moyenne. L'un d'entre eux a cependant 68 ans et ne déclare que ce moulin. Ces moulins à fouler ne fonctionnent que un à deux mois par année et ont une valeur de production d'environ 276,70$. La valeur maximale de production en 1871 est de 350$. Leur production est constituée d'étoffe foulée. Comme les moulins à scie et à farine, ils sont mus par l'eau. Au moins un d'entre eux, celui de la côte Saint-Lazare, loge dans un moulin à scie.

Le nombre de moulins à carder reste également stable (deux en 1831, trois en 1871). À l'inverse des moulins à fouler qui migrent en zone rurale, les moulins à carder se regroupent autour du village. Deux d'entre eux sont localisés à l'intérieur de celui-ci et l'autre est situé au rang de l'Église, contigu au village (figure 4.13). La force motrice utilisée est également l'eau. Leur équipement est cependant plus lourd que celui du moulin à fouler avec une valeur moyenne de 733,30$ (maximum de 1600$). Leur production a également une plus grande valeur avec une moyenne de 1222,30$ et un maximum de 1667$. Le moulin à carder transforme la laine pour le tissage. Deux propriétaires se partagent les trois moulins. Adolphe Gagnon, qui en possède deux, déclare également les deux moulins à farine les plus prospères du secteur. Ses quatre moulins sont localisés au village et sont probablement regroupés en un ou deux bâtiments. Adolphe Gagnon ne déclare aucune profession en 1871, mais il possède en tout 1670 arpents de terrain. C'est un gros producteur de blé et d'avoine notamment et un éleveur de moutons important (troupeau de 17 bêtes). Il déclare également 300 verges de drap et de flanelle. Le second est un cardeur-cultivateur. Il est fils de cardeur et son père possède une exploitation de taille moyenne dont la production est diversifiée, mais demeure modeste. Il déclare par contre une production de 94 verges de drap et flanelle.

4.2.5.2 Les fours à chaux et les tanneries

Les fours à chaux apparaissent pour la première fois dans la vallée du Gouffre au recensement de 1871 alors qu'on en dénombre neuf dans Baie-Saint-Paul et Saint-Urbain. Ces industries ne nécessitent pas de grands investissements en capitaux fixes, 23$ en moyenne avec un maximum de 60$. Ils opèrent entre un et trois mois par année et emploient une à deux personnes. L'un d'entre eux compte cependant quatre employés. Ces industries transforment des pierres (pierres à chaux) en une matière qui, mélangée à du sable et à de l'eau forme un mortier. Cette matière s'obtient par la calcination de la pierre. La valeur moyenne de la production de ces fours est de 62,10$ et la production maximale est d'une valeur de 160$. Leurs propriétaires sont des cultivateurs pour sept d'entre eux. L'un est chaumier et l'autre menuisier. Tout comme pour les entreprises précédentes, il s'agit de grands propriétaires ou de propriétaires aisés, sauf pour quatre d'entre eux localisés près du village, au Bras-du-Nord-Ouest, à la Mare-à-la-Truite et au Cap-au-Corbeau. Il s'agit, dans ces cas-ci, de cultivateurs sans terre ou qui possèdent une petite exploitation de moins de 50 arpents et d'un artisan (menuisier). Les fours à chaux sont d'ailleurs concentrés dans les rangs situés autour du village de Baie-Saint-Paul, où l'on trouve six des neuf fours de la vallée (figure 4.13). La proximité du marché villageois de même que des voies de transport fluvial et terrestre devaient constituer un important facteur de localisation pour cette petite industrie liée à la construction. Les trois autres sont localisés au nord de la vallée, au Cap-Martin à Saint-Urbain, au rang Saint-Urbain et, en face, au rang du Racourcy.

Des tanneries apparaissent également à partir du recensement de 1861. On en compte deux en 1871. Une au rang Saint-Pamphile, à l'est du village, et l'autre au village même. Leur valeur en capital fixe est de 200$ et 300$. Elles fonctionnent 12 mois par année et emploient deux personnes chacune. La valeur de leur production, tributaire du marché des fourrures, est par contre plus élevée que celle des petites industries saisonnières avec 2 000$ et 1 600$ chacune. Les propriétaires sont un gros cultivateur et un tanneur.

4.2.5.3 Une concentration de l'industrie dans l'aire villageoise et des productions modestes

Ce portrait de la petite industrie dans les paroisses de Baie-Saint-Paul et de Saint-Urbain démontre son caractère encore artisanal. L'abolition du régime seigneurial conjugué à la croissance des marchés urbains ont permis une certaine multiplication des moulins à farine et à scie, autrefois propriété du seigneur, dans la seconde moitié du siècle. Ce phénomène est alors généralisé dans l'axe du Saint-Laurent à cette période (Courville, Robert et Séguin, 1995: 86-87). Tout comme dans l'axe du Saint-Laurent, les petites industries de la vallée du Gouffre sont concentrées à l'intérieur et en périphérie du village de Baie-Saint-Paul, siège des activités d'échange du secteur (tableau 4.15). Par contre, la taille et l'échelle de production des moulins de la vallée du Gouffre demeurent modestes. La plupart de ces petites industries étaient possédées par des cultivateurs relativement prospères. Elles semblaient être pratiquées dans un objectif de diversification des activités de la ferme permettant d'ajouter un revenu parfois appréciable à l'exploitation. L'absence du capital marchand de ces entreprises est également remarquable. Aucun marchand ne déclare posséder de moulin en 1871.

TABLEAU 4.15

LES MOULINS ET LES FABRIQUES DU SECTEUR VILLAGEOIS
BAIE-SAINT-PAUL ET SAINT-URBAIN 1831 À 1871

Industrie	1831 Bas-de-la-Baie	% du total	1852 Bas-de-la-Baie	% du total	1871 Bas-de-la-Baie	% du total
Moulins à farine	3	50,00	1	33,33	8	72,73
Moulins à scie	9	64,29	2	15,38	9	42,86
Moulins à fouler	3	100,00	0	0,00	0	0,00
Moulins à carder	1	50,00	2	100,00	3	100,00
Fours à chaux	-	-	-	-	4	44,44
Tanneries	-	-	-	-	1	33,33
Total	16	64,00	5	26,32	25	51,02

Note : Le secteur du Bas-de-la-Baie comprend le village et les rangs du Bras-du-Nord-Ouest, de l'Église, du Moulin, du Fond, de la Batture et du Cap-au-Corbeau.

Source : Recensements nominatifs de Charlevoix, 1831, 1852 et 1871.

L'arrivée du grand capital industriel au Bas-Canada au milieu du siècle de même que l'abolition du régime seigneurial qui lève les servitudes foncières ont été à l'origine de la mutation de certaines régions rurales du sud du territoire en aires nettement plus industrialisées, notamment autour des villes de Montréal et de Québec. Malgré une certaine croissance de la petite industrie en milieu rural dans Baie-Saint-Paul, celle-ci n'atteint pas le niveau de production et d'emploi des entreprises situées au sud du territoire. L'éloignement et les difficultés d'accès au marché extérieur en plus du peu de capitaux disponibles sur place sont probablement à l'origine de cette faible croissance industrielle dans Charlevoix.

4.3 UNE SOCIO-ÉCONOMIE PRÉCAPITALISTE BASÉE SUR UN RAPPORT ÉTROIT À L'ESPACE EN TANT QUE MOYEN DE SUBSISTANCE ET DE REPRODUCTION PRIVILÉGIÉ DE LA FAMILLE PAYSANNE

Ce chapitre ainsi que le précédent ont permis de constater l'articulation interne de la socio-économie des paroisses de l'axe de la vallée du Gouffre. Les forces territorialisantes qui agissent sur ce territoire ont pour fondement une certaine conception de l'espace liée aux rapports sociaux privilégiés de cette société et, par extension, de la société québécoise du XIXe siècle en général. Ces rapports sociaux sont articulés autour du soutien et de l'entraide familiale par le biais d'une solidarité des membres de l'unité familiale restreinte et étendue. Les liens communautaires sont également privilégiés. Ceux-ci sont favorisés par ces solidarités familiales et par l'emprise des institutions locales, le clergé notamment, sur la vie quotidienne.

Ces rapports sociaux privilégient un rapport à l'espace de type fonctionnel, où le sol devient le support de la reproduction de cette société. À l'échelle individuelle, l'exploitation s'étend et se contracte dans l'espace. L'agriculture familiale constitue le modèle d'existence privilégié par les représentations véhiculées par l'élite sociopolitique de l'époque. La société rurale vise la reproduction à l'identique de ce modèle à chaque génération. Comme le chef de ménage ne peut seul parvenir à supporter le maintien et la reproduction d'une unité familiale nombreuse, tous les membres du ménage emploient leur énergie à accumuler les capitaux et à fournir la force de travail nécessaire à une reproduction multiple et à l'identique de l'unité de base. Les stratégies déployées à cette fin sont diversifiées et peuvent s'étendre sur quelques décennies. La pluriactivité permet cette reproduction de l'unité familiale en fournissant des sources de revenus supplémentaires connexes ou en-dehors de l'agriculture.

L'espace devient le support et l'aboutissement du cycle de la reproduction familiale en milieu rural, puisque le ménage vise ultimement, à partir d'un point d'ancrage, à s'étendre ou à se déplacer dans l'espace. Cette extension ou ce déplacement sont tributaires de la disponibilité et du coût du sol, des bassins d'emplois et des rapports sociaux entretenus par l'individu (fortement influencés par les liens de parenté). Le jeu de ces facteurs liés aux ressources du territoire et aux relations sociales va donc ultimement orienter les migrations.

Les grandes lignes de cette territorialité s'actualisent sur le territoire de la vallée du Gouffre. La structure spatiale de la population présentée au chapitre trois démontre très bien la présence d'un fort mouvement migratoire. Ce mouvement prend la forme d'un déversement des surplus démographiques des aires de colonisation anciennes du littoral et de la vallée vers l'arrière-pays des paroisses de Baie-Saint-Paul et de Saint-Urbain, mais également vers l'extérieur de la région, au Saguenay notamment, comme de nombreuses études l'ont récemment démontré. Un deuxième mouvement de population se dirige vers le village cette fois, où l'on observe une croissance des sources d'emplois en-dehors de l'agriculture. Des groupes socioprofessionnels différenciés y apparaissent, liés à la vie économique et sociale du village et des campagnes environnantes. Les fonctions commerciales et les échanges avec l'extérieur, la région de Québec notamment, prennent également de l'ampleur. La petite industrie croît et se diversifie, particulièrement à partir du milieu du siècle.

L'agriculture est très diversifiée tout au long de la période. Il s'agit d'une agriculture de type extensive, grande consommatrice d'espace. Les techniques agricoles y sont peu évoluées, comme du reste celles de l'ensemble de la vallée laurentienne de l'époque. La nombreuse main-d'œuvre familiale disponible permet aux ménages de cultiver des superficies relativement grandes sans faire appel à des techniques ou à des outillages sophistiqués et coûteux. La grande production agricole des paroisses de la vallée du Gouffre demeure concentrée dans les aires anciennes de peuplement, où l'on trouve également les meilleurs sols. Un examen de la structure interne de notre agriculture révèle toutefois en faible spécialisation. Les agriculteurs des paroisses de Baie-Saint-Paul et de Saint-Urbain déclarent en moyenne 10,5 productions différentes parmi celles qui font l'objet des plus fortes productions. Ce sont les rangs du Bas-de-la-Baie et du village qui déclarent toutefois le nombre le plus faible de productions avec moins de 8,6 produits en moyenne par rang. Par contre, ce sont ces mêmes rangs qui enregistrent les plus grands nombres de grandes productions. À l'inverse, les exploitations les plus diversifiées sont localisées au nord, dans Saint-Urbain, où les exploitants déclarent en moyenne plus de 12,5 produits agricoles différents. La grande production y fait toutefois piètre figure.

Cette analyse spatiale de la production à l'échelle de l'exploitation permet d'obtenir un portrait de l'articulation interne de l'agriculture régionale. Le littoral et la vallée sont le siège de la grande production agricole et, en corollaire, d'une plus grande commercialisation de l'agriculture et de ses produits dérivés. Les rangs situés à l'extrémité ouest et est de la paroisse de Baie-Saint-Paul et du plateau à Saint-Urbain affichent par contre une structure agraire davantage orientée vers l'autosubsistance. Les surplus y sont faibles, mais les activités de la ferme, diversifiées. Le caractère plus récent de la mise en valeur des terres de ces rangs, conjugué à des conditions générales de l'agriculture plus difficiles, expliquent cet écart entre les deux milieux de la région. L'écart déjà constaté entre ceux-ci en 1831 (Villeneuve, 1992) persiste en 1871.

Le clivage naturel observé entre les deux milieux géographiques de la vallée du Gouffre, celui des basses terres et celui du plateau, s'observe également sur le plan socio-économique. Les basses terres possèdent une économie rurale davantage orientée vers la grande exploitation agricole, la production de surplus et la commercialisation des récoltes et des produits dérivés de la ferme. Les rangs du plateau semblent s'appuyer davantage sur la pluriactivité afin d'assurer leur reproduction sociale. La taille plus restreinte de la propriété et le portrait de l'agriculture dans ces secteurs confirment cette hypothèse. Les monographies régionales abondent en commentaires sur l'importance des chantiers forestiers pour les populations de l'arrière-pays charlevoisien. Ceux-ci permettaient à ces populations de subsister sur des terres de superficie réduite. Les revenus tirés du travail dans les chantiers venaient combler les manques à gagner de l'agriculture. Ils induisaient également une grande mobilité géographique et sociale chez les habitants.

L'aire villageoise est le siège de la vie socio-économique régionale par son cumul des fonctions commerciales et de la petite industrie de la vallée. Elle constitue également le centre des services aux agriculteurs des deux paroisses et même au-delà. Ses fonctions industrielles sont toutefois peu développées. Comme nous l'avons vu plus haut, le secteur ne possède pas de grande industrie, tout au plus des petits moulins et des fabriques. Ces équipements ont en commun de nécessiter peu d'investissements en capitaux et de générer des revenus modestes.

L'agriculture des paroisses de Baie-Saint-Paul et de Saint-Urbain au cours de la période 1831-1871 demeure donc essentiellement précapitaliste. Peu de capitaux sont investis dans les équipements agricoles et les productions demeurent généralement modestes. L'exploitation engage peu de main-d'œuvre salariée, l'essentiel de celle-ci étant fourni par les membres du ménage. Selon le modèle de Gérard Bouchard, la plupart des revenus générés par l'agriculture sont investis dans la propriété foncière, en vue de l'établissement des enfants et de la reproduction à l'identique de l'unité familiale. La structure spatiale de la population et de la propriété, de même que les études démographiques effectuées sur la population charlevoisienne du XIXᵉ siècle permettent de formuler la même hypothèse dans le cas des cultivateurs de la vallée du Gouffre.

On observe toutefois la présence d'une classe de producteurs, des cultivateurs en majorité, qui produisent des surplus importants, tout en possédant parfois un moulin ou des parts dans un navire. L'éventail de leurs activités est très diversifié. Ils possèdent une très grande propriété et ils ont une production globale considérable. Il est certain que leur production excède les besoins domestiques. Une part relativement importante de celle-ci est destinée à la commercialisation. Toutefois, même si en apparence leur comportement semble capitaliste, la diversité de leurs activités suggère une pratique économique davantage liée à une mentalité de type précapitaliste. Ces producteurs misent sur une grande diversité des activités et de la production de la ferme plutôt que sur une spécialisation de celles-ci. Nous avons constaté plus haut la grande diversité de la production des grandes exploitations agricoles du bas de la vallée. Il est toutefois certain que ces producteurs visent une certaine accumulation de capital. Une part de ce capital était employé, selon toute vraisemblance, à l'établissement des fils, en agriculture ou à l'extérieur de celle-ci. Les données nous manquent toutefois pour évaluer la mesure de l'accumulation ou des investissements divers réalisés par les plus gros cultivateurs. L'établissement des enfants en fait certainement partie, mais il ne lui est pas probablement pas exclusif.

La socio-économie de la population de la vallée du Gouffre entre 1831 et 1871 demeure donc essentiellement axée sur l'agriculture, malgré l'apparition d'une certaine différenciation de la main-d'œuvre et d'une classe de travailleurs

non agricoles dès le premier tiers du XIXᵉ siècle. On observe toutefois une mutation dans la pratique de cette agriculture, provoquée par la pénurie de bonnes
terres agricoles et la modification de la demande sur les marchés intérieurs et
extérieurs. Cette mutation se manifeste par une réduction de la taille de l'exploitation moyenne, une plus grande mise en valeur de celle-ci, un quasi-abandon
de la culture du blé et son remplacement par l'avoine, la pomme de terre et le
foin. Les conditions qui entourent l'élevage semblent également s'améliorer. La
taille des pâturages augmente considérablement alors que la taille des troupeaux diminue. Toutefois, cette diminution de la taille des troupeaux a sans
doute eu des conséquences néfastes sur la pratique de l'agriculture, en raison
de la diminution de la quantité d'engrais naturel qui en découle. L'outillage et les
techniques progressent peu, on observe même une certaine régression de ceux-
ci dans les rangs nouvellement défrichés sur le plateau. Le maintien du mode
ancestral de reproduction de la société rurale est probablement responsable de
cette faible évolution des pratiques agricoles.

Cette socio-économie, malgré une certaine évolution au milieu du XIXᵉ
siècle provoquée par une forte croissance démographique et par les nouvelles
règles imposées par le marché, est lente à s'adapter à ces changements, comme
en témoigne la faible armature industrielle du territoire. Encore une fois, les
impératifs du mode de reproduction familiale, axés sur une pratique de l'emploi
et de l'industrie non agricoles assujettis à une reproduction à l'identique de l'exploitation familiale, contribuent à détourner la population de l'industrie. Celle-ci
n'est considérée que comme une source d'emplois parmi d'autres, permettant
l'accumulation d'un capital foncier.

À partir du milieu du XIXᵉ siècle, deux sources d'emplois industriels accessibles à la population locale apparaissent dans la région. La première est liée à
l'exploitation des ressources forestières des forêts du nord de Saint-Urbain et du
Saguenay. Ces industries capitalistes sont la propriété d'industriels anglophones
comme William Price. Ils représentent une source d'emplois importante pour la
main-d'œuvre régionale. La seconde « industrie » est également liée à une exploitation de type capitaliste de la ressource principale du territoire, son paysage. Elle
résulte des nouvelles représentations de l'espace issues de la classe urbaine
bourgeoise qui apparaît au milieu du siècle. Cette nouvelle exploitation du territoire typiquement capitaliste envahit l'espace régional de ses représentations et
lui confère une identité romantique et pittoresque. La population régionale
apprendra à tirer parti de cette nouvelle source d'emplois et de débouchés pour
les produits de la ferme générés par l'implantation de villas et d'hôtels le long du
boulevard des Falaises à Pointe-au-Pic. L'arrivée de capitaux industriels, motivée
d'abord par les représentations du territoire charlevoisien, vient ajouter une
source de revenus supplémentaires permettant à la population de maintenir son
mode de reproduction sociale.

Chapitre 5

LE PAYSAGE RÉINVENTÉ : LES REPRÉSENTATIONS MYTHIQUES DE LA PÉRIODE 1830-1858

Les deux chapitres précédents ont présenté les grandes lignes de la territorialité charlevoisienne au XIXᵉ siècle à partir de l'exemple des deux paroisses de Baie-Saint-Paul et de Saint-Urbain. Nous avons constaté qu'elle est dominée par l'agriculture familiale tout au long de la période 1831-1871. L'exploitation de l'espace à des fins agricoles constitue non seulement un moyen de subsistance privilégié pour la grande majorité des habitants, mais également un moyen de reproduction sociale. Le but ultime du ménage est l'établissement des fils - de préférence en agriculture - à l'âge adulte. À cette fin, le ménage déploie diverses stratégies, où la migration et la pluriactivité sont largement sollicitées. Ces deux éléments pouvaient seuls permettre la perpétuation de ce mode de reproduction. Cet impératif de reproduction implique donc une grande mobilité géographique de la population et une certaine polyvalence sur le plan professionnel.

Loin d'être homogène toutefois, le territoire est marqué par une différenciation économique qui s'accentue dans la seconde moitié du siècle. Le clivage géographique du territoire - entre les basses terres du littoral et des vallées par rapport aux hautes terres du plateau intermédiaire - se répercute sur le plan des pratiques socio-économiques. Le clivage s'accentue dans la seconde moitié du siècle, alors que la colonisation s'enfonce de plus en plus loin à l'intérieur des terres du plateau. La socio-économie de ce secteur est nettement plus orientée vers une pluriactivité axée sur l'exploitation forestière si on en juge par les superficies en culture réduites, la grande diversité des productions et leurs faibles quantités. Ces secteurs semblent également marqués par une plus grande mobilité géographique de la population. Les basses terres par contre sont beaucoup mieux intégrées au circuit économique de la vallée du Saint-Laurent comme le laissent soupçonner la taille et la productivité des exploitations. Le secteur villageois stimule cette intégration par les activités d'échange qu'il regroupe (marché, commerce, services, transport, navigation) et la concentration de la petite industrie dans son aire d'influence.

Nous avons également vu l'impact sur les pratiques socio-économiques des bouleversements politiques, économiques et sociaux qui se produisent sur le territoire de l'axe du Saint-Laurent au milieu du XIXe siècle. Cet impact s'est traduit d'abord sur le plan économique par une mutation de l'agriculture dans ses pratiques internes. Les problèmes de production et les fluctuations des marchés intérieurs et extérieurs ont induit des changements dans la structure interne de l'agriculture. La culture du blé, première en importance en 1831, est remplacée par l'avoine et la pomme de terre. Certaines cultures commerciales qui avaient une importance marginale auparavant, comme le tabac, progressent. Les productions artisanales résultant d'une transformation de la production agricole, comme le beurre et le textile, enregistrent de fortes croissances à partir du milieu du siècle. Tous ces facteurs suggèrent une sensibilité de l'exploitant par rapport à la demande sur les marchés. Sur le plan social, on assiste, parallèlement à la présence d'un clivage économique dans la population, à une différenciation au sein de celle-ci. La petite bourgeoisie libérale et la classe marchande, dont le nombre de représentants est marginal jusqu'à la fin du XVIIIe siècle, prennent une importance de plus en plus marquée dans la région à partir du milieu du siècle, particulièrement au village. Ils représentent chacun de 11% et 17% de la main-d'œuvre villageoise entre 1831 et 1871. Ce groupe social jouit d'un certain prestige dans les populations rurales au XIXe siècle et leur autorité fait souvent concurrence à celle du curé. Il s'agit donc de l'émergence d'un nouveau pouvoir social dans la campagne charlevoisienne du XIXe siècle.

Ces nombreux changements résultent de la forte croissance démographique régionale à partir de la fin du XVIIIe siècle. Celle-ci est cependant freinée à partir de 1840. La pénurie de terres agricoles devient alors très lourde de conséquences pour une population dont la subsistance et la reproduction est d'abord assurée par l'agriculture. L'ouverture à la colonisation de la région du Saguenay à une centaine de kilomètres au nord présente la solution à ce problème pour la plus grande partie de la population rurale. Le secteur industriel se développe peu. On assiste à une multiplication des petites industries familiales sous la forme de moulins et de petites fabriques à partir de la seconde moitié du siècle. Ces entreprises ne dépassent toutefois pas le stade artisanal. Elles sont possédées par de gros propriétaires terriens dans la plupart des cas qui en font une source de revenus parmi d'autres. Le mode de reproduction social traditionnel de la société charlevoisienne continue donc à dominer les pratiques socio-économiques de la population malgré l'arrivée du capitalisme industriel au Bas-Canada.

Ce chapitre présente à l'aide de trois exemples les éléments de base de la définition mythique du paysage charlevoisien entre 1830 et 1860. Cette définition conduit à la seconde moitié du siècle à une exploitation à des fins économiques du paysage alors que la bourgeoisie urbaine et industrielle se l'approprie et l'utilise à des fins de loisir. La villégiature de luxe représente alors une nouvelle façon d'exploiter certains éléments du paysage naturel. Elle est un produit de la nouvelle ère industrielle et s'inscrit comme un élément parmi d'autres de la nouvelle demande générée par la ville au milieu du XIXe siècle. La campagne charlevoisienne devient alors un paysage mythique du Canada français. Le choix de la région en tant que destination touristique privilégiée de la bourgeoisie industrielle canadienne et américaine résulte des représentations de son paysage faites à partir du début du XIXe siècle (voir également le chapitre 2). Cette définition se précise à partir de la décennie 1840-1850.

Le mythe résulte d'une intégration de l'univers idéologique des deux cultures dominantes du Québec à l'époque. Il intègre une vision romantique de cet espace, dans la plus pure tradition artistique britannique de l'époque. Les illustrations d'abord, à par l'ingénieur ou arpenteur Philip John Bainbrigge et par le fonction-naire colonial John Jeremiah Bigsby s'inscrivent dans cet esprit. Le mythe intègre également une vision politique et sociale des campagnes qui puise ses racines dans la définition d'une identité canadienne-française de la part des deux groupes ethniques principaux du Bas-Canada. Ici également, les représentations des fonctionnaires britanniques en témoignent, en plus de celle d'un artiste canadien-français, Joseph Légaré. Elles seront non seulement à l'origine d'une réputation de charme et de pureté du paysage régional, mais elles seront également partie prenante de la définition de l'identité canadienne-française du XIXe siècle, définie en fonction de ses racines françaises et de sa vocation agricole. Nous verrons que cette définition puise au cœur des mythes fondateurs des deux groupes ethniques. Ces trois auteurs ont été retenus en raison de l'abondance de leur production artistique, de leur représentativité en tant que groupe social engagé dans la représentation du paysage canadien, la diffusion de leurs œuvres (particulièrement celles de Bigsby et de Légaré) et leur accessibilité dans les fonds d'archives et les musées.

Les relations établies entre la population et son territoire, son mode de reproduction et les difficultés économiques qu'elle doit affronter à partir du premier tiers du XIXe siècle sont loin des préoccupations des observateurs étrangers au paysage. Ceux-ci y transposent plutôt leur propre référentiel, ceux d'un bourgeois urbain (d'origine britannique ou canadienne-française) qui observe une petite communauté rurale éloignée des grands centres. C'est le regard de l'étranger, qui projette ses mythes, ses préjugés, son idéologie et ses utopies sur un paysage. Ce chapitre présente l'essence du discours esthétique sur Charlevoix au milieu du XIXe siècle. Le chapitre est divisé en trois parties. Les deux premières sont consacrées aux deux influences majeures observables dans les représentations du paysage charlevoisien de l'époque: le Romantisme et le libéralisme canadien-français. La dernière partie présente le paysage mythique qui résulte de ces représentations.

5.1 LE ROMANTISME DANS LE PAYSAGE CHARLEVOISIEN

Les historiens de l'art situent l'émergence du Romantisme en Europe à la décennie 1790-1800. Il se développe cependant lentement à travers les bouleversements de l'époque. Les mouvements révolutionnaires et leurs aspirations au recommencement et à la liberté individuelle stimulent un renouveau de la pensée et une valorisation des sentiments extrêmes: «On voit s'affirmer [depuis le XVIIIe siècle] des aspirations communes à tous les peuples, une tendance à repenser les choses en partant de leur réalité, un goût pour les actions violentes, pour les sentiments excessifs, un désir d'échapper à tout ce qui peut paraître prémédité, à tout ce qui s'enferme dans les conventions classiques (Cogniat, 1966: 40).» Les nombreuses remises en question de cette époque, sur les plans politique, économique et social donnent lieu à des conflits et à des luttes dans les sociétés. C'est dans ce contexte qu'émerge le mouvement artistique Romantique, qui n'est que l'un des mouvements de recherche philosophique profonde des sociétés occidentales qui naissent à cette époque.

Le principe fondamental du Romantisme est de «renouveler l'art par le respect de la réalité, calme ou exaltée» (Cogniat, 1966: 66). Ses débuts officiels et sa primauté dans la peinture sont datés, selon Cogniat, de 1819 en France, cette année étant celle de l'exposition du *Radeau de la Méduse* au Salon de Paris. L'art du paysage est alors l'objet d'un renouveau d'intérêt et d'un changement important dans sa pratique. Ce sont les paysagistes britanniques qui inspirent l'esprit romantique des paysages en Europe à partir de 1824, à la suite de leur exposition à Paris. Leurs représentations sont caractérisées par un important souci de réalité et une plus grande intimité avec la nature. Il est possible de constater cette nouvelle vision dès l'époque du Picturesque. On y perçoit une douce émotion, réservée et attendrie. John Constable est placé en tête du groupe, suivi de John Crome, John Sell Cotman et Thomas Girtin. Ces artistes, par leur souci de réalité, privilégient les études faites sur le motif. C'est pourquoi l'aquarelle devient le médium privilégié de l'art du paysage, en raison de son utilisation facile sur le terrain.

5.1.1 Un paysage idéalisé

Nous identifions la présence de ces traits dans les représentations du paysage charlevoisien à partir de la décennie 1840-1850. Les représentations de la période 1841-1858 sont centrées sur une idéalisation des établissements humains dont l'apparence est beaucoup plus pittoresque qu'à la période précédente. On s'attache toujours à représenter des panoramas intégrant à la fois la nature sauvage et les établissements humains de la région. La place du village, du manoir seigneurial et surtout de l'église augmentent considérablement dans les représentations de cette époque, et ce, au détriment des éléments relatifs à l'agriculture et aux infrastructures de transport. Ce changement est visible non seulement dans l'analyse du contenu des œuvres de cette époque[75] (graphique 5.1), mais également dans la place qu'occupent ces éléments dans la composition des œuvres et dans l'expressivité des images[76]. Les vues sont centrées sur le village dans 5 des 11 aquarelles dont nous disposons. L'église occupe le centre de 4 de ces 5 images. Elles sont également plus fréquemment agrémentées de figurines, qui viennent ajouter au pittoresque de l'ensemble ou illustrer de façon plus précise les fonctions présentes dans le paysage. Les traits qui émergent du paysage sont le côté sauvage, isolé, primitif même, où perce une pointe d'exotisme et de spiritualité profonde (figure 5.1). Il s'en dégage également une unité et une harmonie des formes et des fonctions. Ces représentations touchent l'essence même des arts romantiques. La vision du colonisateur vient également influencer ces représentations et accentuer son aspect isolé et immobile.

---

75. Nous disposons de 11 gravures, dessins et aquarelles et d'un récit de voyage pour la période 1841 à 1858.

76. Notons que l'iconographie de la période Picturesque dans Charlevoix compte 12 images totalisant 69 descripteurs et que la période Romantique compte 11 images totalisant 82 descripteurs.

THÈMES PRIVILÉGIÉS PAR LES AQUARELLISTES BRITANNIQUES DU DÉBUT ET DU MILIEU DU XIXᵉ SIÈCLE

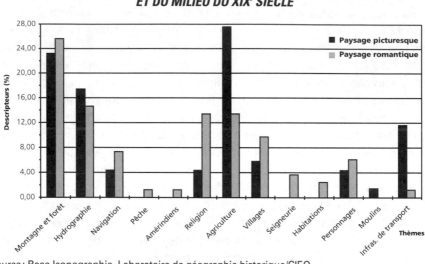

Source: Base Iconographie. Laboratoire de géographie historique/CIEQ.

D'une manière globale, les artistes semblent accorder une plus grande importance aux signes relatifs à l'habitat et à la vie sociale visibles dans le paysage. Ces thèmes sont illustrés par la présence de l'église, du village, du manoir seigneurial et des habitations en général. Par contre, les signes relatifs à l'agriculture chutent de façon marquée. De nouveaux thèmes négligés auparavant et typiques de l'esthétique romantique apparaissent. Il s'agit des Amérindiens et de la pêche. Par contre, les signes illustrant la vie de relation et les fonctions industrielles (les moulins et les infrastructures de transport) disparaissent presque complètement. Seule la navigation devient plus populaire. Celle-ci est cependant représentée de manière folklorique. Les signes relatifs à la nature sauvage de la région demeurent tout aussi populaires à la période romantique; ils constituent un thème privilégié.

Sur le plan de l'expression, c'est le côté paisible du mode de vie régional qui est représenté. La vie se déroule à l'ombre du clocher paroissial et du manoir seigneurial. Ces éléments sont les plus largement employés par les Britanniques pour définir l'identité des Canadiens français au milieu du XIXᵉ siècle (Dumont, 1993: 121-151). Ils sont récupérés dans la définition de la nation par les Canadiens français eux-mêmes, dans une volonté de se différencier d'une manière culturelle de la minorité anglophone. On perçoit également dans ces représentations une volonté d'exprimer l'unité entre l'homme et la nature à la manière des arts romantiques tels que George Heriot, dont le style se voulait déjà précurseur du mouvement romantique, l'avait expérimenté. Ces images diffèrent de celles qui sont présentées à la première période par l'âme dont on investit ce paysage, par l'omniprésence de l'église au cœur de l'agglomération villageoise et la proximité du manoir seigneurial. Ces vues, tout comme celles des périodes précédentes toutefois, sont très statiques et semblent traduire une vision immuable du paysage. La population locale, qui est absente des représentations picturales, est l'objet de plusieurs commentaires de la part de John Jeremiah Bigsby dans son volume publié en 1850. La perception de Bigsby des habitants est très ethnocentrique et le portrait qu'il en dresse est peu flatteur. Il les juge primitifs et ignorants, mais leur spiritualité compense toutefois pour leur rudesse et leur saleté. Il réunit en fait les préjugés en vigueur à l'époque à l'égard des Canadiens français, mais surtout les préjugés contre les habitants des campagnes, qu'ils soient canadiens-français ou britanniques.

5.1.2 L'Influence du Groupe de 1838

Un nouveau groupe d'aquarellistes militaires arrive dans la colonie dans le sillage du Rapport Durham afin de rétablir l'ordre à la suite des troubles de 1837. Ils ont été nommés par Mary Allodi « le Groupe de 1838 » (Allodi, 1974). Au moins deux d'entre eux, Philip John Bainbrigge et Henry James Warre, ont réalisé des aquarelles dans Charlevoix. Ces aquarellistes, membres de la tradition topographique, sont préoccupés par une représentation fidèle des sites observés. Ils ne renoncent toutefois pas à une idéalisation du paysage. Certains topographes, comme William Henry Bartlett, avouent ne pas hésiter à embellir la nature. D'autres cependant, tel James Pattison Cockburn, se disent fidèles à la réalité: « Le pittoresque [...] ne consistait pas à transformer ce qu'il voyait mais était inhérent à ce qu'il voyait. Il dépendait de l'originalité intrinsèque du paysage et du point d'observation choisi par l'artiste (Prioul, 1993, vol. I: 89-90). » Ces éléments révèlent la place laissée à l'émotion dans les représentations de ces artistes « topographes » et l'influence de certaines théories de la représentation du paysage comme celle de John Ruskin.

Cette part d'émotion est cependant inégale selon le type de paysage. Des études réalisées sur l'œuvre de James Pattison Cockburn affirment que les vues urbaines sont en général plus près de la réalité en raison de l'aspect des éléments qui composent les rues et l'architecture. Par contre, dans les paysages ruraux, l'artiste tente d'en traduire le côté pittoresque. Ceci exige « une nature agencée et épurée de ses éléments les plus disgracieux; par le choix des motifs pittoresques et leur insertion dans un site composé » (Prioul, 1993, vol. I: 90). Une telle composition induit donc une modification du paysage original. Il est donc faux d'affirmer que la formation militaire de ces artistes les prévient d'une idéalisation du paysage. Ces artistes étaient également en contact avec la tradition artistique de l'art du paysage européen véhiculée par certaines œuvres et des publications comme celles de Gilpin (voir chapitre 2). Ils sont sûrement à l'affût de la nouvelle idéologie esthétique qui apparaît en Europe à la première moitié du XIXᵉ siècle : le Romantisme.

5.1.3 L'esthétique théocentrique de John Ruskin

Le Romantisme est à la base de la nouvelle théorie esthétique du paysage développée par John Ruskin dans la décennie 1830-1840. Ruskin manifeste un intérêt pour le paysage en tant que sujet artistique et moyen d'éducation et d'élévation de l'âme (Cosgrove, 1979 : 59). Il privilégie une approche phénoménologique du paysage par l'observation et l'expérience directe de la nature. La compréhension du paysage doit résulter de cette expérience vécue plutôt que d'une compréhension scientifique de l'objet (Cosgrove, 1979 : 45). L'influence de la religion évangéliste protestante et de ses écritures l'a incliné à prêter une signification symbolique profonde aux paysages, qui témoignent ultimement de la vérité divine qui se manifeste à travers la création. Le mouvement qu'il a initié fut qualifié « d'esthétique théocentrique » (Cosgrove, 1979 : 46).

La théorie de l'observation du paysage de Ruskin comporte deux étapes : d'abord l'observation attentive des formes individuelles à travers le dessin et la peinture. L'objectif de Ruskin était de rendre dans leurs détails les formes topographiques qui constituent le paysage naturel et les éléments humains. Ces formes sont uniques pour chaque élément et elles tendent vers une forme idéale. L'idéal est donc déjà inscrit dans le paysage et il ne doit pas être une création de l'esprit humain (Cosgrove, 1979 : 53-54). La deuxième étape réside dans l'unification des éléments individuels observés attentivement. Cette association des formes est entendue dans deux sens : d'abord celui de l'intégration des formes individuelles idéales, qui révèlent la bonté divine qui s'exprime dans cette diversité. Le deuxième sens est celui d'une association plus générale des éléments qui produisent un paysage unique résultant de la compréhension profonde des relations entre la géologie, le climat et les processus biophysiques. Ainsi, le paysage devient la personnification de la révélation divine, de l'harmonie de Dieu que l'homme se doit de prendre en exemple. Il devient également possible de différencier des groupes de paysages, selon les éléments qui le constituent (Cosgrove, 1979 : 57). Ruskin étend cette théorie aux éléments architecturaux du paysage. L'architecture doit être conforme, par son style et ses formes, au milieu physique environnant. Il désire en fait en arriver à définir les caractéristiques de l'architecture des nations, adaptées à la fois au milieu naturel et au climat du pays, mais également en rapport avec le caractère profond de cette société (Cosgrove, 1979 : 47). Il divise alors les paysages naturels anglais en quatre catégories, selon la combinaison de la topographie et des couleurs, auxquelles il assigne les styles architecturaux les mieux adaptés. Ultimement,

Ruskin cherche à mettre en valeur, à travers le paysage, le « genre de vie » des ses
occupants. Dans la culture paysanne, le genre de vie est, selon Ruskin, centré
autour de la foi religieuse (J. Cosgrove, 1979: 61)

5.1.4 La campagne bas-canadienne pittoresque
de Philip John Bainbrigge

Une sélection des éléments composant le paysage est visible dans l'œuvre de
Bainbrigge dans Charlevoix. L'ingénieur royal Philip John Bainbrigge (1817-
1881) est posté au Canada en 1836 et il est reconnu pour ses illustrations des
résultats de la Rébellion au Bas-Canada en 1837-1838. Il est par la suite
employé à des travaux de reconnaissance spéciale qui l'amèneront à voyager à
travers les colonies, afin de faire des recommandations quant aux besoins en
mesures défensives et en fortifications. Il a réalisé de nombreuses aquarelles à
travers le Canada.

À la manière de Cockburn, Bartlett et Warre, la scène de campagne de
Bainbrigge (figure 5.1) est rendue de façon très romantique. Ce n'est toutefois
pas dans l'habitude de ce militaire dont la plupart des aquarelles réalisées au
Québec sont nettement plus topographiques[77]. Celle qu'il a réalisée à Baie-Saint-
Paul en 1841 se démarque du reste de son œuvre, tant par le sujet traité que par
la recherche expressionnelle profonde qui s'en dégage. Une analyse de contenu
réalisée à partir des œuvres de Bainbrigge au Bas-Canada (graphique 5.2) révèle
une nette prédominance des grands éléments structuraux du paysage (agriculture, ville, village, voies de transport) ainsi que les fonctions économiques liées
principalement à la ville (industrie, échanges, transport fluvial). Ce sont les paysages humanisés de même que les différentes activités qui s'y déroulent qui
font l'objet de ses aquarelles. Bainbrigge agrémente parfois ses vues de thèmes
décoratifs privilégiés par l'art du paysage de l'époque, comme les Amérindiens,
la pêche, les ruines et une forte récurrence de l'hydrographie.

À Baie-Saint-Paul cependant, le sujet principal de Bainbrigge est une
petite ferme traditionnelle (figure 5.1). On y aperçoit la maison à l'architecture
canadienne-française typique de l'époque, percée de nombreuses fenêtres, avec
son toit en larmier et sa cheminée centrale. Une véranda s'étend le long de la
façade. Son environnement immédiat est circonscrit par le clocher de l'église à
gauche et un four à pain à droite. La maison et l'environnement qui l'entoure

---

77. Nous disposons en tout de 48 aquarelles de cet artiste réalisées au Bas-Canada au
cours de la période 1836-1841. Ces images représentent principalement des panoramas des environs des villes de Québec et de Montréal, souvent des vues classiques
prises du fleuve. Il y a également des paysages urbains, des ouvrages défensifs, mais
aussi des villages et quelques campagnes des environs de Québec et de la vallée du
Richelieu. Elles regroupent 275 descripteurs.

suggèrent une certaine rusticité en même temps que le confort. Bainbrigge a sans aucun doute voulu représenter une ferme typique du mode de vie régional. Le fleuve sur lequel glissent deux goélettes et les montagnes immenses qui encadrent cette vue lui confèrent une impression de calme et de quiétude. Un rayon de soleil illuminant l'avant-scène y ajoute une touche de spiritualité. Bainbrigge utilise une palette de couleurs chaudes, des rouges, des oranges et des jaunes qui viennent donner une impression de chaleur à la ferme et à l'église, en opposition avec des bleus sombres et du noir utilisés pour peindre la forêt et les montagnes. Il crée ainsi deux ensembles contrastés. Les éléments sont également spatialement circonscrits à l'intérieur de plans horizontaux: le milieu humain occupe une faible partie de l'image dans le coin inférieur gauche, l'immensité sauvage environnante couvre le reste de la moitié inférieure de l'image, séparée de la ferme et de l'église par le champ clôturé. La forêt et la montagne sont divisés par le fleuve au calme plat, la route de pénétration à l'intérieur de cette nature sauvage. Finalement l'espace occupé par le ciel témoigne de la volonté de l'artiste de conférer un aura spirituel à son paysage.

L'image est marquée par une dichotomie: homme-spiritualité et nature-hostilité. Ces deux caractères s'intègrent toutefois dans le paysage par leur proximité dans l'espace. On y remarque également une attention particulière accordée à l'habitat et une association étroite entre l'habitation et l'église, renforcée par l'illumination du soleil. Bainbrigge caractérise le paysage de Baie-Saint-Paul par la spiritualité qui se dégage du mode de vie rural de sa population.

GRAPHIQUE 5.2
THÈMES PRIVILÉGIÉS PAR L'ICONOGRAPHIE DE PHILIP JOHN BAINBRIGGE
BAS-CANADA, 1836 À 1841

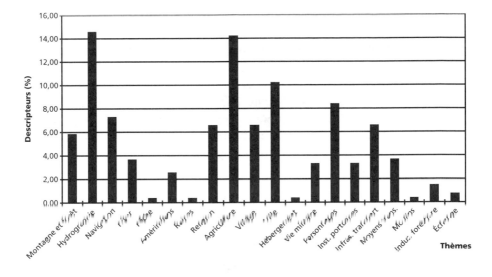

Source: Base de données Iconographie. Centre Interuniversitaire d'Études Québécoises.

Les principaux symboles mis en évidence par Bainbrigge sont à peu près les mêmes que ses contemporains ont illustrés dans Charlevoix[78] : l'agriculture traditionnelle, la foi et le caractère sauvage et paisible du milieu environnant. Ce caractère paisible et immobile du mode de vie inscrit dans le paysage est claire-ment mis en évidence à travers la composition de l'image et les symboles pic-turaux qu'il emploie. Ces symboles sont le clocher de l'église en arrière-plan, les rayons de soleil qui baignent l'avant-scène et qui confèrent à la scène un aura mystique supplémentaire. Le fleuve calme illustre également cette impres-sion d'immobilisme. Cette image révèle l'influence du mouvement romantique européen sur l'art de Bainbrigge et la recherche esthétique particulière qui en résulte. Nous pouvons percevoir dans cette recherche plusieurs influences, à la fois esthétiques et idéologiques. Bainbrigge est marqué par la tradition dite

---

78. Il s'agit d'un autre officier britannique, employé à des tâches similaires à Bainbrigge, James Henry Warre ; de l'artiste professionnel d'origine irlandaise établi à Montréal James Duncan ; de Jane Durnford, fille du lieutenant-général Elias Walker Durnford ; et du médecin et géologue John Jeremiah Bigsby dont l'œuvre dans Charlevoix est présentée à la partie suivante.

«topographique» dans l'art du paysage européen. C'est là que repose son souci d'exactitude des formes et des distances, particulièrement important pour un ingénieur militaire. On perçoit également dans la composition de l'œuvre l'influence du style Picturesque qui apparaît en Angleterre à la fin du XVIIIᵉ siècle, initié par le révérend William Gilpin. Ce mouvement privilégie une mise en évidence du caractère rude, ébauché et sauvage des paysages (chapitre 2). Les vues qui intègrent à la fois des montagnes, des plaines et des cours d'eau sont alors très populaires. Sur le plan technique, rappelons que cette théorie esthétique utilise des règles élaborées par les peintres classiques. Il s'agit notamment des jeux d'ombre et de lumière, l'utilisation de coulisses formées d'arbres ou d'autres éléments naturels, le repoussoir, et la séparation de la vue en trois plans afin de donner une profondeur au tableau. L'aquarelle de Bainbrigge intègre ces techniques afin de structurer le paysage.

FIGURE 5.1

PHILIP JOHN BAINBRIGGE, BAIE-SAINT-PAUL, 1841

Source : Archives nationales du Canada, Ottawa, C-11833.

On perçoit également l'influence de Ruskin dans la composition de l'œuvre. L'attention donnée par Bainbrigge à l'architecture canadienne française à travers la maison, son association étroite à l'église et le caractère majestueux de la nature qui entoure la scène traduisent ce souci de caractériser le « genre de vie » dans Charlevoix. Ils traduisent également un souci d'unité et de perfection divine à travers un milieu naturel très diversifié, caractérisé par une grande hétérogénéité des formes et des matériaux. En plus d'une esthétique romantique, Bainbrigge semble chercher l'essence de la culture canadienne-française. Il définit cette culture d'abord par la religion, illustrée par le clocher d'église qui surplombe la maison, ainsi que par le rayon de soleil. Le deuxième élément qu'il représente est l'architecture. L'agriculture suit, dans l'espace à droite de l'habitation. Le champ marque une division entre l'espace humanisé et le milieu sauvage environnant. Ce champ semble toutefois pauvre en étendue et en mise en valeur. Il semble destiné à un usage exclusivement domestique. Ces deux traits reviennent souvent dans la définition de la collectivité canadienne-française de la part des conquérants britanniques pendant la première moitié du XIXᵉ siècle. Un an après le Rapport Durham, le mode de vie de la majorité canadienne française au Bas-Canada est défini par sa base rurale et agricole, la religion catholique et son faible niveau d'éducation. Durham souligne également la piètre performance économique des Canadiens français, tant en agriculture qu'en industrie et leur peu d'esprit d'innovation : « Ils sont restés une société vieillie et retardataire dans un monde neuf et progressif (Rapport Durham cité dans Dumont, 1993 : 124). » Cette phrase synthétise la représentation très opposée des deux sociétés de la part des Britanniques, en fonction de leur modernité.

Cette vision d'un mode de vie ancestral et primitif des Canadiens français transparaît dans l'aquarelle de Bainbrigge. Elle est populaire parmi les bourgeois britanniques de l'époque. Elle est également liée au mythe agriculturiste qui tire ses origines du géorgisme du XVIIᵉ siècle. Cette idéologie affirmait la base d'abord rurale et agricole de l'Angleterre, d'où la nation tirait ses qualités morales et la source de sa puissance économique (Rosenthal, 1982). Le mythe agriculturiste est récupéré par le mouvement romantique qui réagit violemment contre l'urbanisation rapide des sociétés occidentales sous l'impulsion de l'industrie capitaliste. La nouvelle classe urbaine et industrielle est saisie de nostalgie et d'admiration pour la pureté morale et physique des espaces ruraux qui sont perçus comme un paradis perdu, opposé à la pollution et à la déshumanisation croissante des nouvelles villes industrielles. C'est pourquoi, sous l'impulsion de philosophes et de théoriciens comme Ruskin, les bourgeois se mettent à chercher des espaces ruraux éloignés de la ville et de ses désordres afin de goûter non seulement les paysages, mais également l'essence de la nation qui l'occupe.

C'est le cadre général dans lequel s'insère l'aquarelle de Bainbrigge dans Charlevoix, dans laquelle s'allient à la fois les théories esthétiques, le mythe et l'idéologie afin de présenter une vision idéale du paysage à Baie-Saint-Paul, exemple de la grandeur du paysage de la vallée du Saint-Laurent et du mode de vie ancestral des Canadiens français. S'y entremêle le côté primitif et immobile de la culture canadienne-française, dont la société est perçue comme renfermée sur elle-même autour de l'église paroissiale. On y trouve également la simplicité, le charme rustique et bucolique de la vie à la campagne tel qu'ils sont représentés par le Romantisme.

5.1.5 John Jeremiah Bigsby

John Jeremiah Bigsby est un fonctionnaire colonial qui remplit pendant son séjour au Canada des missions d'exploration géologique à travers le Bas-Canada et la région des Grands Lacs (voir chapitre 2). Il participe également au tracé de la frontière du Canada et des États-Unis. Il tient un journal de voyage et réalise des croquis à travers l'Ontario, le Québec et la région du sud de la baie d'Hudson. Il publie le compte rendu de ses voyages à Londres en 1850 dans un ouvrage en deux volumes, intitulé *The Shoe and Canoe*.

5.1.5.1 The Shoe and Canoe or Pictures of Travel through the Canadas

Dans l'introduction de son volume, Bigsby expose clairement son intention qui est de présenter un portrait des lieux visités et du mode de vie des gens qu'il rencontre. Pour chacun des lieux visités, les sujets qui retiennent son attention sont l'émigration, la politique coloniale, les missions chrétiennes, les activités de la Commission de la frontière, de la compagnie de la baie d'Hudson ainsi que la collecte d'informations concernant la topographie de l'endroit visité (Bigsby, 1850, vol. I: vi). L'ouvrage de Bigsby se veut à la fois un recueil d'informations concernant le développement social et économique des colonies britanniques ainsi qu'une œuvre destinée à mettre en valeur la beauté et la pureté des paysages canadiens. Il présente une vision très idéalisée du Canada, à travers la grandeur et la majesté du paysage et l'abondance de ses ressources naturelles. Il met également en évidence l'urgence de coloniser les vastes étendues de terres disponibles au Canada.

> *My humble but earnest wish is (and most disinterestedly) to show my fellow-countrymen that Western Canada in particular is a pleasant land; that it presents a variety of enjoyments - sport to the sportsman, inspiration to the poet, excitement to the brave, and health to the delicate; while, at the same*

*time, it offers unfailing abundance to the destitute, and a haven to the home-
less... I beg to recommend and urge a large planned emigration, under the
auspices, though not altogether at the expense, of Government* (1850, vol. I:
vi-vii).

L'air pur et l'eau cristalline de la région des Grands Lacs sont pour lui le
refuge tout indiqué contre la misère et les crimes de la ville (1850, vol. I: vii). Il
dépeint ce qu'il définit comme certains aspects fixes de la colonie (son milieu
naturel et le mode de vie de sa population) à travers une chronique fidèle des
incidents du voyage, des faits et des sentiments qu'il éprouve en certaines occasions. Quant à son style littéraire, il le définit ainsi: « *The cheerful get-along style
which I desire to adopt is now acknowledged to be the true descriptive* (1850,
vol. I: x). » Bigsby emprunte le style littéraire scientifique privilégié au XIX⁰ siècle:
la description de faits et d'événements sous une forme narrative. Le style du récit
de voyage s'inscrit nettement dans la tradition romantique par la place allouée
aux anecdotes, aux rencontres et aux sentiments de Bigsby devant le paysage.
L'une des caractéristiques du Romantisme du milieu du XIX⁰ siècle est justement
de donner vie au quotidien, aux gens ordinaires et à leur espace, ainsi qu'à l'individu: ses idées, ses convictions et ses sentiments (Rosenthal, 1982: 74;
Cogniat, 1966: 42-44). L'ouvrage de Bigsby est truffé de jugements, d'impressions et de préjugés. Ces jugements reflètent une mentalité de classe et d'ethnie,
et en cela, il est révélateur d'une certaine représentation de la société canadienne-française du XIXᵉ siècle par les membres de la haute société britannique.
L'analyse qui suit, centrée sur la description de Bigsby du paysage charlevoisien,
est riche en éléments de cette représentation.

5.1.5.2 Charlevoix en tant que représentation
de la société rurale bas-canadienne

La description du paysage charlevoisien s'étale sur 43 pages et elle est illustrée
par 5 lithographies, dont l'une est placée en page frontispice du volume[79].
Signalons également que les illustrations du paysage charlevoisien constituent
5 des 8 gravures que compte l'ouvrage. Bigsby présente également une carte
de la géologie de la vallée de Saint-Étienne à la Malbaie. C'est plus que l'attention accordée à Québec et à sa région qui occupe 36 pages et à Montréal et à sa
région, seulement 23 pages. Il semble donc que Bigsby ait trouvé dans
Charlevoix une abondance de matériel lui permettant de mettre en valeur les
paysages grandioses du Canada et le mode de vie pittoresque de ses habitants
canadiens-français. Cette narration résulte des voyages effectués dans la région

---

79. Il s'agit de l'illustration *Village of St. Paul*. ANC, Ottawa, C-11696 (figure 5.2).

en 1819 et en 1823. La représentation du paysage réalisée par Bigsby n'est donc pas contemporaine à la date de parution du volume. Sa narration du paysage affiche certaines affinités avec celles de Joseph Bouchette et George Heriot avant lui, notamment sa description du milieu naturel, qui comporte de nombreux détails quant au relief, à la géologie, au climat et à la végétation particulière des lieux visités. Il parle cependant très peu de l'économie régionale. Les seules activités économiques signalées sont l'agriculture et la pêche. À Baie-Saint-Paul, il affirme que le commerce est insuffisant pour faire vivre une auberge ou un médecin (1850, vol. I: 188) et que la visite d'étrangers est rare (1850, vol. I: 193).

La description des villages et des rangs est cependant beaucoup moins détaillée et précise que celle de Bouchette et de George Heriot, qui accordent une plus grande importance à l'économie et à l'aspect extérieur des fermes et des villages. Ce fait s'explique par l'absence de sources rigoureuses dans le récit de Bigsby qui se réfère uniquement à ses observations et aux informations livrées par ses hôtes. Son observation du mode de vie et de la culture locale est cependant beaucoup plus fine que celle des deux auteurs précédents. Les descriptions du milieu physique de Bigsby sont souvent agrémentées d'une touche d'exotisme. Il s'attache notamment au caractère grandiose et poétique des paysages et à l'allure pittoresque des établissements:

> the seignory of La Petite Rivière is a group of small farms in a break in the mountains, through which runs a gentle stream. The scene, overhung by Cape Maillard, 2200 feet high, is rural and more than pretty. The level ground consisted principally of hay-fields, and the people were busy gathering in their crop. White houses are dotted about; and far up the valley I espied a church-steeple. An Englishman is as seldom seen at this place almost as in Timbuctoo (in my time) (1850, vol. I: 187).

Cet exemple est typique des descriptions d'ensemble des établissements charlevoisiens de Bigsby, dont les principaux commentaires sont liés à la présence d'une église, de fermes, de fonctions particulières comme la milice, de services, de magasins, de boutiques, etc.: «[à la Malbaie] *The inhabitants ar wholly without school-education. There is no medical men, lawyer, or tavern-keeper, but two or three shoemakers, and five shopkeepers (1823)* (1850, vol. I: 234).» Il exprime cependant un vif intérêt pour le mode de vie de la population locale et ses conditions matérielles d'existence:

> [La Malbaie] The priest has the love and respect of his flock, although he does not permit dancing. The peasantry live hard, but are active, cheerful, and obliging. Marriages are early and prolific. [...] It is not uncommon for aged people to give up their little property to their children, reserving a rent. [...] I saw a good deal of itch in the place; and now and then the sivvens, a

very disgusting disease makes it appearance. They are a dirty race. Milk,
black or brown bread, and soups, form the staple diet of the people all the
year round; but in the months of August and September they live much upon
bilberries, raspberries, and thin milk (1850, vol. I: 204).

Quant à ses jugements sur la moralité et les manières des habitants, ses
impressions et ses opinions laissent souvent transparaître son éducation et les
valeurs de la société bourgeoise britannique de la première moitié du XIX⁰ siècle.
La vision de Bigsby de la spiritualité et du tempérament des habitants liés à leur
mode de vie rural est par contre très idéalisée :

> *In St. Paul's Bay they are rather a good-looking race-spare, active, with a*
> *quick eye, both men and women. The French Canadian has lively affections,*
> *great excitability; his feelings play freely, and are almost explosive. He is*
> *fond of money, shrewd in its acquirements, and retentive when he has it...*
> *The Lower Canadian acquires land easily; and there is plenty of room for his*
> *children after him. The frugal and industrious man, who lives within ten or*
> *fifteen miles of a town, is rich in coin also, numerous as a rule. His market is*
> *remunerative... His spiritual director is commonly his adviser-general, and is*
> *taken from his own rank of life. St. Paul's Bay is so healthy as not to require a*
> *medical man.. although there are more than 3000 people in the vicinity* (1850,
> vol. I: 190-191).

La glorification du mode de vie traditionnel de cette petite communauté
rurale et des vertus qu'il suscite est très évidente dans cette note. On y trouve
également des éléments du mythe géorgique des campagne anglaises qui sont
intégrés au discours romantique britannique du premier tiers du XIX⁰ siècle.
Bigsby exalte les vertus des paysans bas-canadiens à plusieurs reprises dans
son récit. À ce discours ruraliste correspond également chez les romantiques un
discours anti-urbain marqué. Ce discours est présent non seulement chez les
intellectuels britanniques, mais également chez les américains dont la vague
débute avec Thomas Jefferson à la fin du XVIII⁰ siècle et se continue chez des écri-
vains et intellectuels comme Henry David Thoreau au XIX⁰ siècle. Le discours
romantique est marqué par son opposition à l'urbanisation croissante de
l'Europe et de l'Amérique du Nord au XIX⁰ siècle. La ville est perçue comme responsable de la détérioration des mœurs. Elle est synonyme d'artificialité, d'im-
moralité et de superficialité. Elle est contraire à l'idéal poétique de l'époque, centré sur la contemplation de la nature en ce qu'elle a de plus sauvage et dans
l'exaltation des vertus du monde rural (White, 1977 : 21-35).

On trouve une partie de ce discours chez Bigsby tant à travers le texte
qu'à travers les illustrations qui l'accompagnent. La nature et le milieu sauvage
du Canada occupent en effet une grande place dans le texte, centré sur l'observation du relief, de la géologie, de la végétation et des accidents naturels particuliers. D'ailleurs, il avoue à un moment être à la Malbaie « *In the murky air of an*

American wilderness» (1850, vol. I: 232). Il n'exprime cependant pas de dégoût particulier pour les villes. Il en parle très peu et s'attache plus à son côté mondain et civil qu'à son paysage. Il préfère nettement décrire les paysages sauvages de ses excursions en canot dans la région des Grands Lacs et de sa marche à travers la côte de Beaupré et le littoral jusqu'à Charlevoix. Comme nous le verrons plus loin également, le milieu sauvage occupe plus de 30% du contenu des images de Bigsby réalisées dans Charlevoix.

Un autre élément important présent dans la narration de Bigsby est l'influence de son éducation bourgeoise qui oriente également ses jugements de valeur sur les habitants de la région. La distinction de classe sociale est très importante. Les termes qu'il emploie pour décrire les gens rencontrés sont: membres de la «classe plus élevée», «*pure native*» et «*respectable farmer*». Il s'attarde beaucoup plus longuement sur ses rencontres avec les membres des «classes plus élevées» de la région, notamment à travers la narration d'une soirée chez le représentant de Baie-Saint-Paul au parlement provincial, M. de Rouville Pothier. Il définit les Canadiens français des classes plus élevées comme étant ceux qui possèdent une certaine éducation. Ils sont souvent réfléchis et ils aiment les discussions politiques. Même s'ils possèdent peu de livres, et plusieurs de ceux qu'ils possèdent viennent de vieilles écoles, ils ont l'esprit agile. Ils passent la plus grande partie de leurs hivers ensemble à discuter de sujets divers (1850, vol. I: 195-196). Le ton qu'il emploie cependant dans sa description est paternaliste et condescendant. Quant aux «*pure natives*», il manifeste de nombreux préjugés à leur égard. Voici un extrait de sa description de son séjour chez les Brassard à La Malbaie, où il passe quelques jours:

> *Following my stout hostess and one or two stumpy laughing daughters, I ascended into the cock-loft, where was my bed for that nonce... the more vehemently as the dim light showed that the chocolate-coloured sheets had never been washed since the days of Montcalm; and that Granny, on rising promptly to the call, was a most mummified creature, whose parchment skin reminded me of Ziska's when it headed a drum. Yet I afterwards found that this extremely aged and decrepit woman, weary of life perhaps, had no small share of feeling and intelligence; and as is usual, vastly to the credit of all semi-civilised or barbarous people, was kindly and respectfully treated* (1850, vol. I: 225-226).

Les termes employés par Bigsby démontrent clairement le rang inférieur qu'il assigne aux cultivateurs peu instruits. Il s'attarde à l'apparence sale des habitations et au caractère primitif de leur mode de vie. Il va même jusqu'à les comparer à des demi-civilisés et des barbares. Il termine cet épisode par le fait que, malgré leur saleté, il aime bien les «paysans» simples et aimables de La Malbaie. «*The peasantry live hard, but are active, cheerful and obliging* (1850, vol. I: 234).» Le regard paternaliste du Britannique sur le colonisé est clairement oxprimé dans ce commentaire, qui encore une fois revient souvent chez Bigsby. tant envers les paysans du Haut que du Bas-Canada. Nous pouvons encore une fois relier cette conception de la paysannerie robuste et bocagneuse au mythe géorgique.

5.1.5.3 Des identités nationales opposées définies en termes politiques

Le dernier aspect que nous désirons souligner ici est la préoccupation de Bigsby pour la politique coloniale et les revendications constitutionnelles de la majorité canadienne-française. Il retranscrit en entier sur 12 pages une conversation entre M. de Rouville Pothier, le représentant de la Baie Saint Paul à la Chambre d'Assemblée, qualifié de modéré par Bigsby, et le docteur Wright, directeur du bureau de la medecine du Canada qu'accompagnait Bigsby. L'échange porte sur le débat concernant le gouvernement responsable et l'éventuelle indépendance du Canada. Bigsby loue à ce moment le goût de la discussion politique chez les Canadiens français « *of the better class, who have been more or less educated*» (1850, vol. I: 195). Le but de Bigsby est de représenter le plus fidèlement possible l'opinion des Canadiens français de l'époque et de démontrer « *How deeply and universally the Canadians had at heart the great privilege of self-govern-ment. Most, if not all the great public grievances then existing, have since been removed (1849). They have self-government enough* (1850, vol. I: 196).» À l'ins-tar de la bourgeoisie britannique donc, Bigsby juge que l'octroi du gouverne-ment responsable résout les problèmes des Canadiens français.

La discussion, qui prend place en 1823, est instiguée par Pothier. Celui-ci profite de la visite de membres du gouvernement britannique afin de plaider la cause de son parti[80] pour l'obtention du gouvernement responsable. Ses argu-ments sont orientés vers la nécessité pour les Canadiens français de se gouver-ner eux-mêmes afin de mieux répondre aux besoins de leur société. Les fonc-tionnaires britanniques, selon Pothier, sont, au mieux, mal informés et, au pire, incompétents et malhonnêtes. Ils se soucient peu du bien-être des Canadiens français (Bigsby, 1850, vol. I: 204, 206). Wright est choqué de cette attaque et réplique que les Canadiens français, sous le couvert du gouvernement respon-sable, désirent en fait l'indépendance totale. Celui-ci affirme que la colonie n'est pas en mesure de s'administrer elle-même. Il souligne alors le peu d'éducation des classes populaires et le petit nombre de citoyens en mesure d'assumer les lourdes charges administratives d'une nation indépendante. Il mentionne égale-ment la faiblesse de l'économie canadienne-française. Bref, les Canadiens fran-çais ne sont pas prêts à se gouverner. « *You are not ripe yet for self-government;*

---

80. M. Pothier est un réformiste modéré, membre du parti Canadien.

when you are, I trust England will understand her duty, and part with you in an amicable spirit (1850, vol. I: 200).» Pothier ne croit cependant pas que l'Empire accordera de son plein gré l'indépendance à quelque colonie que ce soit. Il cite alors l'exemple des États-Unis. Le ton s'envenime alors que Wright souligne d'une façon paternaliste les bienfaits de l'Empire britannique pour la société canadienne-française, tant sur le plan économique que politique, notamment pour la protection militaire du territoire, les tarifs commerciaux préférentiels et le soutien économique de l'Empire. Ce passage révèle de façon explicite le discours de l'administration britannique sur la question d'une éventuelle indépendance de la nation canadienne-française:

> *I made use of the word 'gratitude' just now. How beautiful was the kindness of the home Government shewn a few years ago in this remote spot! Your crops barely suffice for your population; you have scarcely any other ressources. At the time to which I allude, a deficient harvest brought you to the brink of a famine. Your sovereign supplied all your wants, and asked for no return. Perhaps your own (Pothier) hand drew up the petition for this aid. I doubt whether the Canadas in a state of independence would have done so much, for the western people are not overfond of their French compatriots. The authorities of Washington, 900 miles from you, would not have sent you a dollar* (1850, vol. I: 202-203).

Le ton est paternaliste et loue la générosité du gouvernement britannique devant la détresse d'un coin reculé de l'Empire et son rôle de protecteur de la nationalité canadienne-française. Il met également celle-ci en garde contre une éventuelle indépendance qui la laisserait sans protection aux mains de leurs voisins canadiens, ou américains dans le cas d'une annexion aux États-Unis. Wright sous-entend tout au long de son discours que seul l'Empire britannique est en mesure de protéger la nation comme elle l'a fait avec magnanimité depuis la Conquête. Il affirme également à plusieurs reprises l'incapacité économique et sociale de la nation à se gouverner elle-même.

Nous trouvons ici l'essence du discours britannique en réponse aux revendications du Parti canadien à cette époque. C'est un discours qui tente de justifier l'ingérence et le contrôle des politiques coloniales par les Britanniques, sous le couvert d'un paternalisme condescendant. La réplique de Pothier est la même que celle de son parti, à savoir la présence d'une nouvelle classe de jeunes professionnels prêts à assumer des postes dans l'administration coloniale d'où ils sont écartés par les règles du patronage britannique. Il fait également allusion à la menace d'un appui des Canadiens français aux Américains lors d'une invasion s'ils sont insatisfaits de leur statut et de leur traitement dans l'Empire. À leur sortie de chez Pothier, Wright et Bigsby parlent de la possibilité d'une insurrection armée sous peu. Wright mentionne qu'il ne s'attendait pas à une telle attaque de la part d'un homme dont il n'avait jamais entendu parler à la Chambre d'assemblée.

> [Wright] It shews that there is not only discontent, but power, out of sight. The worst of it is, that there is much truth in what he says. Do you think they will ever try an open insurrection? Yes, sir, I said (Bigsby); the men who are planning it are known even now. Politicians and soldiers spring up in a new country before philosophers and poets. They have seventy thousand tainted militamen, and a hardy peasantry (1850, vol. I: 209).

Ainsi Wright reconnaît la légitimité des revendications des Canadiens français et il exprime sa peur d'une insurrection armée, déjà perçue comme presque inévitable chez certains membres de l'administration britannique. Cette discussion révèle les tensions alors présentes entre les deux groupes ethniques de la province. Il est également surprenant que celles-ci se manifestent dans «un des coins les plus reculés de l'Empire», selon les mots de Bigsby. Ce débat politique portant sur l'avenir de la nation canadienne-française qui prend place à Baie Saint-Paul en 1823 entre cependant en contradiction avec un des messages principaux du récit de Bigsby dans Charlevoix et les illustrations qu'il en donne. Ceux-ci sont axés sur l'isolement et le côté sauvage du paysage régional. L'implication de citoyens de la région comme Pothier dans le grand débat politique sur l'avenir de la nation dément l'idée d'isolat et de primitivisme de cette région. Nous avons également vu (chapitres 3 et 4) que d'autres faits socio-économiques démentent cette représentation. Bien sûr, l'implication dans les débats politiques est le fait des membres les plus instruits de la société, mais il n'en reste pas moins qu'elle existe. De plus, ceux-ci s'affirment à cette époque comme les leaders de la société. Ils jouissent donc d'une certaine influence auprès de la population.

5.1.5.4 L'iconographie de Bigsby

John Jeremiah Bigsby a réalisé plusieurs croquis de la région de Charlevoix au cours de la période 1819-1823. Certaines indications de l'auteur nous portent cependant à croire qu'elles ne nous sont pas toutes parvenues. Il publie cinq images du paysage régional sous la forme de lithographies dans son volume The Shoe and Canoe. Ces images viennent compléter les commentaires de Bigsby sur sa représentation du milieu régional. Trois d'entre elles sont centrées sur les villages de La Malbaie et Baie-Saint-Paul (figure 5.2), l'une illustre une partie des terrasses des Éboulements et la dernière a pour objet la vallée agricole le long de la rivière Malbaie. Ces représentations sont donc concentrées sur le milieu littoral et les plus grands centres villageois de la région. Bigsby ne traite pas de l'arrière-pays qui relève d'une dynamique socio-économique différente du littoral.

Les éléments majeurs qui se dégagent de l'iconographie de Bigsby (graphique 5.3) sont le caractère sauvage du milieu et son relief accidenté (32,3% des éléments représentés), l'église catholique (12,9%), le fleuve (12,9%) et la navigation (9,68%). Ces illustrations, dont celle qui est présentée ci-haut constitue un bon exemple, viennent appuyer les messages de sa description textuelle en suggérant un paysage relativement sauvage et isolé, dont le développement économique demeure rudimentaire et axé sur l'agriculture de subsistance. Dans la composition des œuvres, Bigsby place l'église au centre de la vie sociale de la région. L'attention accordée au village et aux détails architecturaux des habitations sont également révélateurs de son intérêt pour le genre de vie de la population. Le réseau de communication est axé sur le fleuve comme le suggère la place que celui-ci occupe dans les représentations de Bigsby qui n'accorde aucune attention au réseau routier, pourtant bien développé dès 1815. Il est intéressant de noter par ailleurs que ces commentaires et ces illustrations sont le résultat de voyages réalisés plus de 25 ans plus tôt. Pourtant, ils se distinguent très peu des vues contemporaines réalisées par Warre et Bainbrigge qui soulignent à peu près les mêmes traits du paysage (voir graphique 5.1).

FIGURE 5.2
JOHN J. BIGSBY, VILLAGE OF ST. PAUL, 1850

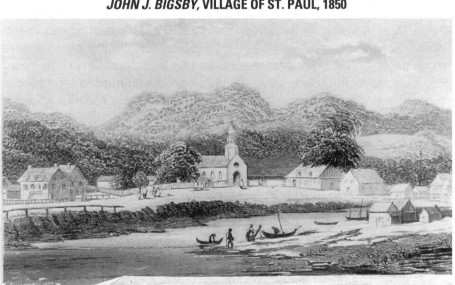

Source : Archives nationales du Canada, Ottawa, C-11696.

Soulignons également la différence dans le style et dans les éléments représentés dans ses croquis disponibles pour 1819 et ses lithographies de 1850. Les croquis de 1819 sont beaucoup plus précis quant à la morphologie du paysage et l'état de développement de l'agriculture et de l'occupation des terres en général (graphique 5.3). Le paysage représenté en 1850 répond beaucoup plus à un besoin d'exotisme et de romantisme destiné à embellir le récit de Bigsby qu'une représentation précise du paysage et des activités qui s'y inscrivent.

Les représentations de Bigsby intègrent les techniques du Picturesque quant à la subdivision des plans, l'emploi de silhouettes et de repoussoirs (figure 5.2). Nous y voyons également des éléments de la théorie du paysage de Ruskin par l'attention qu'il porte à l'architecture et aux éléments individuels composant l'image (les maisons, les arbres, les clôtures, etc.). Il tente de fournir une vue unifiée, harmonieuse du paysage. Il place l'église au centre de toutes ses lithographies charlevoisiennes, comme si elle constituait le facteur premier d'unité à l'intérieur du paysage, autour duquel s'agencent les autres éléments (figure 5.2). Tout comme Ruskin, il place la foi comme caractère premier du « genre de vie » de la campagne. À un niveau supérieur, ses représentations s'appuient sur les principaux traits évoqués par les Britanniques pour définir la société canadienne-française de la première moitié du XIXe siècle: le caractère primitif des établissements ruraux, la religion catholique, le village et le manoir seigneurial. Ces éléments sont réunis dans des vues romantiques du paysage naturel grandiose et sauvage entourant les établissements humains centrés sur l'église. Les lithographies de Bigsby réunissent les messages de base présents dans l'iconographie de cette période sur Charlevoix.

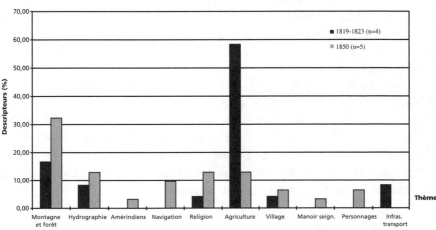

GRAPHIQUE 5.3

THÈMES PRIVILÉGIÉS PAR JOHN J. BIGSBY DANS CHARLEVOIX À LA PÉRIODE 1819-1823 ET EN 1850

Source: Base de données Iconographie. Laboratoire de géographie historique/CIEQ.

5.1.5.5 Le récit charlevoisien de Bigsby en tant que représentation de la société canadienne-française de la première moitié du XIXᵉ siècle

L'œuvre littéraire de Bigsby s'annonce comme représentative de cet engouement pour les arts romantiques qui s'exprime en Europe dans la première moitié du XIXᵉ siècle et qui vont contribuer à faire de Charlevoix un paysage mythique du Québec. Elle intègre également le système de représentation utilisé par les Britanniques afin de comprendre et de décrire la société canadienne-française, ainsi que celui qui sert à décrire leur propre paysage et leur paysannerie. Ce système de représentation traduit la vision des bourgeois britanniques concernant le rôle et le statut des paysans. Il témoigne également de la supériorité économique, militaire et politique de l'Empire sur les colonies, et leur perception du peuple canadien-français et de sa culture. Tous ces éléments en viennent à former un système de représentation complexe, à l'origine d'une vision très eurocentrique du paysage charlevoisien.

5.2 L'UTOPIE AGRICULTURISTE DE JOSEPH LÉGARÉ

Joseph Légaré (1795-1855) offre une représentation très différente du paysage charlevoisien. Cette représentation prend la forme d'une huile sur toile datée entre 1830 et 1843 et intitulée *Baie-Saint-Paul* (figure 5.3). On ne s'entend pas sur la date exacte de cette toile. Selon le dépôt du Séminaire de Québec, elle daterait d'environ 1830. Dans une thèse de doctorat récente, Didier Prioul (1993, vol. 2 : 243-244) la date plutôt de 1842-1843 en raison de son style par rapport à l'ensemble de l'œuvre de paysage de Légaré. Cette toile a pour thème principal l'intérieur de la vallée de Baie-Saint-Paul. Il s'agit de l'un des paysages les plus achevés de l'artiste. Elle illustre l'étendue de la campagne dont les champs s'étirent sur toute la largeur de la vallée et remontent sur le flanc des terrasses fluviales. Les champs s'étendent jusqu'à la limite du fleuve à l'horizon. Légaré accorde presque toute son attention au parcellaire de la vallée du Gouffre. Les lots perpendiculaires à la rivière et aux versants de la vallée sont délimités par des clôtures. Légaré marque également le front des terres au bas des versants en y plaçant de petites habitations. L'Île-aux-Coudres constitue la limite de ce panorama. Le relief est doux, composé de formes arrondies, notamment le long des versants. Seuls quelques bâtiments de ferme viennent interrompre l'ondulation de la plaine. On aperçoit au premier plan un bassin d'eau sombre où se reflètent les arbres et les bosquets. De petites collines apparaissent sur les coins inférieurs de l'image. Ces derniers éléments agissent comme des repoussoirs servant à orienter le regard vers la plaine agricole.

À un deuxième niveau, l'arrangement des formes de cette toile révèle une volonté de traduire un espace agricole organisé et rationalisé précis. En témoignent notamment l'aspect propre et géométrique des lots et des fermes ainsi que l'étendue des terres en culture. Légaré s'attache à l'aspect organisé, domestiqué et humanisé du paysage. L'orientation de la vue, vers le fleuve, traduit également le caractère central accordé au fleuve comme principal moyen de communication dans la vallée du Saint-Laurent.

Nous remarquons dans cette vision particulière du paysage diverses influences. D'abord la présence d'une analogie avec les paysages panoramiques des peintres hollandais du XVIIe siècle qui se manifeste dans le point de vue particulier de l'image, le discret repoussoir à gauche, la vaste perspective, le quadrillage des champs au plan médian et le reflet des arbres sur la nappe d'eau au premier plan (Prioul, 1993, vol. 1: 106). Il est possible que Légaré ait eu accès à ce style par certaines gravures provenant d'Europe, mais Prioul postule qu'il l'a probablement appris des travaux de James Duncan qui a importé ce style d'Angleterre où il est alors très populaire (1993, vol. 1: 106). Nous y voyons également l'influence du Pittoresque et de l'œuvre des topographes britanniques dans la structure du tableau en trois plans séparés par des tonalités différentes (l'avant-plan très sombre notamment), l'utilisation des coulisses formés d'arbres emprunté aux peintres classiques et dans l'aspect carré et net des bâtiments.

Contrairement au contenu des paysages des topographes cependant, celui de Légaré a pour thème exclusif la vallée agricole de Baie-Saint-Paul. Les représentants de l'Empire britannique s'attardent plutôt à saisir dans Charlevoix la majesté des panoramas formés par les montagnes et les hameaux pittoresques et romantiques qui s'étendent à leurs pieds. L'agriculture y est représentée en tant que partie constituante du paysage, dominé par la grandeur des montagnes sauvages qui surplombent les basses terres. Légaré accorde toute son attention à la place occupée par l'agriculture ainsi qu'à la forme privilégiée d'occupation du sol qu'on trouve dans les basses terres de la vallée du Saint-Laurent, le système seigneurial. Celui-ci, en plus de constituer un mode d'occupation du sol, traduit également un type de rapport entre l'homme et la nature, un «genre de vie» relié à la pratique de l'agriculture familiale. Voyons plus en détail les emprunts stylistiques de Légaré.

FIGURE 5.3

JOSEPH LÉGARÉ, **BAIE-SAINT-PAUL, CA 1830**

Source: Musée de la civilisation, Dépôt du Séminaire de Québec, Québec, 1994. 24989.
Photographie de Pierre Soulard.

5.2.1 Les paysages de Légaré : une vision nationale traduite à l'aide de références européennes

La carrière artistique de Joseph Légaré est jugée intense et novatrice par les critiques d'art actuels (Prioul, 1993, vol. 1: 106). Porter souligne la différence entre l'œuvre de Légaré et celle de ses contemporains canadiens-français comme Antoine Plamondon et Théophile Hamel. Le peinture de cette époque au Bas-Canada a pour objet principal les scènes religieuses et le portrait. La variété et l'audace de l'œuvre de Légaré était très avant-gardiste. Cet avant-gardisme est attribué à l'aisance matérielle de Légaré, qui lui permettait de peindre les sujets de son choix sans se préoccuper réellement des ventes. Il peignait non seulement des paysages, mais également des tableaux religieux, des portraits et des scènes représentants des événements historiques, à coloration sociale ou politique. Une grande partie de son œuvre fut d'ailleurs boudée, ses paysages notamment. Certains tableaux le furent en raison de leur style particulier, mais d'autres, en raison de ses positions politiques. Il connut ses plus grands succès avec la clientèle étrangère. Il a également exposé plusieurs fois. Il a obtenu les deux premiers prix à l'*Exposition industrielle* de Québec en 1854.

Il ouvre la première galerie d'art du pays en 1833 dans sa toute nouvelle maison de la rue Sainte-Angèle à Québec où il expose sa collection. Les journaux de la ville louent alors «son bon goût, sa persévérance et son patriotisme» (Porter *et al.*, 1978: 13). Il agrandit cette galerie en 1838 en s'associant à l'avocat Thomas Amiot. La collection de la nouvelle Galerie de peinture de Québec était alors constituée d'une centaine de tableaux appartenant pour la plupart à Légaré (Porter *et al.*, 1978: 13). Elle accueille également une école de dessin et de beaux-arts. La galerie est alors qualifiée de «temple des beaux-arts» en raison de la qualité de sa collection. Elle ferme cependant ses portes en 1840. Légaré fera par la suite la promotion d'une galerie nationale à Québec. Le projet n'obtiendra toutefois pas l'appui des élus municipaux. L'artiste continue à exposer sa collection dans une salle attenante à son domicile. À partir de 1852, il publie même un catalogue de sa collection (en anglais) et ouvre sa galerie gratuitement au public. Les citoyens de Québec ignorent son exposition. Sa clientèle était principalement composée d'étrangers de passage, des britanniques en particulier (Porter *et al.*, 1978: 14).

L'œuvre de paysage de Légaré compte une soixantaine de tableaux réalisés entre 1827 et 1855 (Porter *et al.*, 1978: v). Il est le premier artiste paysagiste canadien. On trouve diverses influences stylistiques dans son art du paysage. D'abord celle des tableaux religieux qu'il a réalisés au début de sa carrière. Pour Prioul, les premiers essais de Légaré dans le domaine du paysage sont en continuité avec son œuvre religieuse. Il imite alors les compositions de peintres religieux comme Rubens. Ses premiers paysages servent de toile de fond aux personnages qui apparaissent au premier plan[81]. Une autre influence lui vient de sa propre collection. Cette collection était formée d'abord des tableaux de la collection Desjardins, mais également de tableaux et de gravures acquis lors de ventes annoncée dans les journaux comme le *Québec Mercury*. La plus grande influence perceptible dans l'œuvre de Légaré est celle de l'artiste italien Salvator Rosa. Ces tableaux présentaient des paysages très ordonnés et idéalisés. Selon Prioul, c'est l'imitation qui caractérise l'œuvre de paysage de Légaré. Celui-ci procédait par emprunts et parfois par imitation ou copie directe d'œuvres auxquelles il avait accès. «Il ne fait que modeler ses propres mises en pages sur la vision de ceux qu'il estimait et qui eux pouvaient posséder quelque savoir théorique (Prioul, 1993, vol. 1: 89).» Ses emprunts sont donc nombreux. Ils relèvent à la fois du Pittoresque élaboré par des artistes comme William Gilpin, Richard Payne Knight ou sir Uvedale Price, de peintres européens de l'époque comme William Turner, de classiques et de topographes comme James Pattison Cockburn et les autres membres du Groupe de 1838[82].

---

81. Voir par exemple *Le Canadien* ou *Le massacre des Hurons par les Iroquois*.

82. Il s'agit notamment de Philip John Bainbrigge, Henry William Barnard, James Hope Wallace et de quelques civils comme Millicent Mary Chaplin.

On postule que Légaré a été orienté vers le style de Rosa par le topographe britannique Cockburn avec qui il eut des contacts à partir de 1829 et qui était un admirateur de Rosa (Prioul, 1993, vol. 1: 77). Celui-ci ainsi que les autres artistes topographes britanniques de la première moitié du XIXᵉ siècle exercèrent une influence importante sur le style de Légaré. Prioul identifie en effet « d'étonnants parallèles » entre l'œuvre de Légaré et celle de Cockburn. Celui-ci aurait initié Légaré à la technique de la *camera lucida*. Cette influence ne transparaît véritablement que six ans après le départ de Cockburn. Elle prend la forme d'une vision ordonnée de la nature, « rectifiée mentalement afin de l'accorder à un idéal de composition et un travail d'atelier procédant par additions de beaux motifs pour augmenter le pittoresque du site naturel » (Prioul, 1993, vol. 1: 91). Il affiche une prédilection marquée pour les chutes, les rivières, les forêts, les maisons de campagne, certains paysages urbains et les vues pittoresques.

Selon Ann Davis, Légaré rejetait les critères européens en matière de paysage digne d'être représenté. Il se référait à sa propre conception de la campagne, liée à ses fortes convictions nationalistes. « *For Légaré, the land, his environment, was important primarily as the location for contemporary social struggles, not merely a battleground but a symbol of the disputed possession, freedom* (Davis, 1983: 7). » Légaré voit dans les paysages qu'il traite le symbole de l'appartenance et de l'identité de la nation lié à sa forme particulière d'occupation du sol. Ce paysage est également le terrain de l'expression de la culture du groupe et de ses luttes politiques. Cette conception de l'espace est nourrie de l'expérience personnelle de Légaré à travers son engagement social. Il considère la peinture comme un outil social et politique, pouvant améliorer le sort de ses compatriotes. Porter le caractérise comme un individu épris de renouveau (Porter *et al.*, 1978: 5). En cela il embrasse l'idéologie de la petite bourgeoisie libérale de l'époque qui tente alors de construire une culture canadienne-française en référence à ses racines françaises et catholiques (Bouchard, 1993).

Une analyse sémiotique des paysages de Légaré[83] permet de confirmer la présence de ces nombreuses influences. On y trouve en effet des toiles qui abordent des thématiques et traduisent des représentations épousant l'idéologie libérale de l'époque. On y trouve également beaucoup d'imitations et de copies non seulement sur le plan stylistique, mais également sur des sujets typiques de peintres topographes britanniques comme en fait foi la comparaison entre les éléments sémiotiques de l'œuvre québécoise de George Heriot avec celle de Joseph Légaré (graphique 5.4). Les symboles picturaux présents dans les toiles québécoises de Légaré font référence dans des proportions presque égales à l'agriculture, au milieu urbain, aux paysages forestiers et montagneux ainsi qu'à

---

83. Nous avons réalisé une analyse de contenu à partir de 38 toiles représentant des paysages réalisés par Joseph Légaré.

l'hydrographie représentée par le fleuve et les rivières. Si l'on ajoute les chutes à l'hydrographie cependant, cet élément devient le plus récurrent dans les tableaux de Legaré[84]. La représentation de figurines humaines est également très fréquente (10,6%). Loin derrière se trouvent les symboles relatifs aux villages et à la navigation (4,8% chacun), aux infrastructures de transport et aux Amérindiens (4,2%)[85]. Ces éléments respectent à peu de chose près ceux qui sont recherchés par George Heriot. Tout comme lui, Légaré semble s'être livré à une certaine recherche expressive du paysage et de son unité à travers les principes du Picturesque, comme en témoignent ses nombreux tableaux illustrant des chutes et des paysages de type classique. Les ruines ont également attiré l'attention de Légaré à l'intérieur de quatre tableaux représentant l'incendie des faubourgs Saint-Jean et Saint-Roch à Québec en 1845.

Ces caractéristiques de l'œuvre de Légaré confirment la place des emprunts divers identifiés par Porter et Prioul. À travers ces emprunts stylistiques et thématiques divers qui ont donné lieu à des paysages peu différents de ceux des topographes britanniques[86], on trouve dans certaines de ces toiles une vision particulière du paysage et de la vie sociale qui y est présente. Ces tableaux relèvent d'une vision plus personnelle à l'artiste[87]. Cette conception du paysage est nourrie de l'idéologie nationaliste à coloration fortement libérale de l'époque à laquelle Légaré adhère avec une conviction profonde. À la manière des idéologies définitoires de la nation, l'art de Légaré est fortement imprégné d'emprunts européens.

---

84. Les symboles picturaux relatifs à l'agriculture représentent 13,2 % des 189 symboles retenus, la ville 12,7 %, la forêt et les montagnes 11,6 %, l'hydrographie 11,6 % également. Si on y ajoute les chutes, l'hydrographie occupe 18 % des symboles picturaux de Légaré.

85. Signalons toutefois que de nombreuses toiles de Légaré sont consacrées à des portraits d'Amérindiens. Nous ne les avons pas inclues dans notre échantillon qui concerne le paysage.

86. Comme par exemple le tableau intitulé *La maison de campagne de l'avocat Philippe Panet à la Petite rivière Saint-Charles vers 1831*. Musée du Séminaire de Québec, Québec (Archives, Cartable 159-G, p. 11).

87. Les toiles *Scène d'élections à Château-Richer, vers 1851* et la *Fête-Dieu à Nicolet vers 1832* par exemple.

**THÈMES PRIVILÉGIÉS PAR GEORGE HERIOT (1792-1812)
ET JOSEPH LÉGARÉ (1826-1854). BAS-CANADA**

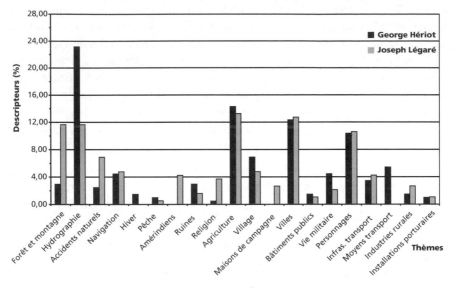

Source: Base de données Iconographie. Centre Interuniversitaire d'Études Québécoises.

Cette représentation de l'espace à saveur nationaliste à partir de références artistiques européennes est flagrante dans le tableau *Baie-Saint-Paul*. Légaré interprète ce milieu comme un paysage rural et agricole, marqué par la présence de la petite agriculture familiale organisée selon le système seigneurial. Cette activité domine la vie sociale et économique qui s'inscrit dans le paysage. Les topographes britanniques considèrent plutôt ce territoire comme un espace sauvage et pittoresque. Ils accordent une grande importance aux montagnes et à la forêt (voir graphique 5.1) alors que ces éléments sont absents de l'œuvre de Légaré. Le village est également absent de la toile alors que les topographes britanniques l'intègrent la plupart du temps à leurs vues, qui sont centrées sur la zone littorale de Baie-Saint-Paul. Celle de Légaré se situe au centre de la vallée et regarde vers le fleuve, principale voie de communication des habitants avec l'extérieur de la région. L'agriculture, dans les vues des topographes, est représentée comme une composante du paysage global qui ajoute au pittoresque des scènes formées d'une alternance de vallées et de hautes montagnes alors que Légaré en fait l'essence de la personnalité du paysage charlevoisien. Une analyse de l'engagement social et politique de Légaré simultanément à la pratique de son art suivie d'une présentation du contexte idéologique global du Bas-Canada dans la première moitié du XIXᵉ siècle mettra mieux en perspective le discours sur l'espace qui se profile derrière la toile *Baie-Saint-Paul*.

5.2.2 Joseph Légaré (1795-1855)

Joseph Légaré est né à Québec le 10 mars 1795. Il est l'aîné d'une famille de six enfants. Son père était alors cordonnier sur la rue Saint-Jean. Il assura sa promotion sociale par des succès en affaires qui en firent un marchand assez prospère vers 1815. Joseph Légaré ne fréquenta le Séminaire de Québec que pendant la classe de sixième. Il entre par la suite comme apprenti chez Moses Pierce en mai 1812. Il apprend alors le métier de peintre et vitrier. Ce métier consistait à peindre des meubles et des voitures, des enseignes, des appartements, effectuer des travaux de dorure et à l'occasion de restaurer des tableaux. En 1817, Légaré possède son propre atelier de peintre et vitrier. On croit que c'est à ce moment qu'il commence la restauration des tableaux de la collection Desjardins[88]. Antoine Plamondon devient son apprenti en 1819. Légaré est alors peintre. Il commence à travailler à de grandes copies de tableaux religieux européens, destinés à des paroisses et à des communautés religieuses. Il en produit une trentaine entre 1820 et 1822 (Porter et al., 1978 : 16). Ses plus anciennes œuvres connues datent de l'année suivante (Porter et al., 1978 : 19). Il peint par la suite des scènes historiques ainsi que des paysages dans le district de Québec. Son medium privilégié est l'huile sur toile. Peu après son mariage en avril 1818, Légaré reçoit une offre du gouverneur pour aller se perfectionner en Italie, offre qu'il refuse. Il n'est d'ailleurs jamais allé en Europe.

L'engagement social de Légaré occupa non seulement une part importante de sa vie, mais elle se manifeste également dans son art. Voici comment Porter exprime cet engagement :

> Fidèle à ses principes et convictions, il se montrera toute sa vie soucieux du bien-être de ses concitoyens et du progrès moral et matériel de son pays. Notable respecté, il jouera le rôle de précurseur et de pionnier dans le domaine de la diffusion des beaux-arts. Sa production artistique personnelle est d'ailleurs indissociable de ses multiples activités sociales, politiques et culturelles (1978 : 10).

---

88. Il s'agit d'un ensemble d'une trentaine d'œuvres, présentant des sujets religieux pour la plupart. Ces tableaux furent saisis par l'État pendant la Révolution française et achetés en 1803 par l'abbé Philippe-Jean-Louis Desjardins. Ils sont expédiés au Bas-Canada en 1816 dans le but de les exposer dans les églises de la province. Ces tableaux constituent le point de départ de la collection européenne de Légaré.

L'éveil de la conscience sociale de Légaré débute avec l'épidémie de choléra qui ravage Québec en 1832[89]. Il fait alors partie du bureau de santé de Québec et d'un comité de bienfaisance afin de venir en aide aux démunis. Il est élu en 1833 au conseil de ville comme représentant du quartier du Palais. En 1835, il devient grand juré pour les assises criminelles. En 1842, il est l'un des membres fondateurs de la Société Saint-Jean-Baptiste de Québec. La société a alors pour but de « préserver la nationalité franco-canadienne et de promouvoir les intérêts industriels et sociaux de la population du pays en général et de la ville de Québec en particulier (Porter *et al.,* 1978 : 10). » Le progrès économique et social de la nation canadienne-française sera l'objet de toutes ses prises de position libérales. Elle sera également sa motivation principale à l'intérieur de son engagement actif dans la politique bas-canadienne. Il se préoccupe d'abord d'éducation : « Il voulait instruire le peuple [et] le mettre au niveau des autres populations qui l'environnent, pour qu'il puisse lutter avec la même chance de succès (Porter *et al.,* 1978 : 10). » Son engagement dans la Société d'éducation de Québec de 1841 et 1849 s'inscrit dans cet effort de pourvoir les classes populaires des connaissances leur permettant d'être compétitives sur le plan économique avec les citoyens britanniques. La promotion de l'éducation constitue le fer de lance de l'idéologie libérale de la première moitié du XIXᵉ siècle. Il a aussi pris une part active aux Troubles de 1837-1838, ce qui lui a valu une arrestation en janvier 1837. Il s'est opposé à l'Acte d'union en 1840 et il a milité pour l'obtention du gouvernement responsable en 1847. Il s'est présenté comme candidat libéral à l'élection partielle de 1848, mais il a été défait. Sa seconde et dernière défaite en politique date de janvier 1850 sous la bannière annexionniste cette fois. La colonisation des Cantons de l'Est en 1848-1849 est également l'objet de son engagement. Il s'est prononcé en faveur de l'abolition du régime seigneurial en 1853 et il a été nommé conseiller législatif du Bas-Canada peu de temps avant son décès en 1855.

5.2.3 La première moitié du XIXᵉ siècle : l'émergence de l'idée d'une « nation » canadienne

Joseph Légaré était un membre actif de la nouvelle élite sociale du Bas-Canada de la première moitié du XIXᵉ siècle. Cette petite bourgeoisie en ascension était celle des professions libérales et des intellectuels issus du peuple et formés dans les collèges classiques. Elle utilisait la Constitution et les institutions parlementaires comme levier afin de prendre le leadership de la société. Elle ne pouvait y parvenir autrement en raison de son absence presque totale de la sphère économique. Ce groupe tentait de prendre le pouvoir et s'instituant porte-parole du

---

89. Celle-ci fera d'ailleurs l'objet d'une toile de Légaré : *Le Choléra à Québec, vers 1832.*

peuple au gouvernement et garant de sa culture (Dumont, 1993; Bouchard, 1990). La première moitié du xixe siècle au Bas-Canada est marquée par des luttes constitutionnelles intenses entre anglophones et francophones à la Chambre d'assemblée qui ont pour enjeu le contrôle du pouvoir politique. Ces luttes politiques deviendront cependant rapidement une lutte pour le contrôle du leadership social de la part de la nouvelle bourgeoisie canadienne-française. On rêvait en fait de construire une société idéale, qui maîtrise l'ensemble de ses ressources et dont la grande bourgeoisie soutient l'essor de la culture (Dumont, 1993; Bouchard 1993). L'idéologie élaborée par cette petite bourgeoisie en ascension était le reflet de sa propre situation et de ses intérêts particuliers. Joseph Légaré était le parfait représentant de ce groupe et un grand admirateur des politiques de Louis-Joseph Papineau. L'engagement de Légaré sur le plan social témoigne de son adhésion à cette idéologie. Le programme du Parti canadien n'a pu que confirmer chez Légaré l'importance de la promotion de cette idéologie à travers le militantisme social et politique ainsi que le développement de la culture.

La société québécoise de la première moitié du xixe siècle traverse une période de transition non seulement à l'intérieur de sa socio-économie (chapitre 4), mais également dans l'élaboration du discours sur son identité. L'évolution de ce discours est marqué par des continuités, des ruptures et de multiples contradictions. La première définition de la nation en tant que collectivité date des années suivant l'application de l'Acte constitutionnel de 1791. Celui-ci sépare le Haut et le Bas-Canada et les dote chacun d'un régime constitutionnel. Dès les premières années de l'application du régime une définition essentiellement politique de la collectivité s'élabore chez les politiciens et les intellectuels francophones. Fernande Roy les qualifie de «réformistes adeptes des idées libérales, convaincus de la supériorité de la démocratie comme mode de gouvernement» (1993 : 23). Ils sont dirigés à la Chambre d'assemblée par Louis-Joseph Papineau et le Parti canadien. Leur idéologie est basée sur une idéalisation des institutions parlementaires britanniques que l'on perçoit comme démocratiques et égalitaires. En fait, le pouvoir repose dans les mains d'une oligarchie formée du gouverneur, des membres des conseils exécutif et législatif nommés par la couronne ainsi que des députés anglophones de la Chambre d'assemblée. Ainsi, l'élite politique et intellectuelle définit le peuple bas-canadien comme une collectivité formée de tous les individus vivant sous le régime constitutionnel britannique au Bas-Canada. L'ethnie n'intervient pas dans cette définition. Les tensions ethniques qui s'expriment de plus en plus à l'assemblée sont interprétées par Papineau et ses libéraux comme des abus de l'oligarchie qui gouverne selon ses intérêts propres et non pour le bien-être du peuple et selon la volonté du roi. Ces tensions ethniques ne sont pas considé-rées comme un symptôme d'un malaise social et économique profond, mais comme le résultat d'une anomalie de l'organisation politique coloniale qui place le pouvoir entre les mains d'un petit groupe de fonctionnaires britanniques qui dirige l'État selon ses propres intérêts. On propose de rétablir la situation en rendant l'exécutif responsable et en le soumettant ainsi au jeu des partis. On réclame également un Conseil législatif électif et le contrôle des dépenses gouvernementales.

5.2.3.1 Une radicalisation du discours à l'aube de la décennie 1830-1840

Des doutes s'installent peu à peu à l'égard du régime constitutionnel qui soutient toujours l'oligarchie dénoncée avec tant de vigueur. De plus, cette oligarchie s'appuie sur des bases en pleine expansion. Il s'agit de l'immigration britannique et bientôt loyaliste qui déferle sur le Bas-Canada depuis le début du siècle. On se trouve devant la menace de l'assimilation forcée sous le poids du nombre. La représentation de la société en termes politiques demeure, mais apparaît également celle d'une dualité nationale. C'est dans ce contexte que le Parti canadien devient le Parti patriote en 1827. En plus de ses revendications constitutionnelles, le Parti patriote élabore un projet de développement économique intégral du Bas-Canada au profit de la majorité. Ce programme favorise le maintien du régime seigneurial et affiche un net penchant pour l'agriculture. Celle-ci est d'une importance capitale pour les Patriotes en raison de son rôle de gardienne des valeurs ancestrales ainsi que de l'occasion d'enrichissement qu'elle peut apporter à la population, moyennant une amélioration de ses techniques et une croissance de la production. De plus, le fait de favoriser systématiquement les intérêts de la classe agricole en Chambre permet aux Patriotes de contrecarrer les projets de développement des capitalistes britanniques. Ils ne sont pas opposés au commerce qu'ils considèrent comme une marque de civilisation (Roy, 1993: 24-27). Ils déplorent son contrôle par un petit groupe de capitalistes britanniques. Les Quatre-vingt-douze Résolutions de Papineau en 1834 accusent un virage du discours libéral vers un nationalisme francophone où l'on récupère le passé et l'héritage institutionnel français de la société et où on en fait la base de l'identité du groupe. On revendique le contrôle des leviers du développement économique. On menace même de quitter l'Empire. Peu à peu donc, les liens avec le gouvernement britannique se relâchent sous la frustration politique et sociale des Canadiens. L'idée d'une république canadienne naît à ce même moment, à l'instar d'autres nations d'Europe et surtout du voisin américain. Papineau se fait alors le promoteur d'une république à la grandeur de l'Amérique. Selon lui, ce régime est le mieux adapté au contexte américain où la nouvelle société est nettement plus égalitaire que les anciens régimes d'Europe. Il le perçoit également comme la conséquence normale du statut politique

consacré par la Constitution de 1791 qui est une étape vers une plus grande
démocratie au Canada (Drion 1999: 174-175). Joseph Légaré appuie le slogan de
Papineau. Il participe activement à la signature de la pétition en faveur des
Quatre-vingt-douze Résolutions.

Les revendications politiques nationalistes des libéraux extrémistes se
conjuguent à un mécontentement populaire. Sur le plan économique, la province subit d'importants changements structuraux provoqués par une expansion démographique sans précédent sur le territoire de l'axe du Saint-Laurent.
Sa conséquence la plus importante est l'explosion de fabriques et milieu rural et
la multiplication rapide du nombre des villages (Courville, Robert et Séguin,
1995). Les régions rurales du Bas-Canada se trouvent intégrées en quelques
décennies dans la vaste économie de marché commandée par les grandes puis-
sances coloniales, principalement l'Angleterre. Cette économie encore largement rurale, récemment intégrée à l'économie mondiale, doit subitement affronter la concurrence agricole du Haut-Canada et la baisse du prix du blé sur les
marchés internationaux en plus des épidémies qui frappent cette culture.
L'immigration massive des Loyalistes à la fin du XVIIIe siècle suivi de celle des
Irlandais dans les premières décennies du XIXe siècle[90] rendent la concurrence
économique encore plus lourde et accentuent la pression de la minorité anglophone pour l'abolition du droit civil français et du régime seigneurial, ainsi que
pour l'union des deux Canadas. Ces facteurs conjoncturels attiseront les conflits
et les revendications des deux groupes. Ces positions irréconciliables culmine-
ront dans l'insurrection armée de 1837.

5.2.3.2 L'Union et la redistribution des rôles

La révolte a été une défaite cuisante et a entraîné la disparition du Parti patriote
et de ses dirigeants. Plusieurs de ceux-ci, dont Louis-Joseph Papineau, sont
réapparus sur la scène politique sous le régime de l'Union dans la décennie
1840-1850. La fusion des deux Canadas a également entraîné une réorientation
des partis et des groupes sociaux qui gravitent autour du pouvoir. Les idéologies ont également évolué. Deux tendances extrémistes s'affirment qui s'affrontent tout au long du XIXe siècle au Bas-Canada, les Ultramontains d'un côté et les
Rouges de l'autre. Les Rouges s'inscrivent dans le sillage des patriotes radicaux.
Ils fondent l'Institut canadien en 1844 afin de se donner une tribune. Le journal
L'*Avenir* fondé en 1847 leur permet de diffuser leur pensée. Le retour d'exil de
Louis-Joseph Papineau vient sceller le regroupement politique des jeunes mili-
tants. Ces derniers sont connus pour leur orientation nettement nationaliste et

---

90. Plus de 10 000 immigrants entrent dans la colonie chaque année entre 1823 et 1827.
    Ce nombre s'élève à 50 000 en 1831 et 1832 et à environ 22 000 entre 1833 et 1837
    (Dumont, 1993 : 104-105).

démocrate, tout en conservant le programme économique et social des Patriotes. Ils se positionnent contre l'Union et s'appuient sur le droit des peuples à disposer d'eux-mêmes pour réclamer l'indépendance de la nation. C'est dans cette foulée qu'apparaît le Parti annexionniste qui propose l'indépendance du Canada et son annexion aux États-Unis. Le régime républicain est considéré par Papineau comme le seul qui puisse garantir les libertés de la nation et favoriser son essor économique. L'admiration inconditionnelle des Patriotes et particulièrement de Papineau pour la république américaine et l'opposition des réformistes à l'acte d'Union est à la base de cette orientation. Encore une fois, Légaré suit l'orientation politique et idéologique de Papineau et s'oppose également avec vigueur à l'acte d'Union. En 1841, il est membre d'un comité en faveur des exilés politiques. En 1842, il est membre d'un comité chargé d'une adresse au gouverneur Charles Bagot. Cette adresse dénonce les décisions de son prédécesseur. En 1847, il est élu vice-président du Comité constitutionnel de la réforme et du progrès. Il se présente aux élections de 1848 et 1849 sous la bannière «rouge» et annexionniste.

L'une des conséquence de la rébellion a été de renforcer la position de l'Église catholique au sein de la société canadienne-française. À partir de la décennie 1840-1850, elle tente d'exercer le pouvoir aux côtés de l'élite sociopolitique (Dumont, 1993: 34). Elle pratique un «nationalisme de conservation» qui place la religion comme première valeur de la nation. Elle se porte également garante de la protection de la langue française et des institutions héritées de la France (Dumont, 1993: 34). Elle reconnaît la monarchie de droit divin. Elle prêche la loyauté envers la monarchie britannique et l'obéissance à l'autorité. Tout comme les Libéraux, elle considère la Conquête comme providentielle et libératrice. L'Église voit d'un mauvais œil l'envahissement de la société par les idées démocratiques étrangères véhiculées par les intellectuels et les membres des professions libérales. Le libéralisme des membres du Parti canadien, et plus tard patriote, s'oppose au respect des autorités en place et même au paiement de la dîme et des redevances seigneuriales (Roy, 1993: 22). Le faible nombre de laïcs au début du siècle les empêchent d'obtenir une mainmise complète sur la société. Cette situation change à l'aube de la décennie 1840-1850[91]. Dès le début du siècle toutefois, le clergé catholique réclame le contrôle de l'éducation afin de préserver le peuple du protestantisme ou pire encore du libéralisme, dont les idées se propagent rapidement dans la société. Il accepte finalement l'Union après des appréhensions. Il s'allie aux réformistes modérés qu'il juge moins dangereux que leurs adversaires rouges. Mgr Bourget fait venir un grand nombre de communautés religieuses d'Europe afin d'assurer l'encadrement religieux et

---

91. Au sujet du pouvoir politique et social de l'Église bas-canadienne au XIXe siècle voir également Hardy, 1996.

l'éducation. L'Église se donne également une visibilité populaire par des rassemblements et des manifestations. Son influence s'étend peu à peu à tous les domaines de la vie sociale et culturelle. Dans la seconde moitié du siècle, elle participe activement à l'élaboration et à la diffusion de la nouvelle idéologie nationale dominante au Bas-Canada, celle de la mission providentielle du peuple canadien-français en Amérique du Nord (Morissonneau, 1978). Cette expansion de l'influence du clergé est attribuée à deux raisons principales: le vacuum créé par la défaite des Patriotes et le relâchement du contrôle serré de l'Empire, qui la tenait sous tutelle depuis la Conquête.

Des groupes plus modérés sont également présents. D'abord les réformistes, qui abandonnent l'idée d'une indépendance à court ou moyen terme, mais qui continuent toutefois d'affirmer la spécificité de la nation canadienne-française. Les modérés comme Étienne Parent et Louis-Hippolyte Lafontaine accepteront finalement l'Union et s'allieront à leurs vis-à-vis anglophones à la Chambre afin de continuer à réclamer le gouvernement responsable, dans l'espoir d'obtenir plus de pouvoir pour la minorité francophone. Les conservateurs quant à eux regroupent les membres de la bourgeoisie coloniale, tant francophone qu'anglophone. Des libéraux très modérés en font également partie. Ils souhaitent un développement économique de type libéral, axé sur les privilèges de la propriété privée tout en demeurant fidèles à l'Angleterre.

Diverses tendances idéologiques émergent donc au Bas-Canada dans le premier tiers du XIXᵉ siècle et plusieurs tendances se précisent vers la décennie 1840-1850. À cette époque, des polarités se dessinent de même qu'une base commune du discours. Même si la coloration idéologique des groupes politiques et intellectuels diffèrent, ils ont tous la même volonté: «aménager sur le territoire québécois un espace francophone doté des institutions nécessaires à sa survie et dont ils seraient les titulaires légitimes» (Bouchard, 1993: 5). Plus on avance dans le siècle, plus la lutte entre le clergé et la petite bourgeoisie s'intensifie pour l'obtention du pouvoir social et culturel. Des intellectuels et des artistes comme Joseph Légaré prennent position dans le débat et traduisent leur représentation du paysage et de la société canadienne-française dans leurs œuvres. Une partie des paysages de Légaré témoigne de ses fortes convictions nationalistes libérales. Son attachement profond à sa patrie ainsi que les traits originaux de la nation s'expriment à travers ces toiles, particulièrement celle qui est intitulée *Baie-Saint-Paul*.

5.3 LA CRÉATION DU MYTHE

Les représentations des artistes étrangers de la première moitié du XIXᵉ siècle contribuent à faire de Charlevoix un paysage mythique du Québec rural. Comme nous l'avons expliqué au premier chapitre, l'artiste ou l'observateur constituent un véhicule de transmission de valeurs, d'idées et plus largement d'idéologies. Les représentations iconographiques révèlent d'abord l'énorme influence des arts européens sur la façon de représenter le paysage bas-canadien pendant la première moitié du XIXᵉ siècle. L'arrangement particulier des formes présentes sur les images est lié au mouvement romantique qui imprègne non seulement les arts, mais la pensée européenne à partir du début du XIXᵉ siècle. Il en résulte un paysage idéalisé, où sont mis en valeur les traits culturels associés aux campagnes bas-canadiennes, en particulier de la part des deux groupes culturels. Ces images circulent principalement auprès de l'élite sociale de la colonie. Ces gens sont en contact les uns avec les autres et échangent de manière informelle à l'intérieur de leur milieu professionnel et de leurs clubs de loisirs. Des artistes comme George Heriot à la fin du XVIIIᵉ et au début du XIXᵉ siècle ainsi que John Jeremiah Bigsby ont pris connaissance des caractéristiques du paysage de Charlevoix à travers leurs relations sociales et professionnelles. Les images qu'ils en ont donné ont contribué par la suite à diffuser le mythe, de manière plus ou moins formelle, à travers des récits de voyage personnels ou des publications, ou encore par l'exposition de leurs œuvres charlevoisiennes[92].

L'Angleterre est alors un empire transcontinental qui domine à cette époque une part importante de la planète sur les plans militaire, commercial, industriel et culturel. Les représentations des artistes de cette nation intègrent le regard du vainqueur, du détenteur du progrès économique et industriel ainsi que de la richesse sur une colonie étrangère. L'instinct de supériorité des représentants de l'Empire les incite à porter un regard tantôt paternaliste tantôt sévère sur les mœurs et les pratiques de cette société française. Ainsi, il n'est pas surprenant que les représentations du paysage charlevoisien de l'après

---

92. Plusieurs images du paysage charlevoisien ont circulé à l'époque. Outre les cinq lithographies publiées dans l'ouvrage de John Jeremiah Bigsby, l'une l'a été par George Heriot dans son volume publié en 1807 (*Travels through the Canadas*). Il s'agit de *View at St. Paul's Bay, on the River St. Lawrence, 1807*. ANC, Ottawa, C-12784. Selon Victoria A. Baker (1981: 15), *Travels Through the Canadas* atteignit un vaste public tant au Canada qu'en Grande-Bretagne, à un moment où la région de Charlevoix était encore physiquement isolée et recevait peu de visiteurs. L'artiste d'origine écossaise James D. Duncan expose trois toiles des paysages de Charlevoix dans la seconde moitié du siècle. Deux le sont en 1868 à la première exposition montréalaise de la Society of Canadian Artists, intitulés *Murray Bay* et *The Village of Murray Bay* et la troisième est exposée en 1881 à l'Académie royale du Canada, intitulée *Baie-Saint-Paul, Québec* (Baker, 1981: 17, 65).

Rapport Durham mettent l'accent sur les traits jugés «retardataires» de la société qui constituent en fait l'essence même de sa définition par la minorité anglophone sa base rurale et agricole, sa religion, son peu d'éducation, sa culture primitive et son désintérêt pour le progrès économique (Dumont, 1993: 126-127). Rappelons que les artistes britanniques sont les plus nombreux à avoir représenté Charlevoix dans la première moitié du XIXᵉ siècle.

Joseph Légaré constitue la seule exception à cette règle. Il était un membre actif de la petite bourgeoisie canadienne-française et il appuyait les politiques des Patriotes de la première moitié du siècle. Il intègre au paysage de Baie-Saint-Paul sa vision de l'identité et du devenir de ce groupe. La vallée de Baie-Saint-Paul devient un exemple de campagne bas-canadienne telle que se la représentent les membres de la petite bourgeoisie libérale canadienne-française: un paysage caractérisé par une domination de l'agriculture comme principal mode de subsistance, de droit français, prospère, organisé et ouvert sur l'extérieur. Légaré présente également son paysage en respectant les critères dictés par l'art du paysage européen.

Les idéologies nationales canadiennes-françaises alors en pleine définition conjuguées à celles des britanniques et de leur représentation sociale de la majorité canadienne-française se sont associées sur le territoire charlevoisien. Les emprunts mutuels sont nombreux. Les Britanniques ont intégré à leurs représentations les symboles de la définition de la collectivité française élaborés par sa propre élite alors que Joseph Légaré intégrait plus ou moins consciemment les théories esthétiques et les normes qu'elles commandaient dans sa représentation de la campagne de Baie-Saint-Paul. Au milieu du siècle, les symboles associés à la définition de la collectivité canadienne-française de la part des Britanniques sont la religion catholique, l'agriculture de subsistance et le droit français visible à travers le mode de tenure seigneuriale. Ces thèmes deviennent récurrents dans les représentations du paysage. Les signes comme l'église, le manoir seigneurial et le village se sont multipliés dans les aquarelles.

C'est cette intégration des deux systèmes de représentation du paysage qui est à l'origine du paysage mythique de Charlevoix. Les deux visions s'élaborent à partir des mêmes signes du paysage, du même contenu. Les artistes interprètent ces signes en fonction de leurs propres référents culturels, où reposent des mythes, des idéologies nationales et des utopies. Les Britanniques ont vu dans les signes extérieurs de l'identité canadienne-française inscrits dans le paysage l'image de la campagne romantique et pittoresque où perce une pointe d'exotisme, remède tout indiqué contre les maux de la vie urbaine. Cette représentation correspond à l'image idyllique des campagnes élaborée en réaction à la croissance accélérée des villes et de l'industrie en Angleterre et aux États-Unis (White, 1977). Cette représentation tire également ses racines du mythe géorgique des campagnes britanniques du XVIIᵉ siècle (Rosenthal, 1982: 15-16).

Les représentations du paysage charlevoisien de la période 1830-1858, autant celles qui sont véhiculées par le texte que par l'image, s'éloignent de plus en plus de la réalité sociale et économique de cet espace. Elles idéalisent le paysage et les humains qui l'occupent en y intégrant des idéologies nationales et des mouvements artistiques étrangers. Elles font de moins en moins de place aux éléments de modernité qui émergent à l'époque. Il est d'ailleurs significatif que les symboles utilisés afin de représenter le paysage charlevoisien au milieu du XIXᵉ siècle s'enlisent dans l'immobilisme et le passéisme alors que la région de Charlevoix entre dans une période de changements économiques et sociaux majeurs. L'expansion de l'économie urbaine industrielle, la restructuration de l'agriculture au Québec ainsi que l'ouverture de la région voisine, le Saguenay, à l'immigration, ont bouleversé la structure interne de ce paysage (chapitres 3 et 4). Des éléments de continuité avec le passé y subsistent, certes, mais les changements s'avèrent importants. Signalons seulement la croissance du village et la diversification de ses fonctions qui viennent bouleverser la vie sociale et économique du bas de la vallée du Gouffre. Les représentations sont cependant muettes sur ces mutations profondes. Celles-ci se sont concentrées à partir du milieu du XIXᵉ siècle sur la continuité et elles ont occulté le changement qui prenait place dans le paysage. Elles se distinguent de plus en plus par un caractère anti-urbain et industriel, qui s'inscrit en réaction à l'industrialisation rapide du Bas-Canada à partir du milieu du siècle.

Nous verrons dans le chapitre suivant comment cette identité particulière conférée au paysage charlevoisien et à ses occupants a été intégrée à l'identité canadienne en pleine définition à partir de la décennie 1860-1870. Les artistes de Toronto et de Montréal sont alors encouragés à représenter ce nouveau pays et ses paysages différenciés afin de participer à la construction d'une identité canadienne basée sur l'idée d'une nation unie d'un océan à l'autre (Reid, 1989 : 6). Nous verrons également comment ce paysage sera transformé par le mythe alors qu'il devient l'objet d'une popularité croissante parmi la bourgeoisie nord-américaine.

Chapitre 6

LA SECONDE MOITIÉ DU XIXe SIÈCLE : DE L'APPROPRIATION SYMBOLIQUE À L'APPROPRIATION PHYSIQUE DU TERRITOIRE

Le chapitre précédent a démontré comment les représentations du paysage charlevoisien à la période 1830-1858 ont contribué à définir un paysage mythique dans Charlevoix. Les symboles qu'on associe au paysage charlevoisien sont d'abord le charme et la majesté de ses paysages sauvages. On illustre ensuite la simplicité et la pureté du mode de vie des habitants des campagnes à travers la place occupée par l'agriculture et l'église. On attribue ces valeurs à l'environnement plus sain et à la vie religieuse plus intense des campagnards par rapport aux citadins. On enrichit cette représentation des symboles associés au mode de vie des Canadiens français tel qu'il est perçu par la minorité anglophone du territoire bas-canadien. Ainsi, après les éléments liés au caractère grandiose et au charme du paysage sauvage, l'agriculture de subsistance, la religion et le village dominent les représentations de cette période (graphique 5.1).

Nous verrons dans un premier temps que ces représentations romantiques du paysage charlevoisien perdurent dans la seconde moitié du XIXe siècle. Leurs thèmes de prédilection changent légèrement. Le caractère sauvage du paysage domine de plus en plus les représentations de l'époque. Ce changement est lié au mouvement romantique lui-même qui réagit à l'urbanisation croissante de l'Amérique du Nord et son industrialisation rapide. La nouvelle idéologie nationale canadienne qui apparaît dans la décennie 1860-1870 influence également les représentations du paysage charlevoisien.

D'autres influences émergent dans la représentation culturelle des charlevoisiens. Elles sont liées aux arts et à la sociologie française. Elles sont illustrées par l'œuvre du peintre d'origine écossaise William Brymner, qui a été l'un des premiers artistes canadiens, avec Frederic Marlett Bell-Smith, à s'imprégner de l'art français à partir de la fin du XIXᵉ siècle. Les toiles de Brymner dans Charlevoix traduisent les influences de l'école de Barbizon. La seconde de ces influences est illustrée par l'étude sociologique de Charles-Henri-Philippe Gauldrée-Boilleau (voir chapitre 1). En plus d'influences européennes, cette vision de la société charlevoisienne reflète les éléments principaux du paradigme de la survivance qui sous-tend les idéologies liées à la définition de la nation canadienne-française à partir de la décennie 1840-1850 (Bouchard, 1995). Cette période marque également le début de l'appropriation physique du paysage charlevoisien par la grande bourgeoisie industrielle. Nous présentons en dernière partie les modalités de cette appropriation et la façon dont elle témoigne des nouveaux rapports établis entre le centre et la périphérie par le capitalisme industriel.

6.1 L'APOGÉE DU ROMANTISME DANS CHARLEVOIX : 1862-1898

Nous disposons pour ce groupe de représentations de 22 toiles, aquarelles et gravures qui se divisent en deux catégories. Il y a d'abord les tableaux réalisés par des artistes professionnels destinés à être exposés et vendus. Les expositions artistiques se multiplient à Montréal et à Toronto à partir de la décennie 1860-1870 sous l'impulsion d'institutions artistiques provinciales et nationales comme l'Association des beaux-arts de Montréal créée en 1860, de l'Ontario Society of Arts, 1872 et de l'Académie royale du Canada, 1880. Ces associations avaient pour but de promouvoir l'art canadien et d'aider les artistes à diffuser leurs œuvres. Elles ont grandement contribué à stimuler l'intérêt du public bourgeois pour les œuvres d'artistes canadiens. Nous avons trouvé 12 tableaux réalisés par six artistes différents pour les décennies 1860-1870, 1870-1880 et 1880-1890. Presque tous ces artistes (Charles Jones Way, Frederic Marlett Bell-Smith, William Raphael, Otto Reinhold Jacobi et Lucius Richard O'Brien) ont eu une influence importante sur l'histoire de l'art au Canada, tant par leur talent que par leur engagement dans la promotion des arts. Un autre est moins connu, Daniel Wilson. Il s'agissait d'un artiste amateur, professeur d'histoire et de littérature anglaise à l'University College de Toronto. Il a également été président de l'Académie royale du Canada en 1885. Daniel Wilson (1816-1892) réalise deux aquarelles dans Charlevoix en 1865 et en 1867. On trouve également Edmund Wyly Grier (1862-1957) qui réalise une toile dans les environs de La Malbaie. Cet artiste est originaire de Toronto, tout comme Lucius Richard O'Brien et Frederic Marlett Bell-Smith. Comme eux également, il est parrainé par Edward Blake, un avocat éminent de Toronto engagé dans le milieu politique fédéral. Blake était également un passionné de l'art et le mécène de plusieurs artistes canadiens

(Baker, 1981: 17-22). Il recevait ces artistes dans sa luxueuse villa d'été des environs de La Malbaie. Les artistes avaient ainsi tout le loisir de dessiner et de peindre dans la région. Selon Victoria A. Baker, ils furent à l'avant-garde des invasions touristiques qui ont déferlé sur La Malbaie après 1860. « De nombreux amateurs et peintres du dimanche, partageant leur désir de capter les beautés du paysage durant leurs loisirs, venaient grossir leurs rangs (1981: 18). » Ces artistes ont donc eu un effet d'entraînement important chez les artistes et les touristes de l'époque. Ils ont contribué à populariser le paysage charlevoisien à travers leur art. D'autres artistes canadiens réputés à l'époque ont également peint dans Charlevoix, notamment Robert Harris (1849-1919) et Homer Ransford Watson (1855-1936)[93].

Le deuxième groupe d'illustrations est formé de gravures et de lithographies publiées dans les journaux et les revues de l'époque, à des fins publicitaires. Ces dessins gravés ont été réalisés par des illustrateurs comme Edward Jump qui a travaillé pour L'Opinion publique et le Canadian Illustrated News. Nous disposons de sept gravures tirées de ces journaux dans les années 1871, 1872 et 1881. D'autres illustrations proviennent des guides de voyages. Le plus célèbre d'entre eux est sans conteste Picturesque Canada, édité par George Monro Grant et Lucius Richard O'Brien en 1882. La revue compte trois gravures du paysage charlevoisien. La partie suivante présente une analyse du contenu de ces deux groupes d'illustrations et des systèmes de représentation dont elles sont issues.

6.1.1 Agriculture et nature grandiose : les deux grands thèmes des artistes professionnels dans Charlevoix

Les artistes professionnels de la période (à l'exception de William Brymner), qui sont d'origine britannique, canadienne-anglaise et allemande, se sont inspirés du Romantisme dans leur illustration du paysage charlevoisien, selon différentes tendances liées à leurs écoles respectives toutefois. Ces écoles furent toutes très influencées par une nouvelle technique qui révolutionne les arts durant la seconde moitié du XIXe siècle : la photographie. Certains de ces artistes, notamment Charles Jones Way, Otto Reinhold Jacobi et Frederic Marlett Bell-Smith (Reid, 1979 : 28-143), ont d'ailleurs été des employés du Studio Notman à Montréal dans les décennies 1860-1870 et 1870-1880. Ils ont participé à la

---

93. Robert Harris a présenté deux peintures à l'huile ayant pour thème Charlevoix à l'exposition de l'Académie royale de 1897. Une huile sur toile de Watson intitulée *Dans les Laurentides, 1882,* a servi de morceau d'admission pour cet artiste à l'Académie royale en 1892. Selon Victoria A. Baker, cette toile pourrait bien être une vue de la pente occidentale de la vallée du Gouffre au nord de Baie-Saint-Paul (Baker, 1981: 66).

confection des albums photographiques de William Notman. D'autres artistes étaient employés au coloriage et au montage de photographies sur fond peint, technique nouvelle à l'époque, dans laquelle William Notman était passé maître. Celui-ci était alors un chef de file incontesté dans le domaine de la photographie, alors qu'elle est considérée comme un art au même titre que la peinture (Reid, 1979 : 28-143). Les deux médiums s'influencent alors mutuellement. Les photographes tentent de capturer des paysage dont l'apparence se rapproche de celle qui est illustrée par les peintres romantiques de l'époque ; les artistes s'efforcent de traduire la précision du détail et les effets de lumière que permettent la photographie.

Cette technique a eu une influence considérable sur le processus d'élaboration des tableaux, sur le style ainsi que sur la composition des œuvres. Les objets étaient désormais représentés en fonction de leur impression visuelle, selon la lumière qu'ils reflétaient ou qu'ils absorbaient, et non plus par leur convention ou leur image conceptuelle. Les paysagistes à partir de la décennie 1860-1870 ont tenté de fixer la lumière en mouvement (Reid, 1979 : 7). Ce nouveau style se prêtait également à merveille à la représentation du paysage selon la théorie de John Ruskin. L'utilisation de la photographie permettait en effet d'atteindre le niveau de détail qui rapprochait le paysage de son apparence réelle (Reid, 1979 : 63). Otto Reinhold Jacobi est l'artiste qui a porté cet art à sa quasi-perfection. Il est renommé pour son souci du détail dans les jeux de lumière et les effets d'optique. Il peignait d'ailleurs souvent d'après photographie (Reid, 1979 : 68).

Les artistes d'inspiration romantique de cette période ont affiché une nette prédilection pour les paysages sauvages qu'ils découvraient le long du tout nouveau chemin de fer canadien. Les forêts, les rivières et les falaises peuplent leurs paysages. Ces thèmes sont également ceux qu'ils privilégient dans Charlevoix. Les montagnes, les forêts et l'hydrographie représentent 42,9 % des signes présents dans les 12 huiles et aquarelles dont nous disposons pour cette période (graphique 6.1). L'agriculture y occupe également une place prépondérante avec 18,6 % des signes. L'habitat régional, sous la forme de fermes et de maisons, occupe 10 % du contenu de ces images. La navigation vient ensuite avec 7,1 % des signes. On y trouve également quelques personnages dont la fonction est plutôt décorative. Un quai et un phare sont représentés sur la toile de Raphael.

Ces artistes s'attachent à représenter Charlevoix comme une campagne isolée au mode de vie rural et traditionnel, entourée d'une nature grandiose et sauvage. Cette impression est accentuée par la composition des œuvres qui privilégient des vues très localisées plutôt que les panoramas qui sont caractéristiques des illustrations des époques précédentes. Les artistes de la période 1865 à 1898 s'attachent plutôt à représenter des fermes encadrées par la forêt, comme dans trois des quatre toiles de Charles Jones Way[94] (figure 6.1) ou des maisons adossées à la falaise, en bordure du fleuve, comme illustré par Lucius Richard O'Brien[95]. Ces images traduisent l'unité du paysage et surtout sa nature encore sauvage et l'isolement de ses occupants. William Raphael[96] illustre le littoral malbaien selon une composition typique de cette époque : un cap rocheux domine le côté gauche de la toile ; l'avant-plan est dominé par un campement amérindien sur la grève ; la partie droite est allouée au fleuve, où deux personnages s'affairent autour d'un canot ; à l'arrière de cette scène, apparaît un phare et la côte nord-est de Charlevoix à l'horizon.

GRAPHIQUE 6.1
THÈMES PRIVILÉGIÉS PAR LES ARTISTES PROFESSIONNELS CHARLEVOIX, 1865 À 1898

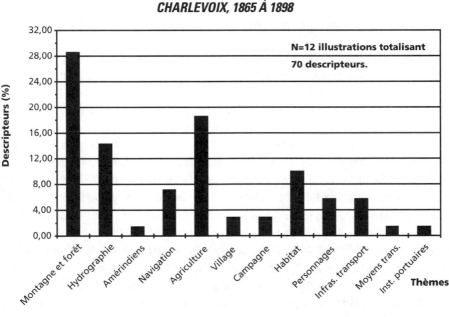

94. Way, Charles Jones : *Paysage de Charlevoix, 1872.* Power Corporation du Canada, Montréal, inv. 419. Way, Charles Jones : *Cap-à-l'Aigle.* Musée du Québec, Québec, 78.51.

95. O'Brien, Lucius Richard : *Jour de pluie, Pointe-au-Pic, 1890.* Art Gallery of Hamilton.

96. Raphael, William : *Campement indien sur le Bas-Saint-Laurent, 1879.* Musée des beaux-arts du Canada, Ottawa, 59.

Quelques toiles ont pour objet le paysage sauvage des environs de La Malbaie. C'est le cas de la seule toile que nous ayons retrouvé d'Otto Reinhold Jacobi[97]. Comme son titre l'indique, la toile a pour thème un rocher abrupt, où les détails de la végétation et du roc sous la lumière ambiante sont étonnants. Le souci du détail photographique y est évident. Way et O'Brien présentent les deux seuls panoramas dont nous disposons pour la période. Ils présentent chacun une vue marine du littoral malbaien[98]. L'aquarelle de Way est caractéristique de ce style très populaire à la fin des années 1870 et au début des années 1880 chez les romantiques. Un mur rocheux s'élève à gauche, tandis que la forme annulaire du fleuve épouse le littoral à la droite du cap. La présence d'une goélette qui se détache du relief de la rive à l'horizon ajoute une touche romantique à la vue et en accentue le côté majestueux. O'Brien s'intéresse plutôt à l'immensité du fleuve plat qui est l'objet principal de son aquarelle. Une mince bande littorale est illustrée à l'avant-plan alors que le relief de la côte nord-est occupe un espace restreint à la gauche de l'image. Le ciel occupe plus de la moitié de l'aquarelle. Signalons que toutes ces toiles sont réalisées dans les environs du littoral de La Malbaie et de Pointe-au-Pic. Plusieurs d'entres elles furent présentées dans les grandes expositions canadiennes et provinciales.

6.1.1.1 La campagne romantique de Charles Jones Way

Charles Jones Way (1835-1919) est un artiste d'origine britannique, né dans le Devonshire en 1835 (Reid, 1979 : 38-40, 131-133). Il a étudié les beaux-arts à la South Kensington School à Londres une année seulement en 1855. Il est arrivé au Canada en 1858 et s'est installé à Montréal. C'est un artiste professionnel qui commence à exposer ses œuvres en 1863 à la National Academy of Design à New York. Il jouit à partir de ce moment d'une excellente renommée au Canada et aux États-Unis. Il a d'ailleurs influencé plusieurs autres artistes canadiens et étrangers. Douze reproductions photographiques d'aquarelles de Way ont été publiées par Notman l'année suivante dans un volume grand format intitulé *North American Scenery, being selections from C. J. Way's studies 1863-64*. Il rentre ensuite en Angleterre où il peint des aquarelles qui sont exposées à la Royal Society of British Artists et à la Royal Academy en 1865. Il devient rapidement célèbre à Montréal à la suite de la publication de ses œuvres en 1864. Il expose également à Montréal en 1865 à l'une des premières expositions de l'Association des beaux-arts de Montréal. Douze de ses œuvres européennes

---

97. Jacobi, Otto Reinhold : *Le Rocher de Moïse, près de La Malbaie, 1862.* Musée des beaux-arts du Canada, Ottawa, 15048.

98. Way, Charles Jones : *Cap-Blanc, La Malbaie, 1882.* Collection privée, Montréal. O'Brien, Lucius Richard : *La Malbaie, la rive du Cap-à-l'Aigle, 1890.* Collection privée, Toronto.

ont été publiées par Notman en 1865 dans *Photographic Selections*. Notman fait également exposer quatre dessins originaux à la sépia de Way à l'exposition de l'Association des beaux-arts de Montréal en 1867. Way rentre à Montréal à l'automne de 1868. Il peint par la suite plusieurs paysages européens et continue d'exposer au début des années 1870.

Son œuvre est appréciée en raison de l'éclat et de l'intensité de ses couleurs, résultant de l'influence de la photographie. Son souci de réalisme et d'exactitude dans le détail est également remarquable. On peut y reconnaître la vision naturaliste et théocentrique de John Ruskin. Dennis Reid décrit ainsi son talent: «Way est un artisan de grand talent qui maîtrise la couleur et la texture avec beaucoup d'habileté; chaque image est orchestrée comme une symphonie qui chante l'énergie et la puissance de la nature (1979: 38-40) » Ses influences lui proviennent des grands peintres romantiques anglais de l'époque comme William Turner. C'est le caractère sauvage et indompté du paysage qui domine ses toiles, où il cherche à mettre en valeur l'harmonie et la majesté inhérentes à la nature.

Nous avons trouvé quatre toiles de Charles Jones Way qui ont pour thème le paysage rural de Charlevoix et qui ont été réalisées après son retour en Angleterre en 1864. Il a probablement visité la région en 1863, lors de la préparation de ses aquarelles publiées en 1864 par Notman. Ce volume contient en effet des illustrations de paysages de la région de Québec et de l'embouchure du Saguenay. Les toiles réalisées à Charlevoix n'y figurent cependant pas. Il a toutefois exposé certaines de ses toiles des environs de La Malbaie[99]. Trois des quatre toiles de Way dans Charlevoix ont pour thème des scènes campagnardes. Elles sont en cela différentes de la majorité des quelques toiles que nous avons pu trouver de l'artiste, qui ont pour thème des chutes spectaculaires comme celles du Niagara, des mers démontées ou encore des rivières cascadant le long de parois rocheuses. Une grande quiétude se dégage des toiles de Way dans Charlevoix. Ses vues intègrent les éléments humanisés du paysage à la nature environnante. L'aspect qui s'en dégage est celle d'une unité des formes et d'une harmonie entre les diverses composantes de la toile. En fait, l'habitat et les personnages sont à peine visibles, ils semblent s'effacer devant la beauté et la majesté de la nature environnante.

Sa toile intitulée *Cap-à-l'Aigle* (figure 6.1) représente l'aspect de la campagne comme un promeneur débouchant d'un sentier boisé peut l'entrevoir. On y voit une maison de ferme et des clôtures au plan moyen en couleurs claires. Les champs représentés en carrés de différentes couleurs sont séparés par des

---

99. En 1872, Way a exposé six œuvres ayant pour thème des vues de Cap-à-l'Aigle (figure 6.1), de La Malbaie et des environs à la septième exposition annuelle de la Society of Canadian Artists (Baker, 1981: 66).

bouquets d'arbres disposés en diagonale qui créent un contraste et rompent l'aspect homogène de la campagne. Les montagnes et le fleuve à l'arrière-plan accentuent l'encadrement sauvage de ce paysage, délimité de chaque côté par un large écran d'arbres, et surmonté par le ciel d'un bleu clair parsemé de nuages. Way sépare sa vue par des diagonales croisées, technique qu'il utilise également dans la toile *Paysage de Charlevoix, 1872*[100]. Selon Marc-André Bluteau (1989 : 95), cette technique permet de ponctuer la progression vers les lointains et d'adoucir la trouée centrale formée par la campagne. Cette campagne n'est qu'entrevue. Les fermes et les champs constituent des détails minuscules, traités avec soin certes, mais le sujet principal de ce paysage est la végétation à l'avant-plan. Celle-ci est représentée de façon très détaillée non seulement dans ses formes, mais dans les effets de lumière qu'elle crée sur le sol, technique dans laquelle Way est passé maître. La petite ferme et ses champs clôturés s'harmonisent à cette nature au charme bucolique.

Nous pouvons identifier plusieurs influences stylistiques dans cette toile. L'influence de la photographie est évidente par le soin accordé aux détails très précis de la végétation (notamment l'herbe et le feuillage des arbres) et le jeu d'ombrages que le soleil y produit. L'esthétique de Ruskin, basée sur une étude détaillée des formes et leur harmonisation à l'intérieur de l'image est également perceptible. Finalement, Way tente de traduire le côté paisible de cette campagne qui semble tout droit sortie du XVIIᵉ siècle. Toute l'attention est accordée au sous-bois verdoyant et à la campagne agricole qui apparaît devant celui-ci. Le jeu des couleurs vert sombre et clair, disposées en alternance, contribuent à l'unité de l'ensemble du paysage. La campagne est baignée par la lumière du soleil qui lui confère une impression de gaieté et de quiétude. Sa limite est marquée à l'horizon par la touche bleutée du fleuve et le bleu sombre des montagnes au-dessus desquelles passent des nuages blancs. Cette toile s'inscrit dans le mouvement romantique de l'art du paysage britannique, qui revêt un nouveau style inspiré de la photographie, popularisé par les écoles picturales européennes et américaines. Ces différents styles convergent vers une plus grande attention au détail et une accentuation du caractère majestueux des paysages. Le style campagnard adopté par Way dans Charlevoix contraste cependant avec ses sujets habituels et le traitement qu'il leur accorde. Au lieu de s'attacher à dépeindre la grandeur du paysage sauvage, c'est sa campagne agricole qui a retenu son attention. Way fait ici preuve d'une sensibilité particulière par rapport au paysage. Encore une fois, les traits culturels prêtés à la minorité française du Canada sont le sujet principal recherché par l'artiste.

---

100. Collection Power Corporation du Canada, Montréal.

FIGURE 6.1

CHARLES JONES WAY, PAR À L'AIGLE

Source: Musée du Québec, Québec. 78.51.

6.1.2 L'émergence du tourisme bourgeois

Les artistes professionnels canadiens de la seconde moitié du XIXᵉ siècle s'affairent également à illustrer des ouvrages à grand tirage ayant pour thème le paysage canadien. Ces ouvrages sont rendus possibles par l'amélioration des techniques d'imprimerie et de gravure. Ces nouvelles techniques, qui intègrent même la photographie au processus de gravure, permettent une plus grande précision du détail. Le grain obtenu par des techniques comme le Leggotype est plus fin et la texture plus aérée. Il s'agit d'une technique de gravure utilisant des traits fins plutôt que la similigravure, pour rendre les variations de tons. Elle est utilisée pour reproduire des dessins à l'encre et à la plume à partir desquels on exécute les gravures sur bois (Reid, 1979: 114-117). On trouve également des gravures effectuées sur acier, comme celle qui a servi à reproduire un tableau célèbre de Lucius Richard O'Brien imprimé sur la page frontispice de *Picturesque Canada*[101].

---

101. Il s'agit du tableau *Québec depuis Pointe Lévis,* collection Power Corporation du Canada (Reid, 1979: 325).

La seconde moitié du XIX⁰ siècle voit proliférer des publications diverses destinées à répondre à la demande d'information des voyageurs sur les sites d'intérêt et à présenter les différents circuits et équipements touristiques du pays. Les guides de voyages américains et canadiens prolifèrent. D'après une étude effectuée par France Gagnon, on ne trouve qu'une quarantaine de guides de voyages publiés entre 1825 et 1849. Ils sont américains pour la plupart. À partir de 1850, il en paraît le même nombre par décennie et les guides canadiens s'affirment de plus en plus (1992 : 105-106). L'industrialisation capitaliste du milieu du XIX⁰ siècle crée une nouvelle bourgeoisie urbaine issue du commerce et de l'industrie. Cette classe est à la recherche de grands espaces et de paysages pittoresques. En cela, elle reproduit la tradition des voyages initiée par la bourgeoisie anglaise à partir du XVIII⁰ siècle. À cette époque, les voyages au pays et à l'étranger sont partie intégrante de l'éducation du gentleman anglais.

La popularité croissante des *Tours* à partir de la seconde moitié du siècle est liée en partie à l'amélioration des moyens de transport. La décennie 1840-1850 au Bas-Canada est celle de l'agrandissement des canaux et de l'amélioration de la vitesse des navires à vapeur, dont les liaisons avec l'aval de Québec demeurent cependant sporadiques. C'est également la décennie de la construction de la première ligne de chemin de fer de la province avec la ligne Saint-Jean/Laprairie inaugurée en 1836 (Gagnon, 1992 : 106-108). Les années 1850 et 1860 sont celles de l'intensification des liaisons maritimes avec le Bas-Saint-Laurent, le Saguenay et la Gaspésie alors que les grandes liaisons de chemin de fer débutent[102] en 1853 vers le Maine et les Cantons de l'Est. Ce réseau se ramifie au cours des années 1850 et 1860 notamment avec la construction du Champlain and St. Lawrence Railroad entre Montréal et les états de New York et du Vermont, ainsi que de la ligne du Montreal and New York Railroad qui rejoint le Plattsburg and Montreal Railroad. Le Grand Tronc construit une ligne entre Montréal et Ottawa en 1854 puis de Montréal à Toronto en 1856. Vers l'est, le Grand Tronc est prolongé jusqu'à Rivière-du-Loup en 1860 (Gagnon, 1992 : 116-121). Ce développement du rail au Québec trouve son écho dans le reste du pays alors qu'il est étroitement associé à l'expansion de la frontière canadienne et à la constitution d'un vaste pays d'un océan à l'autre. L'inauguration de l'Intercolonial en 1875 permet d'atteindre l'est du pays jusqu'au Nouveau-Brunswick. Ce sont ensuite les territoires de l'Ouest de l'Amérique du Nord britannique qui sont convoités (Reid, 1979 : 3).

---

102. La liaison ferroviaire complète entre Longueuil et Portland est inaugurée en 1853. Elle sera complétée par l'embranchement Richmond-Québec en 1854 (Gagnon, 1992 : 116).

Le développement des réseaux de transport et l'amélioration de la vitesse des déplacements ont grandement facilité les voyages tant chez les familles bourgeoises du Canada et de la Nouvelle Angleterre que chez les artistes à la recherche de nouveaux paysages où expérimenter leur art. Les améliorations techniques apportées par le grand capital industriel ne sont toutefois pas les seules influences qui ont poussé la classe bougeoise urbaine à voyager. Les modes particulières liées à l'esthétique romantique et l'hygiénisme urbain s'allient pour orienter les migrations saisonnières des voyageurs. Ce sont les sources d'eau minérale et les chutes qui constituent les attraits touristiques principaux du Québec à partir des années 1870. Ces éléments représentent le côté sublime et pittoresque de la nature. Sur le plan social, c'est l'histoire et l'architecture qui font l'objet de la curiosité des voyageurs de cette fin de siècle (Gagnon, 1992: 111).

La fuite des bourgeois vers les campagnes s'intensifie à l'aube des années 1840 sous l'impulsion d'un mouvement social particulier, celui de l'hygiénisme. L'industrialisation rapide des villes bas-canadiennes et nord-américaines en général cree des conditions de vie difficiles. L'insalubrité du milieu urbain et les nouveaux problèmes sociaux générés par cette concentration humaine (criminalité, violence, pauvreté, désordre, etc.) ont contribué à accentuer la vision idyllique des campagnes. La littérature américaine de l'époque est très révélatrice de ce phénomène. La campagne est alors associée à la nature originelle, même à l'Éden chez des auteurs comme Henry David Thoreau (1817-1862), qui se retire dans la solitude sur les bords de l'étang de Walden afin de méditer et d'écrire sur les merveilles de la nature. Son ami et philosophe Ralph Waldo Emerson (1803-1882) fait de la campagne le siège de la raison. Son paysage romantique et naturel incite à la méditation et à la réflexion. La ville au contraitre est dominée par la compréhension. Les lois empiriques, celles des mathématiques et de la science en général, sont à la base de sa création (White, 1977: 24-35; Bureau, 1984: 45-72). Au Bas-Canada, la montée du phénomène touristique dans la classe bourgeoise témoigne de cette recherche de pureté. L'épidémie de choléra à Québec en 1832 joue à cet effet un rôle déterminant (Gagnon, 1996: 3). Cette volonté de se libérer de l'angoisse provoquée par les malaises de la vie urbaine pousse les bourgeois à quitter la ville, du moins de façon temporaire pendant les mois d'été. La campagne devient alors un refuge contre les maux créés par la société urbaine industrielle. Le discours romantique intègre alors une polarisation de plus en plus marquée des représentations de la ville et de la campagne à partir du milieu du XIXe siècle (Gagnon, 1996: 3).

L'hygiénisme et le romantisme urbain ainsi que les améliorations techniques dans les transports vont ensemble contribuer à stimuler le goût du voyage chez les membres de la classe aisée des métropoles canadiennes et américaines. Le tourisme est issu de ces changements entraînés par le capitalisme industriel du milieu du XIX° siècle. La région de Charlevoix est alors citée dans les guides de voyage qui présentent les grands circuits touristiques qui vont des Grands Lacs au Saguenay (Dubé, 1986: 57). Il faut toutefois attendre la décennie 1870-1880 avant que n'apparaisse une iconographie ayant pour thème les attractions touristiques du paysage régional. Cette iconographie est d'abord présentée dans les journaux de l'époque[103]. Cette publicité mettait surtout en évidence, en plus de la majesté du paysage naturel, les zones littorales et les activités récréatives qui y étaient associées, y compris l'arrivée des bateaux à vapeur au quai de Pointe-au-Pic. La publicité était axée sur les aspects récréatifs du paysage à La Malbaie, encadrés par un environnement naturel grandiose (figure 6.2). La plus importante des publicités réalisées à des fins touristiques date cependant du début des années 1880. L'article de 14 pages publié dans l'ouvrage d'envergure nationale *Picturesque Canada* (O'Brien et Grant), 1884: 697-711) est venu en quelque sorte consacrer la position de Charlevoix comme centre de villégiature majeur en Amérique du Nord. La partie suivante présente le contexte qui entoure la réalisation de cet ouvrage ambitieux, en deux volumes, consacré à la grandeur des paysages canadiens.

FIGURE 6.2
EDWARD JUMP, THE BEACH AT MURRAY BAY, 1871

Source: Canadian Illustrated News, vol. 14, n° 7, Aug. 12, 1871, p. 97. Bibliothèque nationale du Canada, Ottawa.

---

103. Nous avons trouvé cinq gravures publiées dans L'*Opinion publique* et le *Canadian Illustrated News* au cours des années 1871, 1872 et 1881.

6.1.3 *Picturesque Canada*: un nationalisme canadien à saveur romantique

Picturesque Canada constitue un vaste ouvrage d'envergure nationale destiné à promouvoir les arts canadiens et à représenter la nouvelle nation à travers ses paysages différenciés. Dennis Reid le caractérise de «volumineux répertoire des ressources, visuelles et matérielles, que la bourgeoisie victorienne du Canada s'enorgueillit de posséder» (Reid, 1979: 302). Cette publication est destinée à un public initié, celui des bourgeois des centres métropolitains du Canada. «*Our way lies not among, though perforce to some extent with, the tourists. Picturesque Canada is not a guide book; its random sketches attempt to show but a few scattered gems from among the treasures ready to artist's brush and writer's pen* (O'Brien et Grant), 1882: 702).» Cette citation de Grant présente l'objectif principal de la revue qui est de fournir une vision du pays à travers ses différents milieux. Elle traduit également les limites imposées dans l'accessibilité à ses différents paysages, liées au transport. Les artistes de *Picturesque Canada* ont en effet parcouru le pays en suivant les principaux réseaux de transport de l'époque (maritime et ferroviaire). Tout comme le touriste, l'artiste doit compter sur un réseau de transport bien organisé afin de parcourir le pays. La revue comprend plus de 500 illustrations, œuvres d'artistes américains pour la plupart (Reid, 1979: 301). La direction en est confiée à George Monro Grant et Lucius Richard O'Brien.

Picturesque Canada est né de l'initiative de deux Américains, les frères Belden. La publication s'inspire directement de *Picturesque America*, publié en 1872-1873 et de Picturesque Europe réalisé entre 1875 et 1879 (Reid, 1979: 299). Les Américains veulent donner une coloration canadienne à l'entreprise et prévoient engager les artistes canadiens les plus renommés. Ils s'assurent d'abord de la présence de Lucius Richard O'Brien, premier président de l'Académie royale du Canada, en tant que directeur artistique. Il est secondé par George Monro Grant, doyen de l'université Queen's à Kingston depuis 1877. Grant est à la fois ministre presbytérien, éducateur et auteur de renom (Mack, 1994). Sa foi religieuse est à l'origine de son engagement social, en faveur des oubliés du boom industriel de la seconde moitié du XIXᵉ siècle. Il critique d'ailleurs le mouvement industriel en raison de ses conséquences néfastes sur le mode de vie des classes défavorisées. Il est qualifié par Barry Mack d'évangélique romantique, en raison de son insistance sur l'introspection et l'engagement dans le monde pour les tenants de la foi évangéliste (Mack, 1994: 438). Il est l'un des fondateurs de l'Église presbytérienne du Canada, qu'il dirige à partir de 1889. Il a transposé cette vue unitaire de la foi à la nation canadienne naissante. Dans son volume *Ocean to Ocean* publié en 1873, il parle du rôle que pourrait jouer l'unité spirituelle dans l'apaisement des dissensions linguistiques, culturelles et raciales du Canada (Mack, 1994: 439). Ce volume a eu un impact important sur la représentation du Canada par ses élites. Il a d'ailleurs motivé les frères Belden à choisir Grant comme éditeur de *Picturesque Canada*. Le but était de constituer un ouvrage de luxe alliant les plus beaux échantillons de l'art et de la littérature canadienne, au service de l'impérialisme britannique de l'époque, afin de traduire la grandeur et la prospérité de la nouvelle nation à travers ses richesses naturelles.

En pratique toutefois, sur les 543 illustrations que compte au total l'ouvrage, seulement 89 sont effectués par des artistes canadiens, dont 79 par Lucius Richard O'Brien lui-même (Reid, 1979: 301). Les autres œuvres canadiennes sont de William Raphael, Robert Harris, Frederic Marlett Bell-Smith, John A. Fraser et Henri Julien. Quant aux 454 autres, elles sont l'œuvre d'illustrateurs américains engagés spécialement pour ce travail. Le plus important est Frederick B. Schell, avec 213 illustrations, dont l'une a pour thème La Malbaie. Les influences stylistiques sont en conséquences marquées par les écoles romantiques américaines, notamment la *Hudson River*[104].

De la même manière que les autres revues de voyage de l'époque, l'ouvrage est réalisé dans l'esprit du romantisme victorien. L'accent est mis sur les campagnes traditionnelles du Canada et leur protection contre l'empiètement de l'industrie. Nous verrons quelques exemples de cette orientation idéologique dans les descriptions du paysage charlevoisien à la partie suivante. Cette orientation se répercute également sur les illustrations où dominent les paysages ruraux et le mode de vie traditionnel des habitants (Ramsay, 1992: 167-168). Cette philosophie de conservation associée au romantisme et qui fait également écho au nouvel hygiénisme en milieu urbain s'inscrit en réaction à l'ère industrielle et aux désordres qu'elle introduit dans l'espace et les sociétés. Cette orientation est privilégiée par George Monro Grant. Cette coloration à la fois romantique et nationaliste des paysages transparaît dans l'article et les trois illustrations publiées par *Picturesque Canada* sur Charlevoix.

---

104. Il s'agit de la première école paysagiste authentiquement américaine du continent. Elle rassemble les paysagistes américains spécialisés dans les paysages de la côte est américaine. À la suite du peintre d'origine française Régis Gignoux, lui-même formé auprès de Paul Delaroche et d'Horace Vernet, ces peintres tentent de reproduire une esthétique alpestre dans les massifs nord-américains. Ils se distinguent des peintres de l'école des Rocheuses, liés au peintre Albert Bierstadt formé à l'Académie de Dusseldorf, qui reproduit l'académisme allemand dans la représentation des Rocheuses américaines (Karel, 1995).

6.1.4 Charlevoix : un paysage mythique du Canada français

Le récit se déroule autour de la description de la géographie physique du territoire et de l'histoire de son peuplement. Ces deux thèmes principaux sont agré-
mentés de commentaires sur le mode de vie pittoresque et traditionnel des habitants, leurs coutumes et leur folklore. Le style littéraire utilisé ainsi que le
contenu de la narration rappellent ceux des autres récits de voyage du début du
siècle que nous avons analysés, notamment ceux de George Heriot et de John
Jeremiah Bigsby. Rappelons que Grant est alors une sommité de la littérature
romantique canadienne et qu'il a précédemment rédigé un récit de voyage à travers le Canada qui eut un vif succès (Reid, 1979 : 300).

Les descriptions du paysage charlevoisien soulignent son côté sublime,
mais également hostile. Les communications routières difficiles à travers le
relief accidenté de la région font également l'objet de commentaires. Voici un
extrait du passage concernant le paysage de Baie-Saint-Paul :

> *Boucher exactly describes Baie St. Paul when he speaks of it as « enfoncée
> dans les terres. » It is just a great cleft in the rocks, through which a torrent
> fed by cascades from the surrounding mountains pours an impetuous
> stream. [...] Soft is the murmur of the many waterfalls, and sweet the smell
> of the new-mown hay in the green fields that stretch for miles along the win-
> ding stream. Clusters of houses, groves of trees, and shining church-spires
> diversify the scene. It is not always so peaceful. [...] Rocks, trees, and bridges
> are swept into the turbid flood of the Gouffre, which, raging like a demon
> unchained, destroys everything that impedes its headlong course* (O'Brien et
> Grant), 1882 : 703-704).

L'auteur fait souvent référence au récit de Boucher et de témoins de
l'époque comme le père Jérôme Lalemant et Marie de l'Incarnation. La publication met en évidence les caractères de permanence des paysages et des sociétés
avec ceux de l'ancien régime, afin de donner un air plus romantique au paysage
(Ramsay, 1992 : 168) : « *Times have changed since Boucher's day, but the north
coast has changed little. The scattered villages serve but to emphasize the
savage grandeur of the stern line of cliffs rising sheer from the water* (O'Brien et
Grant), 1882 : 703).» Cette description traduit parfaitement l'esthétique romantique de l'époque, privilégiant des vues qui intègrent à la fois les villages et les
hautes montagnes qui les surplombent. L'article rappelle également les hauts
faits de la Conquête dans la région. Des éléments du folklore régional sont
décrits : « *Every island, cape and bay has a story of shipwreck, miracle, or wraith*
[le long du littoral du Bas-Saint-Laurent] (1882 : 700).» On présente notamment
une légende montagnaise à propos du Cap-au-Corbeau (1882 : 704) qui explique
l'orgine des tremblements de terre qui secouent périodiquement la région.

Les pages qui concernent Charlevoix s'inscrivent dans la philosophie générale de conservation des paysages naturels du Canada. La beauté du milieu naturel et le caractère traditionnel du mode de vie de la population, encore peu touché par l'industrialisation, sont souvent mentionnés: « *The influence of the scene* [entre l'Île-aux-Coudres et le Cap-au-Corbeau] *must be more than a passing imagination, for to this day the people of Isle aux Coudres are noted fort their preservation of the simplicity and integrity of life that distinguished the* habitants *of former generations, and for their devoutness* (1882: 708).» Ce passage révèle, en plus d'une vision romantique d'un mode de vie ancestral des habitants, le caractère déterminant attribué au paysage sur la mentalité des populations. Cette théorie était fort répandue dans le milieu scientifique (en particulier en géographie) dans la seconde moitié du XIXᵉ siècle. Elle rejoint également la philosophie du mouvement romantique qui recherche la présence dans le paysage d'une harmonie entre Dieu, l'homme et la nature. La description de la paysannerie s'apparente curieusement aux jugements formulés par les voyageurs de passage dans la région depuis le début du siècle.

> *The people of the river and gulf are a curious compound of voyageur, farmer and fisherman. They are full of energy and character, bold and hardy, simple-minded, honest and hospitable, superstitious, as all fishermen are, and abounding in wonderfull legend, but pious and brave withal. They preserve many old ideas and habits, for down here the earliest settlements in French Canada are side by side with the latest* (1882: 700).

La vision romantique des habitants des campagnes de la part des citadins du XIXᵉ siècle est encore une fois reproduite. Grant insiste sur la permanence des traits culturels d'ancien régime, en accord avec la philosophie générale de conservation de l'ouvrage. La population charlevoisienne est présentée comme typique des campagnes canadiennes-françaises. Ses traits culturels et son mode de vie sont, selon Grant, demeurés à peu près les mêmes qu'au temps de la Nouvelle-France.

Le récit de *Picturesque Canada* parle très peu de la socio-économie locale. La pêche au marsouin à l'Île-aux-Coudres est la seule activité économique faisant l'objet d'une présentation détaillée. On souligne le caractère ancien de sa pratique, dès l'époque amérindienne. L'auteur fournit également des indications sur le nombre de prises annuelles et les produits divers qu'on en tire. Il consacre presque une page complète à cette chasse. L'agriculture n'est abordée qu'en tant que partie constituante du paysage qui entoure les agglomérations, ajoutant au pittoresque des sites. L'auteur y consacre une ou deux lignes par localité. Les villages sont présentés comme de petits établissements pittoresques, sis au pied des majestueuses montagnes, au milieu de champs agricoles verdoyants (figure 6.3). On y trouve également un commentaire d'une dizaine de lignes sur la fonction touristique du secteur littoral de La Malbaie (1002 í 702). L'industrie forestière est complètement ignorée, et pour cause, les descriptions ne touchent que les paroisses littorales de la région. L'arrière-pays et même la partie nord des deux grandes vallées sont absents. Tout le texte est consacré au paysage littoral sublime et aux faits historiques marquants qui se sont produits dans la région, particulièrement ceux qui entourent la Conquête de 1759. Cette référence aux origines, particulièrement à partir de la Conquête, a pour but d'accentuer le romantisme conféré au paysage. Nous pouvons également y voir un certain impérialisme : les faits de la Conquête sont beaucoup plus détaillés que les faits relatifs à la Nouvelle-France, qui se limitent à la découverte de Jacques Cartier en 1535 et à quelques commentaires sur la culture amérindienne.

Cette gravure prise du haut de la terrasse des Éboulements (figure 6.3) présente le panorama qui s'offre à la vue du promeneur. Un bosquet d'arbres au milieu d'une prairie herbeuse à l'avant-plan fait office de coulisses et rappelle les techniques des peintres classiques. Il fait fonction d'écran protecteur entre l'observateur et le panorama en même temps qu'il dirige le regard sur le village à sa droite. L'apparence plus réaliste et le détail accordé à la végétation témoignent de l'influence de la photographie dans la peinture dans la seconde moitié du XIXᵉ siècle. Le village apparaît au bas de la terrasse, illustré par l'église autour de laquelle se blotissent les habitations et derrière lesquelles s'étirent les lots clôturés montant à l'assaut de la colline. Le point de vue élevé de l'artiste permet de rendre toute la grandeur et la majesté des montagnes qui s'élèvent le long du littoral au sud-ouest, derrière l'échancrure de la baie Saint-Paul. Le fleuve sur lequel on peut apercevoir quelques embarcations à voile et l'Île-aux-Coudres à l'horizon complètent ce paysage majestueux, surmonté par un ciel nuageux, donnant une impression de grandeur à la scène. Ce type de panorama est fréquent dans le volume et typique de l'école picturale de l'est américain.

FIGURE 6.3

**LUCIUS RICHARD O'BRIEN, ISLE AUX COUDRES,
AND THE ST. LAWRENCE, FROM LES EBOULEMENTS, 1882**

Source : Archives nationales du Canada, Ottawa, C-85476.

6.1.4.1 Les images du paysage charlevoisien

À la manière du texte, la représentation iconographique du paysage charlevoisien traduite par les auteurs de *Picturesque Canada* met en valeur le côté
sublime du paysage naturel et le mode de vie pittoresque de ses habitants. En
cela, le portrait présenté par la revue récupère le mythe élaboré par les artistes
précédents comme John Jeremiah Bigsby et Philip John Bainbrigge. On y
ajoute un style artistique en vogue qui privilégie les vues littorales, les marines,
et les panoramas montagneux. Ces vues intègrent les grands contrastes topographiques. La navigation y occupe également une place importante et en
accentue le côté pittoresque et romantique. Le ciel ennuagé (figures 6.3 et 6.4)
met l'accent sur le côté sublime des hautes montagnes. Le point de vue est
généralement élevé, de manière à renforcer le caractère pittoresque du paysage. Ce style est alors très populaire tant en Amérique du Nord qu'en Europe.

Une des trois illustrations de l'article fut réalisée par l'Américain Frederick
Nolav Noholl et uno autro par le peintre canadien le plus connu de l'époque,
Lucius Richard O'Brien (figure 6.3) qui est également le président de l'Académie
royale du Canada et l'éditeur responsable des arts de la revue. Les trois gravures
publiées viennent appuyer les descriptions textuelles. Elles illustrent le paysage
littoral de Charlevoix et ses montagnes majestueuses. Chacune d'elles est centrée sur une activité économique et un genre de vie traditionnels du milieu:
d'abord l'agriculture extensive, centrée autour de l'agglomération villageoise
(figure 6.3), ensuite la navigation et la pêche sur le fleuve[105] et la fonction récréative du littoral de La Malbaie (figure 6.4) qui trouve également son écho dans le
texte. « *Murray Bay and its adjoining villages are the resort of those who want
grand scenery, and a quiet country life with a spice of gaiety* (O'Brien et Grant),
1882: 702). » Cette citation confirme la fonction touristique de La Malbaie à
l'époque, qui constitue déjà un centre de villégiature majeur en Amérique du
Nord avec ses grands hôtels campés sur la falaise de Pointe-au-Pic.

La gravure de Frederick Beley Scholl a pour thème le littoral à La Malbaie
(figure 6.4). Cette image illustre le caractère sauvage et bucolique du milieu riverain. Les montagnes sombres et distantes, le ciel ennuagé ainsi que le fleuve
plat à la droite de l'image confèrent une grandeur et une majesté à l'ensemble.
Cette vue embrasse la rive sud-ouest jusqu'à la baie. On aperçoit au loin le village de La Malbaie où se distingue clairement le clocher de l'église. Le petit
hameau du Cap-à-l'Aigle est accroché à flanc de montagne du côté nord-est de
la baie. L'artiste accentue le caractère sauvage du littoral à l'avant-plan par sa
vue prise du haut d'un cap rocheux, qui sert également de repoussoir vers la
petite baie et le voilier au centre de l'image. Le village de La Malbaie, qui constitue à cette époque un centre de services important pour la région, est dissimulé
à l'arrière-plan. On n'y distingue que son église et les quelques maisons qui l'entourent, à la manière des villages représentés par Warre, Bigsby et Durnford à la
période 1841-1858.

---

105. Anonyme: *Baie St. Paul, 1882*. ANC, Ottawa, C-85478.

FIGURE 6.4

FREDERICK BOLEY SCHELL, MURRAY BAY, 1882

Source: Archives nationales du Canada, Ottawa, C-85479.

L'aspect sauvage du paysage et sa fonction récréative dominent l'image, grâce à l'illustration de bateaux de plaisance sur le fleuve, d'un hôtel au centre et d'une villa touristique. Les activités industrielles ainsi que le fait urbain sont absents. En accordant toute l'attention au littoral sud-ouest de La Malbaie dans les environs de Pointe-au-Pic, Schell dissimule habilement le village au fond de la baie. Seul le clocher de l'église émerge, entouré de quelques habitations. C'est l'encadrement majestueux des montagnes, accentué par un ciel sombre et ennuagé, qui marque la limite de cette vue maritime.

Une structure de paysage caractérisée par un cap rocheux à l'avant-plan et une étendue d'eau parsemée de voiliers est typique d'un style artistique très prisé à cette période, les marines. Ces vues ont été portées à une quasi-perfection par des artistes de renom comme Lucius Richard O'Brien. Ainsi, Schell apprête la vision romantique et récréative du littoral malbaien au goût artistique du jour. Ce style est typique des illustrations des paysages canadiens de *Picturesque Canada,* mais également de *Picturesque America* et *Picturesque Europe,* et probablement d'autres publications du genre. Frederick Boley Schell est un illustrateur commercial américain qui a d'ailleurs travaillé précédemment pour *Picturesque Europe*. Rappelons qu'il est l'auteur de presque la moitié des dessins de *Picturesque Canada* (Reid, 1979: 302).

6.1.5 *Picturesque Canada* et la formation d'une identité canadienne

La seconde moitié du XIXe siècle est marquée par la création d'une identité proprement canadienne, axée sur le développement des sciences et de l'économie. Les artistes contribuent alors à diffuser les images de ce nouveau pays. Malgré sa coloration romantique et anti-urbaine, *Picturesque Canada* constitue le reflet de cette nouvelle classe bourgeoise issue de l'industrialisation. Il représente les valeurs profondes de ce groupe et lui transmet une image idéalisée du nouveau pays qu'il est en train de créer. La contradiction apparente entre un pays en plein processus d'urbanisation et d'industrialisation par rapport à sa représentation romantique et rurale révèle cependant une forte association des deux idéologies. C'est l'époque de l'utilitarisme, cette adulation de la science, que l'on présente comme le remède à tous les maux de l'espèce humaine. On répertorie et on classifie tous les êtres et les phénomènes observables à la surface de la terre. Au Canada, la géologie, la météorologie, le magnétisme terrestre et la botanique font l'objet d'inventaires exhaustifs (Zeller, 1987). On en fait des instruments du progrès social et économique du pays. Ces nouvelles découvertes viennent enrichir les connaissances qui devraient permettre d'améliorer les conditions de vie de la population et d'accélérer le développement économique. Au Québec en particulier, des initiatives comme celle de l'inventaire géologique du Canada étaient justifiées, à la fin des années 1830, dans la foulée du Rapport Durham, par la nécessité de pallier le retard économique du Québec par la découverte de minéraux industriels (Zeller, 1987: 34-35).

Les fonctions unificatrice et explicative de la science du XIXᵉ siècle[106] ont contribué largement à élaborer une idéologie articulée autour de l'idée de la construction de la nation à partir d'un regroupement d'espaces différenciés. « *The tasks of identification, inventory, and mapmaking gave form to the idea of a transcontinental national existence; they imparted to Canadians a sense of direction, stability, and certainty for the future* (Zeller, 1987: 9). » La nouvelle science fournit un cadre d'explication de la réalité et élargit la vision des élites sociales. Elle rejoint également le système de représentation des groupes religieux protestants, particulièrement celui des évangélistes comme Grant. La science, par sa recherche de principes communs, permet de mettre en évidence l'unité à travers la diversité. Selon Suzanne Zeller, les promoteurs de la Confédération présentent la nouvelle nationalité comme basée sur une communauté d'intérêts plutôt que de culture (1987: 8). Ces intérêts tendent vers le développement économique qui résulte des progrès de la science.

La construction des vastes réseaux de transport maritimes et ferroviaires contribuent à ce développement en unifiant les territoires disparates qui allaient bientôt former le Canada. Ils sont également la manifestation tangible de ce progrès économique apporté par la science. Les arts canadiens sont étroitement associés à cette manifestation de la grandeur du pays à travers ses progrès techniques. Les artistes canadiens de la seconde moitié du XIXᵉ siècle comme Lucius Richard O'Brien sont en contact avec les élites canadiennes et métropolitaines qui constituent leur public et pour qui ils exécutent quelques-unes de leurs plus grandes œuvres. Ils sont appelés à constituer les premières images du vaste pays qui s'étend de l'Atlantique au Pacifique dans les années 1880. Certains d'entre eux sont même directement commissionnés afin de populariser les paysages ouverts par la nouvelle ligne de chemin de fer du Pacifique dans les années 1880 (Reid, 1979: 6). Des études comme celle de Dennis Reid ont démontré la présence d'une association d'intérêts entre les artistes et la grande bourgeoisie (1979: 6).

Les artistes deviennent donc, à travers leurs œuvres, les premiers bâtisseurs de mythe du pays. « *They have projected the perceptions and values of their sponsoring society; and some artists, mindful of the cultural and national implication of their work, have consciously expressed a corporate sense of cultural or national identity* (Osborne, 1988: 162). » Le paysage charlevoisien tel qu'il est représenté par des artistes comme Charles Jones Way, Lucius Richard

---

106. Les systèmes de classification élaborés à partir de la nature comme celui de Carl von Linné ou d'Alexander Von Humboldt aux XVIIIᵉ et XIXᵉ siècles marquent le début d'une recherche de l'ordre à travers un chaos apparent en tentant de découvrir des règles universelles de la biologie végétale. La recherche de principes universels à partir desquels la réalité pourrait être expliquée sous-tend également la science victorienne de la seconde moitié du XIXᵉ siècle. Voir à ce sujet Pratt, 1992: 23-37.

O'Brien ou Frederick Boley Schell est revêtu d'une aura nationale canadienne. Charlevoix devient l'un des paysages traditionnels du Canada français qui intègre à une nature grandiose un mode de vie hérité des paysans de la Nouvelle-France. L'iconographie de cette région contribue à nourrir chez la bourgeoisie canadienne des grands centres métropolitains l'image d'un État aux paysages et aux origines historiques différenciés, tous unis cependant autour d'une destinée commune. « La Malbaie ressemble autant à un paysage suisse qu'à un paysage canadien ; elle participe de l'un par la majesté, de l'autre par le groupement harmonieux des constrastes (Buies, 1878 : 63). » On trouve la trace de ce mariage entre l'esthétique romantique européenne et le nationalisme canadien dans le paysage charlevoisien jusque sous la plume du chroniqueur québécois Arthur Buies. Il assimile les hautes montagnes à celles des Alpes, dont la popularité s'affirme chez les artistes européens dans la seconde moitié du siècle. Il intègre ensuite à la mosaïque des paysages canadiens ce paysage à l'esthétique européenne.

6.2 DES INFLUENCES FRANCAISES

Les sciences et la culture françaises pénètrent également les représentations du paysage charlevoisien au cours de la seconde moitié du siècle. La première de ces influences provient de la sociologie. Celle-ci est alors en plein développement en Europe. Les mouvements révolutionnaires et la recherche d'une nouvelle forme de gouvernement qui en découle ont induit des changements sociaux importants. La révolution industrielle vient ajouter à ces mutations profondes des sociétés occidentales du XIXe siècle. Ces changements se manifestent notamment dans les nouvelles relations sociales créées par le capitalisme et dans une redistribution de la richesse à travers les nouvelles couches sociales issues de la division du travail. Des théoriciens comme Frédéric Le Play, Patrick Guinness et Émile Durkheim tentent de comprendre le mode de fonctionnement des sociétés occidentales.

Un élève du premier, Charles-Henri-Philippe Gauldrée-Boilleau, effectue une étude sociologique d'un ménage d'habitants de Saint-Irénée de Charlevoix en 1862. Elle fut publiée pour la première fois en 1875 dans le cinquième tome de la revue *Ouvriers des deux mondes*. Sa vision de la population et du mode de vie régional est largement tributaire des observations effectuées sur les sociétés françaises par Le Play et ses disciples. Il caractérise la famille Gauthier comme une famille souche canadienne-française, fortement enracinée dans son milieu. La socio-économie familiale est analysée sous l'angle privilégié de l'agriculture de subsistance. Les emplois et les investissements hors ferme sont négligés et jugés peu importants pour l'économie familiale. La représentation de Gauldrée-Boilleau est fortement teintée de l'idéologie ultramontaine. Boilleau y intègre les principaux éléments du paradigme de la survivance lié aux représentations de la collectivié canadienne-française de la part de ses élites à partir des années 1840 en particulier.

Des influences françaises dans l'art du paysage émergent également à la toute fin du siècle avec le peintre canadien d'origine écossaise William Brymner. Il a étudié à l'Académie Julien de Paris en 1879. La mode est alors au tableau narratif. Le sujet doit mettre en scène des personnages, suggérer une histoire, une action. Brymner visite Charlevoix pour la première fois à l'été de 1885 où il peint certaines de ses œuvres les plus réussies. Les thèmes de Brymner dans Charlevoix privilégient les scènes domestiques rattachées au travail des champs. Les personnages y jouent un rôle central, leur attitude et leur action étant au centre de la toile. C'est le côté rural et traditionnel du paysage et surtout du mode de vie de la population locale qui est l'objet des toiles de Brymner.

6.2.1 La sociologie française de C.-H.-P. Gauldrée-Boilleau

L'étude sociologique de Gauldrée-Boilleau[107] est centrée sur la description des conditions matérielles d'existence d'un ménage de la paroisse de Saint-Irénée. Elle est divisée en quatre volets principaux à la manière de la méthode élaborée par Frédéric Le Play. La première partie est consacrée à la définition du lieu, de l'organisation industrielle et de la famille. La deuxième dresse un inventaire complet de ses moyens d'existence matérielle. La suivante s'intéresse à son mode d'existence (l'alimentation, les pratiques sociales et la moralité). La dernière partie traite de l'histoire de la famille et du cadre institutionnel assurant son bien-être moral et physique.

Dans la première partie, Gauldrée-Boilleau localise la paroisse et dresse un bref historique de son occupation. Il présente également la structure de l'habitat, divisé en exploitations familiales appelées concessions. L'architecture des habitations et des bâtiments de ferme sont également décrites, de même que la géographie physique de Saint-Irénée. L'apparence générale du paysage dont il souligne la beauté et la variété des formes, la nature du sol et sa fertilité agricole ainsi que les caractéristiques de l'agriculture locale (cultures, productivité, commercialisation) constituent l'essentiel de cette description. À ce sujet, Boilleau caractérise cette agriculture comme reposant sur le blé, la pomme de terre, l'orge, le seigle, l'avoine et les pois. La plupart des produits agricoles sont consommés dans la paroisse. Le blé constitue la principale richesse de cette agriculture. Il fait l'objet de la commercialisation la plus importante (environ le tiers de la récolte) (Gauldrée-Boilleau, [1862] 1968 : 21). La seule culture

---

107. Pour plus de détails sur l'auteur et le contexte entourant la réalisation de l'étude de Gauldrée-Boilleau voir le chapitre 1.

industrielle présente est la graine de lin ([1862] 1968: 21). La fibre est utilisée à des fins domestiques.

Gauldree-Boilleau présente ensuite l'état de la population de la paroisse (nombre d'habitants, naissances, mariages, décès) et son occupation. Cette introduction s'étend sur quatre pages. Boilleau introduit ensuite brièvement la famille Gauthier pour se pencher sur sa religion et ses habitudes morales qu'il détaille sur un peu plus de cinq pages. La ferveur religieuse et la moralité presque irréprochable de la famille et de la paroisse entière sont garanties par l'autorité et l'encadrement social du curé: «C'est au ministre du culte que les habitants s'adressent dans toutes les affaires importantes, soit civiles, soit religieuses. Son intervention prévient les procès ou les termine, apaise les haines, réconcilie les ennemis, décide les mariages et règle les rapports individuels, aussi bien que les intérêts de la paroisse entière ([1862] 1968: 24).» C'est l'autorité du clergé qui assure la cohésion sociale de la paroisse. Selon Gauldrée-Boilleau, la religion est le seul frein capable de retenir les «mauvaises passions» des habitants des campagnes franco-canadiennes qui, comme leurs cousins français, sont réfractaires aux autorités civiles. La recherche d'une parenté sociale entre les paysans de Saint-Irénée et ceux de la France transparaît également dans les commentaires de Gauldrée-Boilleau.

Le clergé est présenté comme le seul responsable du maintien de la nationalité canadienne-française et un facteur de ralliement national. Le caractère fortement égalitaire de la communauté est exprimé en ces termes: «Tous les habitants, riches ou pauvres, se regardent comme égaux. Ils ne reconnaissent d'autre supérieur que le curé ([1862] 1968: 26).» Selon Gauldrée-Boilleau, la hiérarchie sociale de la communauté est dominée exclusivement par les membres du clergé. Il caractérise la classe sociale à laquelle appartient la famille Gauthier de cette façon: «La famille Gauthier appartient à la classe des propriétaires. Elle cultive elle-même ses domaines sans avoir besoin de l'assistance d'autrui [...] La famille Gauthier ne se distingue pas, par la nature de ses occupations, du commun des cultivateurs; si elle jouit d'une considération exceptionnelle, elle le doit à la prudence et à l'honnêteté du père, aussi bien qu'à la bonne conduite de sa femme et de ses enfants ([1862] 1968: 29).» Le critère de jugement de Gauldrée-Boilleau quant au rang social de la famille d'Isidore Gauthier réside donc dans ses qualités morales et non dans sa richesse matérielle. D'ailleurs, le colon canadien-français n'accumule pas de capital dans un objectif de profit. «Le chef de famille s'applique à réaliser des économies et acquiert une terre pour chacun de ses fils en âge de la cultiver ([1862] 1968: 30).» Gauldrée-Boilleau touche ici le mode de reproduction sociale des milieux ruraux en contexte de peuplement. Il ne perçoit cependant pas la dynamique sociale qui en découle, caractérisée par une grande mobilité de la population et la pratique d'activités secondaires en dehors de l'exploitation familiale (chapitre 3).

Gauldrée-Boilleau termine la première partie en passant en revue l'hygiène et les conditions de santé liées au climat et à l'eau ainsi que le rang social occupé par la famille Gauthier dans la paroisse. Les conditions d'hygiène et de santé générale de la population sont jugées excellentes. Il souligne toutefois le peu d'accessibilité aux médecins qui sont peu nombreux et chers. La famille d'Isidore Gauthier est jugée représentative de la moyenne des cultivateurs de la paroisse. Le chef est préoccupé par le bien-être de sa famille. Selon l'auteur, ce bien-être découle d'une saine gestion de l'exploitation agricole, notamment en évitant le morcellement. L'établissement de ses fils au mariage est la préoccupation principale d'Isidore Gauthier.

La seconde partie est consacrée aux moyens d'existence de la famille. Gauldrée-Boilleau dresse alors un inventaire exhaustif des biens meubles et immeubles de la famille Gauthier et souligne le caractère égalitaire des niveaux de fortune des habitants de la paroisse: «Il n'y a point ici de petits ni de grands propriétaires. Le plus riche estime son avoir à 30,000 f ([1862] 1968: 31).» Les journaliers font toutefois exception «ils forment une classe à part, qui n'exerce aucune influence. Ils vivent de leur salaire et des dons des cultivateurs aisés ([1862] 1968: 31-32).» Leur sort n'est toutefois pas inquiétant; l'entraide communautaire assure leur bien-être. Gauldrée-Boilleau tente ici de souligner le caractère fortement égalitaire et l'entraide communautaire qui règnent entre des habitants d'égale condition. Son affirmation dément cependant ce postulat. Il parle de «cultivateurs aisés» et de l'aide prodiguée aux pauvres de la paroisse. Cette contradiction revient ailleurs dans son étude.

L'auteur dresse également l'inventaire des tâches de chacun des membres du ménage, selon le sexe et l'âge. Ce travail est consacré presque entièrement à l'exploitation de la propriété. «Les industries que la famille entreprend pour son compte propre sont: la culture de ses domaines agricoles, l'élevage des bestiaux et des volailles, enfin les travaux manufacturiers qu'exigent l'élaboration du lin et de la laine, et le tissage de la flanelle et du drap du pays ([1862] 1968: 33-34).» L'industrie textile pratiquée par les femmes de Charlevoix était réputée partout dans la province à cette époque. Le secteur de Saint-Irénée possède notamment une des quantités moyennes de laine par producteur les plus élevées de l'axe du Saint-Laurent en 1851 (Boisvert, 1996: 428). Selon Michel Boisvert, une part importante de cette production était certainement destinée à la commercialisation. Gauldrée-Boilleau est muet à ce sujet. Les travaux lourds de la ferme sont assignés au chef de ménage alors que l'entretien domestique et la confection des vêtements sont l'apanage de l'épouse et des grandes filles. Gauldrée-Boilleau termine cette partie en caractérisant les industries de la famille par la primauté de l'agriculture à laquelle s'ajoutent quelques travaux secondaires comme le textile et la vente de pelleteries. Ces activités ne procurent toutefois que des revenus négligeables ([1862] 1968: 33-34).

Le mode d'existence de la famille prend la forme d'une description de la diète du ménage. La nourriture accessible à la moyenne des cultivateurs est jugée abondante et variée. On souligne l'importance de la pomme de terre dans cette alimentation. L'obéissance à la religion quant aux jours maigres et aux boissons alcooliques ainsi que les écarts de certains paroissiens sont également mentionnés. Gauldrée-Boilleau passe en revue l'architecture de la maison des Gauthier, la valeur de leurs possessions en mobilier, ustensiles de cuisine, vêtements. «Le mobilier ne contient aucun objet qui attire l'attention. Il est même d'une simplicité qui ne semble pas en harmonie avec l'aisance du propriétaire de la maison ([1862] 1968: 36).» Encore une fois Gauldrée-Boilleau souligne la simplicité et la modestie de la famille, ainsi que son peu d'intérêt pour les biens matériels.

Les loisirs de la communauté sont jugés fort simples. Ce sont des visites entre amis et des soirées de cartes. Les danses sont restreintes par l'Église. À Saint-Irénée, les habitants ne célèbrent pas les fêtes du Royaume-Uni en raison de leur peu de sympathie pour le drapeau britannique.

> L'habitant de Saint-Irénée trouve sa récréation la plus ordinaire dans le plaisir d'assister aux offices religieux de son église. Il y a émulation le dimanche et les jours de fête, au sein de chaque famille, pour se rendre à la grand-d'messe et aux vêpres; c'est à qui pourra jouir de la vue des cérémonies du culte. Rien ne plaît aux fidèles comme la prédication; rien ne les intéresse comme le récit de quelque fait emprunté à la vie des Saints, ou à l'histoire de France ([1862] 1968: 40).

Encore une fois la vertu des paysans et la place centrale qu'occupe l'Église dans leur mode de vie sont soulignés. Au sujet de la mentalité, Gauldrée-Boilleau mentionne la grande méfiance des habitants envers les ministres qui détiennent le pouvoir civil.

> Ils traitent volontiers les ministres en possession du pouvoir d'ambitieux ou de gens avides des deniers publics. L'esprit d'opposition règne aussi à un haut degré parmi les Franco-Canadiens [...] depuis l'établissement du régime parlementaire au Canada, elles [les élections] sont fortement contestées [...] la moralité publique en aurait souffert, et l'appât de l'argent, de la boisson même, aurait actuellement acquis dans la répartition des suffrages une influence malheureuse ([1862] 1968: 40).

Ce thème revient souvent dans l'historiographie du Québec du XIXᵉ siècle. Ce phénomène serait dû en partie au discours de l'Église catholique, qui est en général hostile à la politique. Les conséquences de la Rébellion de 1837-1838 ainsi que la distance entre le discours des élites sociopolitiques et la réalité du peuple serait également à l'origine de cette méfiance à l'égard des politiciens. Il faut sûrement voir dans ce commentaire l'influence du curé de Saint-Irénée, l'informateur privilégié de Gauldrée-Boilleau.

L'étude sociologique se termine par l'histoire de la famille. Les thèmes abordés sont l'histoire familiale d'Isidore Gauthier, l'établissement et l'éducation de ses enfants. Gauldrée-Boilleau en profite alors pour accentuer la représentation simple et vertueuse des Gauthier et pour présenter les préjugés en vigueur sur les méfaits de l'éducation sur les populations rurales : « Il faut reconnaître, en effet, que les mœurs des personnes indépendantes de fortune ou exerçant des professions libérales contrastent, jusqu'à un certain point, au Canada, avec le caractère simple et les pieuses croyances des cultivateurs ([1862] 1968 : 42). » Plus loin, il cite Gauthier qui parle de la malhonnêteté de certains administrateurs municipaux instruits. Gauldrée-Boilleau présente par la suite un compte rendu complet présenté sous forme de tableau des recettes de l'année de la famille Gauthier et de ses dépenses diverses, relatives à la propriété, aux industries diverses et au ménage. Ce tableau occupe 14 pages et démontre une faible épargne chez les Gauthier (284 f 89 sur un revenu de 3 630 f 64). Ces calculs entre revenus et dépenses vient donc appuyer la description d'une agriculture axée sur la subsistance de la part du sociologue français.

En conclusion, Gauldrée-Boilleau formule des remarques sur l'organisation générale de la société charlevoisienne et ses particularités. Il traite notamment des richesse minérales de la paroisse, composées de fer, de graphite et même d'or. Les habitants sont toutefois trop pauvres pour les exploiter ([1862] 1968 : 58). L'auteur revient ensuite sur l'organisation de la propriété et de la famille la plus courante dans les territoires situés entre Québec et la Côte-Nord : « L'existence de la famille repose essentiellement sur l'agricuture, et la base de son organisation est encore le système patriarcal. Le père est maître absolu chez lui ; il dirige les affaires comme il l'entend, et dispose librement de ses propriétés, sans que la loi mette aucune entrave à l'exercice entier de ce droit ([1862] 1968 : 59). » Il réitère l'importance de l'agriculture familiale dans la vie des habitants : « Un trait caractéristique de la famille canadienne, c'est la ténacité avec laquelle elle tient à la terre qui lui a été transmise de génération en génération ([1862] 1968 : 60). » Gauldrée-Boilleau insiste tout au long de son étude sur le rôle essentiel de l'agriculture dans la cohésion sociale du milieu rural au Bas-Canada. Cette cohésion est assurée au niveau spirituel par l'Église catholique. Il fait également la promotion des mouvements de colonisation qui connaissent un deuxième souffle dans la décennie 1860-1870 sous l'impulsion du clergé. «C'est le clergé qui, dans les paroisses canadiennes, est à la tête de l'œuvre de la colonisation. On voit les prêtres explorer eux-mêmes la contrée choisir et désigner les endroits qui semblent les plus favorables à l'établissement de nouveaux centres de population, et prêcher d'exemple en s'y installant eux-mêmes au milieu de privations de plus d'un genre ([1862] 1968: 61-62).» Ce mouvement de colonisation a été formulé et dirigé largement par le clergé soutenu par les élites intellectuelles, afin de contrer le mouvement d'émigration des Canadiens français vers les manufactures de la Nouvelle-Angleterre et les diriger vers le Nord québécois, objet d'une utopie de reconstruction nationale s'appuyant sur le passé mythique du peuple canadien-français (Bouchard, 1993; Morissonneau, 1978).

Selon le discours dominant, l'ouverture de nouvelles terres agricoles dans l'arrière-pays permettrait de contrer le mouvement migratoire des populations rurales vers les villes. Ce processus s'installe à la suite de la saturation des vieux terroirs de la vallée du Saint-Laurent, de l'arrivée de forts contingents d'immigrants en provenance des Îles britanniques et de l'emprise croissante de la bourgeoisie anglophone sur l'économie bas-canadienne. Ce mouvement donne lieu à la création d'un nouveau mythe identitaire canadien-français, le mythe du Nord québécois (Morissonneau, 1978). Ce mythe puise au cœur des origines historiques du peuple et de ses racines de coureurs des bois et de défricheurs. Il présente le nord de la vallée du Saint-Laurent comme la «Terre promise» des Canadiens français, un vaste territoire à conquérir qui deviendrait un lieu de ressourcement pour la collectivité et la préserverait de l'envahissement physique et culturel des anglophones. Il s'inscrit dans ce paradigme de la survivance qui présente la préservation de traits culturels hérités d'un passé français mythique comme une garantie de la survie de la nation. Un refus profond de l'américanité est au cœur de cette idéologie identitaire (Bouchard, 1995: 22-26).

Gauldrée-Boilleau souligne également la fonction unificatrice de la religion catholique pour les «Franco-Canadiens», de même que les bienfaits de son influence dans les campagnes:

> La moralité qui règne dans les campagnes et qui contribue puissamment aux progrès de la population est en partie son œuvre [le clergé]. Dans les villes, la parole des prêtres, quoique fort écoutée, commence à ne l'être plus autant que dans les districts ruraux. Au point de vue de la nationalité française, c'est un fait à regretter, parce que le clergé s'est constamment montré le défenseur de la langue, des institutions et des coutumes traditionnelles de l'ancienne mère patrie ([1862] 1968: 62).

L'hégémonie du clergé en tant que gardienne des valeurs profondes de la nationalité canadienne-française dans le Canada du XIXe siècle est ici clairement exprimée. Il conclut sa monographie en définissant la famille Gauthier comme un assez bon type des «habitants» du Bas-Canada, dont il souligne la très grande homogénéité:

> Leur homogénéité [«les Franco-Canadiens»] a puissamment contribué au maintien de leur race et de leur nationalité; ils sont aujourd'hui ce qu'ils étaient en 1760 au lendemain de la capitulation de Québec, et peut-être serait-ce à désirer pour eux que les idées modernes ne les entamassent pas avant qu'ils n'eussent eu le temps de doubler leur population ([1862] 1968: 75)?

Le postulat de l'homogénéité de la «race» est largement répandu à l'époque et fait partie du discours de l'élite socioculturelle bas-canadienne. Gauldrée-Boilleau (et probablement le curé Mailley) associe également l'industrialisation à l'éloignement des valeurs religieuses et, en conséquence, à la perte des qualités morales de la nation. Ce processus met sa survie en danger. Il continue plus loin: «Tant que les Franco-Canadiens conserveront leurs habitudes rangées et laborieuses, qu'ils resteront fidèles à leurs sentiments religieux, qu'ils prêteront l'oreille aux directions amicales de leurs prêtres […] ils demeureront les maîtres du terroir que leur ont légué leurs pères et s'étendront même constamment par de nouvelles conquêtes sur la forêt ([1862] 1968: 75).» Le lien est ici clairement établi entre la survie de la «race», les vertus de la religion catholique et la pratique de l'agriculture familiale. Ces éléments sont à la base de la définition de la nation canadienne-française au XIXe siècle. On présente la survie de la collectivité comme liée à la foi religieuse et aux racines historiques du peuple, héritées de la France du XVIIe siècle. L'étude de Gauldrée-Boilleau est également fortement teintée de l'idéologie ultramontaine qui gagne en popularité dans la seconde moitié du siècle. Cette idéologie affirme la suprématie du spirituel sur le temporel et veut étendre l'autorité de l'Église catholique à tous les niveaux de la vie économique et sociale du Bas-Canada.

6.2.2 Une représentation sous-tendue par l'idéologie ultramontaine

L'ultramontanisme constitue un emprunt idéologique direct à la France. Les milieux ultra-catholiques bas-canadiens s'alimentent aux écrits de l'ultramontain français Louis Veuillot consignés dans son journal L'*Univers*. Dans ce journal, ils prennent connaissance des événements européens et surtout romains. Ils y puisent également leurs arguments idéologiques. L'idéologie ultramontaine affirme la suprématie de l'Église sur l'État. Comme leur idéal de société serait un État officiellement catholique, ils dénoncent les dangers de la démocratie et s'insurgent contre le principe de souveraineté du peuple. Ils condamnent également toutes les libertés modernes. La Révolution française, qui a apporté toutes ces nouveautés, représente à leurs yeux le mal absolu (Roy, 1993: 36).

Avec ce principe de suprématie de l'Église sur l'État, les ultramontains se donnent le droit et le devoir de surveiller l'action des gouvernements, de se mêler des élections et d'intervenir un peu partout dans la société. Ils valorisent l'autorité et l'obéissance, l'ordre et la hiérarchie. Chaque individu occupe une place dans la société et doit la garder. L'éducation ne doit pas changer cet ordre des choses (Roy, 1993: 36). Par leur mainmise sur l'éducation, ils maintiennent une sorte d'immobilisme social. Ils favorisent la famille traditionnelle, hiérarchisée et soumise à l'autorité paternelle. Ils s'opposent également au changement dans l'économie. Cette œuvre de colonisation dans laquelle s'engage le clergé dans les années 1840 et 1850 est perçue comme le salut de la nation. « Inquiets des effets perturbateurs de l'urbanisation et de l'industrialisation, les ultramontains, insistant sur le caractère étranger des nouvelles activités économiques, prôneront que les Canadiens français se consacrent à l'agriculture, sous la houlette de leurs pasteurs (Roy, 1993: 36). » L'Église aspire au contrôle absolu de la société. On commence à tracer à cette période les grandes lignes d'un discours opposant la campagne à la ville (Roy, 1993: 38). L'ultramontanisme québécois met la religion au cœur de la nation. Il s'oppose catégoriquement au mouvement libéral qui se développe au Québec au cours du XIXᵉ siècle.

L'étude de Gauldrée-Boilleau est clairement marquée par cette idéologie. Tout au long de sa monographie, il souligne le rôle dominant du clergé dans la vie sociale de la paroisse et son rôle essentiel dans la protection de la nation depuis la Conquête. Son étude tente de valoriser le mode de vie agricole comme étant le seul adapté au caractère profond de la nation canadienne-française et le seul capable d'assurer sa survie. Il ne parle pas de la socio-économie des aires villageoises, de l'économie agroforestière, des marchés locaux, des exportations régionales, etc. La commercialisation de l'économie régionale est presque totalement absente de l'étude. Il ne mentionne que brièvement quelques activités secondaires pratiquées par la famille Gauthier, mais il les juge d'importance mineure par rapport à l'agriculture. La seule allusion qu'il fait aux marchés est pour mentionner qu'ils ne sont pas importants dans la région et que l'agriculture locale est faiblement commercialisée. Un certain rejet de l'économie industrielle est perceptible.

Son association étroite avec l'abbé Mailley est également très révélatrice de l'orientation de son étude. Mailley constitue l'informateur privilégié de Gauldrée-Boilleau concernant les renseignements généraux sur la société et l'économie de la paroisse. Il lui a également désigné la famille d'Isidore Gauthier comme la plus représentative de sa paroisse. À ce sujet, on peut constater avec étonnement que jamais les opinions de cette famille ne sont exposées. Ils constituent le sujet de l'étude, mais on ne leur donne jamais la parole, ni à d'autres habitants d'ailleurs. Cette caractéristique est typique de la méthode scientifique de l'époque, axée sur l'analyse de données statistiques. Le style de rédaction est narratif et autoritaire. Les informateurs privilégiés sont les membres des élites sociales, que l'on juge plus instruits et possédant une meilleure connaissance de leur société.

La conséquence de cette méthode est l'introduction de biais idéologiques majeurs. Ces élites en position de pouvoir ont une vision particulière de leur communauté, médiatisée par leurs valeurs et leur orientation idéologique. Les études comme celles de Gauldrée-Boilleau présentent la vision d'une société telle qu'elle est construite par l'élite, et non telle qu'elle est vécue par ses habitants. Ceci explique l'incompréhension majeure de Gauldrée-Boilleau de la dynamique sociale de la campagne charlevoisienne dans la seconde moitié du XIXᵉ siècle. Il la présente comme une société d'enracinement, alors que son mode de reproduction sociale y induit une grande mobilité géographique (Bouchard, 1996 : 198-276 ; chapitre 3, partie 2). Il transpose directement au Québec le cadre conceptuel des campagnes françaises, caractérisées par un terroir plein. Bouchard qualifie ce cadre de « système clos », qui induit un fort enracinement des ménages ruraux ainsi qu'un taux élevé d'émigration chez les jeunes découlant d'une exclusion des non-héritiers de l'exploitation (Bouchard, 1987 : 231). Au Québec, le terroir est de type ouvert. Il est caractérisé par une expansion sans frontière définitive, liée à l'établissement du plus grand nombre d'enfants possible. Le patrimoine est donc instable et la mobilité des individus et des familles y est importante (Bouchard, 1987 : 231). Quelques années après le passage de Gauldrée-Boilleau, sa famille typique du terroir de Saint-Irénée a quitté la région pour le Saguenay. Isidore Gauthier y a acheté une vaste superficie de terre pour y établir ses fils. Rien ne subsiste de la famille Gauthier à Saint-Irénée. La maison ainsi que les bâtiments de ferme ont été détruits après de leur départ (Gauthier, 1986 : 5).

6.2.3 L'influence des arts français dans le paysage charlevoisien

À partir des années 1880, l'art du paysage français fait sentir son influence à travers un artiste canadien d'origine écossaise, William Brymner. Il est le fils de Douglas Brymner, qui fut président de la tribune parlementaire de la presse à Ottawa dans les années 1870, puis chargé par le gouvernement canadien d'établir un dépôt d'archives du Dominion (Braide, 1979 : 15). La famille Brymner quitte l'Écosse en 1857, deux ans après la naissance de William. Elle s'installe sur une ferme à Melbourne dans les Cantons de l'Est jusqu'en 1864, alors qu'elle s'établit à Montréal. William y reçoit sa première formation artistique à l'École des arts et métiers et fait un stage chez l'architecte R. C. Windeyer à 15 ans. Son père est alors rédacteur au *Montreal Herald*. La famille déménage de nouveau, à Ottawa cette fois, en 1872 alors que Douglas obtient un poste de commis aux archives au département de l'Agriculture. Douglas Brymner, homme de lettres, avait des relations au sein des communautés politiques, religieuses et intellectuelles du Canada. William et son père entretenaient des liens étroits. Le père conseillait le fils et « tous d'eux s'enorgueillissaient des réussites de l'autre » (Braide, 1979 : 15). Les deux partageaient les mêmes opinions, sur le plan artistique notamment. Ils désapprouvent l'utilisation de la photographie en peinture. Le père et le fils ont entretenu une correspondance soutenue à partir de 1878, date à laquelle William quitte le foyer familial.

Rappelons que cette époque est celle d'un développement rapide du Canada sur tous les plans, notamment sur celui des arts alors que les grandes associations artistiques canadiennes sont créées[108]. Cette effervescence donne lieu également à l'ouverture de plusieurs galeries et la tenue d'un grand nombre d'expositions. C'est dans cette atmosphère que le jeune William débute sa carrière artistique, sous les encouragements de son père. Après un contrat important avec la Société St. Patrick en 1875 qui consistait à préparer un discours illustré pour le maire de Dublin, William décide d'entreprendre un voyage d'études en France et en Grande-Bretagne. Il souhaitait obtenir du travail à la section canadienne de l'Exposition de Paris. Il quitte le Canada en 1878. En Angleterre, il prend connaissance des œuvres des peintres paysagistes de l'époque, notamment celles de Turner et de Ruskin (Braide, 1979 : 18-19). Il travaille par la suite à l'Exposition de Paris pendant environ deux mois. Il réalise plusieurs dessins pour les présentoirs de l'exposition, le tracé des parcours, etc. (Braide, 1979 : 19). Il prend des cours du soir en art. À travers l'exposition et les musées parisiens, il continue son observation des techniques des artistes de différents pays. Il entre à l'Académie Julien en octobre de la même année où il est l'élève de Jules

---

108. Il s'agit de l'Art Association de Montréal fondée en 1860, de l'Ontario Society of Arts en 1872 et de l'Académie royale du Canada en 1880.

Lefebvre (Braide, 1979: 21). C'est une période de travail intense, mais les critiques sont encourageantes. L'année suivante, en plus de l'Académie Julien, il prend des leçons d'anatomie à l'École des beaux-arts.

Au début des années 1880, Brymner expérimente les intérieurs. Ses sujets de prédilection sont des ateliers de campagne et les ouvriers paysans qui les occupent. Il envoie régulièrement des toiles à son père au Canada afin qu'il les achemine aux expositions de l'Académie royale. Celui-ci deviendra d'ailleurs son agent au Canada. Il expose également aux États-Unis et tente d'être exposé en Angleterre, mais sans succès. En fait, il vend très peu de tableaux. À partir de 1884, Brymner s'intéresse aux scènes pastorales dans les campagnes anglaises (Yorkshire) et bas-canadiennes à Baie-Saint-Paul. Brymner et son ami Fred W. Jackson, un paysagiste américain, s'intéressent alors aux sujets narratifs, très en vogue chez les patrons d'art victoriens. Selon Braide, c'est parce que son père souhaitait que William vende ses œuvres à des Canadiens que celui-ci peint des sujets narratifs privilégiant des titres sentimentaux (1979: 68). Les tableaux de Brymner de cette époque ont souvent pour thème de jeunes enfants dans des scènes campagnardes où abondent les champs verdoyants et les prés fleuris. L'œuvre marquante de Brymner pendant cette période s'intitule *Une gerbe de fleurs; les giroflées*. Elle met en scène des petites filles dans un pré.

Brymner est forcé de rentrer au pays en 1884 en raison de problèmes financiers. Il passe l'été de 1885 à Baie-Saint-Paul où il peint quelques-unes de ses meilleures toiles. *Quatre jeunes filles dans un pré,* la version charlevoisienne d'*Une gerbe de fleurs,* est la plus réussie. Selon Janet Braide, il peint au moins cinq tableaux cet été-là dans Charlevoix. L'un d'entre eux, *La femme au métier,* œuvre bien connue de Brymner, aujourd'hui déposé au Musée du Québec à Québec[109], fut exposé en 1886 à l'exposition de l'Ontario Society of Artists à Toronto. Un autre, *La courtepointe*[110], fut présenté à l'Exposition coloniale indienne du Musée South Kensignton à Londres également en 1886 (Braide, 1979: 32-33). Les tableaux de Brymner sont de plus en plus appréciés par les connaisseurs pour leurs douces nuances de couleurs et la précision des clairs obscurs, particulièrement dans les intérieurs (Braide, 1979: 33).

Brymner gagne ensuite l'Ouest canadien ouvert par le chemin de fer du Pacifique. Entre 1886 et 1891, il voyage et peint à travers le pays. Ses sujets sont principalement formés de scènes et de portraits d'Amérindiens. Il obtient un poste d'enseignant à l'école de l'Art Association de Montréal en 1886. Trois ans plus tard, il retourne en Europe et reprend ses études chez Julien. Tout comme d'autres artistes professionnels de l'époque comme Lucius Richard O'Brien et Frederic Marlett Bell-Smith, il est engagé par le Canadien Pacifique en 1892 afin

109. N° 34.10-P.

110. Musée des beaux-arts du Canada, Ottawa, 309.

de dépeindre les paysages des Rocheuses traversés par le chemin de fer. Un grand nombre de ses tableaux furent exposés pendant les années suivantes à l'Art Association de Montréal, à l'Académie royale du Canada et à Chicago. Il s'intéresse au paysage et aux habitants de la Côte-de-Beaupré à l'été de 1896 et de 1897 en compagnie de Maurice Cullen et d'Edmond Dyonnet. Il y réalise des tableaux d'une grande qualité.

L'enseignement occupe une grande partie de son temps en hiver alors que ses étés sont consacrés au voyage et à la peinture. Il expose à chaque printemps son travail de l'année précédente. Au fil des ans, son style se perfectionne à travers ses nombreuses expérimentations. L'une de ses réalisations marquantes en 1899 et 1900 est sans aucun doute les murales de la maison d'été de Charles Porteous à l'île d'Orléans. Ces murales sont centrées sur des scènes pastorales de l'île. Elles utilisent le style et la palette caractéristiques d'un tableau effectué à Baie-Saint-Paul à cette même période[111]. Cette palette est dominée par des brun-gris, des bleus et des vert tendre, avec des touches de rose.

Au début des années 1900, Brymner réalise une série de tableaux de Venise où il se rend avec James Wilson Morrice et Maurice Cullen. Cullen devient d'ailleurs son associé en 1905 dans un atelier à Saint-Eustache. Il est également en relation avec Horatio Walker qui réside à l'île d'Orléans et Claude Monet qu'il visite lors de ses passages en France. Il a notamment enseigné à Clarence Gagnon avant son départ pour la France. Brymner jouit d'une grande renommée dans les arts canadiens et exerce une certaine influence sur la relève. La consécration ultime lui vient en 1909 alors qu'il est élu président de l'Académie royale du Canada (Braide, 1979: 57). Il démissionne en décembre 1917 à la suite d'une congestion cérébrale qui le laisse paralysé. Il prend sa retraite définitive du monde des arts en 1921, quatre ans avant son décès. C'est surtout son enseignement qui retint l'attention de la communauté artistique. Brymner aurait en effet contribué à former des centaines d'artistes de son temps en plus de tenir des conférences publiques et de publier des articles d'information sur les arts. Son œuvre artistique est cependant d'une grande qualité et elle a toujours constitué son intérêt principal, devançant de loin l'enseignement (Braide, 1979: 65).

William Brymner a affirmé toute sa vie l'importance de peindre directement d'après nature, de comprendre la vie de son temps et le monde dans lequel vit l'artiste. Selon lui, il faut éviter les trucages de studio et la sentimentalité. Il faut se fier à l'émotion ressentie devant le sujet et l'exprimer de la façon qui la fera le mieux ressentir. La fonction de l'artiste est de transmettre une émotion dont il fait l'expérience (Braide, 1979: 42,47,54). Cet extrait d'une lettre qu'il fait parvenir à son ami Clarence Gagnon en septembre 1904 témoigne de cette

---

111. Brymner, William: *Baie Saint-Paul, vers 1900*. Collection privée.

vision : « Peins le tableau avec force, en faisant des fautes mais en y sauvegardant la vie. Évidemment, si l'on peut y sauvegarder la vie sans faire de fautes c'est mieux, mais laisses-y l'allant et la vie, coûte que coûte, ainsi que l'unité. La vie et l'unité sont les nécessités fondamentales (Braide, 1979 : 65). » Le tableau doit donc non seulement dépeindre des objets, mais leur donner vie, transmettre une émotion, suggérer une histoire.

Brymner, même s'il n'a jamais adhéré à l'Impressionnisme, a reconnu les mérites de ce style qui permet de créer des effets de couleurs et de formes d'une grande beauté (Braide, 1979 : 41). Des influences comme celles de James Wilson Morrice et de Maurice Cullen[112] sont parfois perceptibles dans ses toiles par les jeux de lumière délicats qu'il y introduit. Les artistes de ce mouvement se différencient des peintres académistes de l'époque par « une interprétation intime et hautement subjective de la nature, sur l'expression des effets fugitifs de lumière et d'atmosphère, renforcés d'un chromatisme aigu et de touches libres du pinceau, et sur la description de la vie contemporaine » (Lowrey, 1995 : 3). L'artiste traduit une impression plutôt que l'expression directe des formes. Pour certains critiques d'art de l'époque : « Monet et ses semblables [...] se borneraient à enregistrer ce qu'ils ressentent devant le spectacle de la nature : des sensations personnelles certes, parfois transcrites avec une liberté de ton et de touche inédite, mais aussi un trop grand mépris de la représentation du site pour qu'on y puisse lire une réelle intention expressive (Smith, 1995 : 8). » Certains critiques leur ont attribué en dérision le surnom de peintres des taches.

William Brymner partageait avec les impressionnistes leur recherche d'émotion devant le paysage et leur volonté de la traduire sur la toile plutôt qu'une stricte obéissance aux formes. Le style de Brymner reste toutefois lié à l'Académisme français. Son style est naturaliste, associé à des thèmes campagnards et sentimentaux. En cela, il est plus près de peintres comme Horatio Walker et ceux de l'École néo-Barbizon[113]. L'influence de l'Impressionnisme paraît toutefois par l'utilisation d'une palette plus claire qui traduit des effets de lumière parfois surprenants, comme dans le tableau *Baie Saint-Paul vers 1900*. L'œuvre de Brymner rejoint également les goûts du public victorien pour les scènes campagnardes très en vogue à l'époque.

---

112. Selon Carol Lowrey (1995 : 3), l'Impressionnisme a constitué la première étape du modernisme dans les arts au Canada, servant de lien crucial entre l'Académisme du XIXe siècle et l'œuvre des paysagistes nationalistes connus sous le nom de Groupe des Sept.

113. Il s'agit d'une adaptation américaine du style français Barbizon qui apparaît au milieu du XIXe siècle sous l'influence de Jean-François Millet. Le mouvement néo-Barbizon est initié par William Morris Hunt à la suite de son séjour à Barbizon en 1852 en compagnie de Millet et de ses disciples. Ces peintres cherchent à illustrer un certain réalisme pastoral. Le peintre d'origine américaine Horatio Walker est assimilé à ce mouvement. Selon David Karel toutefois, celui-ci tient plutôt son style de l'école de La Haye, une autre école européenne dérivée de celle de Barbizon (Karel, 1995 : 200-201).

6.2.3.1 La vie campagnarde dans Charlevoix

Nous avons trouvé six tableaux ayant pour thème des paysages réalisés par William Brymner dans Charlevoix au cours de la période 1885-1900. La plupart de ces tableaux illustrent des scènes campagnardes, souvent à contenu narratif. Les prés, les fermes, les enfants, les cultivateurs et leurs charrettes peuplent les tableaux. Deux d'entre eux sont datés de la première visite de Brymner dans Charlevoix à l'été de 1885 et quatre, de la période 1896-1900. On perçoit une certaine évolution des thèmes et des paysages privilégiés par l'artiste entre ces deux périodes. Les deux tableaux de 1885 sont centrés sur des personnages, cadrés dans des scènes à contenu narratif, tels que l'artiste les privilégiait à cette époque. Ils mettent en scène des enfants jouant dans les prés à proximité de la ferme familiale ou du village[114]. Ceux de la dernière période ressemblent aux scènes pastorales d'artistes comme Horatio Walker à l'île d'Orléans. Les œuvres sont centrées sur le paysage et le mode de vie rural. L'un des tableaux met en scène un cultivateur fumant la pipe près de sa charrette au bord du chemin ; un second présente une scène illustrant un troupeau de bétail dans un pâturage[116]. Le troisième présente un paysage littoral, où prédomine le fleuve et le relief côtier de Baie-Saint-Paul[117]. Il rappelle les œuvres des grands peintres canadiens d'inspiration romantique de l'époque (graphique 6.2). Les paysages typiques de la région, intégrant le fleuve, la montagne, la forêt et les terres agricoles, leur sont communs. L'œuvre de Brymner se distingue par la plus grande importance accordée aux personnages et aux éléments relatifs à l'agriculture qui constituent souvent le centre du tableau alors que les romantiques s'en servent surtout comme élément décoratif. À l'inverse, le paysage sert chez Brymner à camper l'action des personnages. Le tableau *Baie Saint-Paul vers 1900* rassemble les diverses influences de Brymner à la fin du XIXᵉ siècle. La montagne surplombe une scène pastorale et le clocher de l'église apparaît dans l'horizon lointain à la gauche du tableau. Le premier plan est occupé par la prairie verdoyante. Les animaux viennent agrémenter le paysage et en définir la fonction agricole au plan médian. La composition du tableau est formée d'une superposition de lignes horizontales. Elle est réalisée selon la palette caractéristique de Brymner formée de bruns, de vert tendre et de touches de rose. Cette couleur rosée est particulièrement apparente dans les nuages, représentant une lumière de crépuscule. Elle donne une image paisible et romantique de la campagne charlevoisienne, en même temps qu'elle suggère son caractère immuable.

114. Il s'agit de *Quatre jeunes filles dans un pré, 1885*. Collection privée, Ottawa et *Ils aimaient à lire dans les ruisseaux fuyants, 1885*. Collection privée.

115. *Charlevoix, 1896*. Localisation inconnue.

116. *Baie Saint-Paul vers 1900*. Collection privée.

117. Brymner, William : *Île-aux-Coudres, vers 1900*. Galerie nationale du Canada, Ottawa, 1888.

Tout comme l'ensemble de l'œuvre de William Brymner, cette toile est marquée par de nombreuses influences, acquises au cours de ses années d'étude et d'observation de l'art européen. Rappelons que cette œuvre est réalisée pendant la période des grandes fresques murales de Brymner à la maison Porteous de l'île d'Orléans. Elle s'accorde très bien au style et aux thèmes de ces murales. Elle se rapproche beaucoup des tableaux d'Horatio Walker. Le romantisme de toiles comme celles de Turner en Angleterre émerge dans cette vue composée des terres agricoles surplombées par les hautes montagnes baignées par la lumière du crépuscule. Le clocher de l'église est le seul élément humain illustré dans cette vue pastorale. Cette composition rappelle également certains tableaux d'artistes européens du temps comme Millet et son Angélus alors que l'on tente de souligner le côté spirituel et vertueux de la vie paysanne dont le rythme est modulé par le travail des champs et la prière. Les influences plus diverses de Brymner sont, à la manière des artistes d'inspiration romantique de l'époque, mises au service d'une vision passéiste des campagnes recherchée par le public. Ces représentations privilégient les traits traditionnels des campagnes et dissimulent les éléments de modernité qu'elles revêtent à l'aube du XXe siècle.

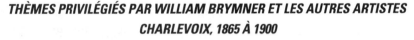

GRAPHIQUE 6.2
THÈMES PRIVILÉGIÉS PAR WILLIAM BRYMNER ET LES AUTRES ARTISTES CHARLEVOIX, 1865 À 1900

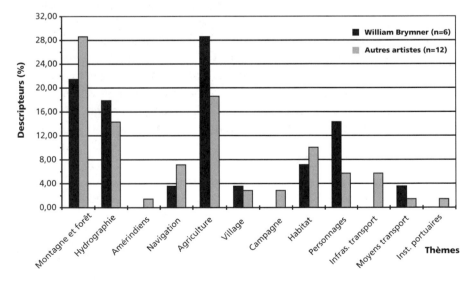

Source: Base de données Iconographie. Laboratoire de géographie historique/CIEQ.

6.3 VERS UNE APPROPRIATION PHYSIQUE DU PAYSAGE : L'ÉMERGENCE DU TOURISME DANS CHARLEVOIX

Les représentations passéistes du paysage et du mode de vie de la population charlevoisienne depuis le début du XIX° siècle sont liées à des courants esthétiques et idéologiques européens à forte tendance conservatrice. La vision mythique élaborée par ces membres de l'élite sociale coloniale ou étrangère a par la suite été récupérée par des nationalismes en définition qui cherchent à s'approprier l'espace national - de façon picturale notamment - et à définir les traits originaux de cette nationalité à travers son paysage. Les descriptions texuelles - même celles qui reposent sur des postulats et une méthode scientifique comme l'étude de Gauldrée-Boilleau - ont accentué cette représentation de la société charlevoisienne vue à travers ses racines françaises et catholiques, son mode de vie reposant sur l'agriculture de subsistance et son isolement à la fois géographique, économique et social. Les idéologies projetées sur l'espace charlevoisien en ont fait le paysage typique de la campagne bas-canadienne dont le paysage et le mode de vie sont directement hérités de la Nouvelle France.

Les changements économiques et sociaux qui surviennent dans le monde occidental du milieu du XIX° siècle accentuent l'écart déjà apparent entre les représentations de la ville et de la campagne. L'industrialisation capitaliste de l'époque et l'apparition d'une nouvelle classe bourgeoise qui s'impose bientôt comme le leader politique, économique et social de la colonie sont à l'origine d'une forte croissance urbaine qui génère de nouveaux besoins par rapport aux campagnes. Ces besoins sont d'ordres esthétique et hygiénique. C'est dans ce contexte que débute la vague de tourisme de villégiature dans Charlevoix, dont la notoriété des panoramas grandioses et des eaux pures sont déjà connus de la bourgeoisie de l'époque[118].

6.3.1 Charlevoix dans le circuit touristique québécois de la seconde moitié du XIX° siècle

Le milieu du XIX° siècle, avec ses innovations dans les transports et la multiplication des publications de voyage, connaît une forte croissance et d'importantes ramifications du circuit touristique québécois, auparavant limité aux environs immédiats des villes de Montréal et de Québec (Gagnon, 1992). Les

---

118. John Nairne, le seigneur de Murray Bay, accueillait des visiteurs à son manoir dès la fin du XVIII° siècle. Des artistes amateurs et professionnels comme George Heriot y ont séjourné et ont réalisé plusieurs aquarelles dans les environs. Les chapitres 2 et 5 font état des représentations du paysage charlevoisien de la première moitié du XIX° siècle.

circuits touristiques vers le Bas-Saint-Laurent et le Saguenay apparaissent dans les guides touristiques vers 1840. Les liaisons par vapeur ne sont toutefois qu'occasionnelles. Ces régions n'ont cependant pas attendu la navigation à vapeur pour connaître un début de développement (Gagnon, 1992: 108). Le premier centre de villégiature important au Québec à partir de 1850 est Kamouraska dans le Bas-Saint-Laurent qui, tout comme La Malbaie sur la rive nord, a une renommée qui date de l'époque où son seigneur recevait des membres éminents de la bourgeoisie de Québec et de Montréal. Selon France Gagnon, l'amélioration de la navigation à vapeur vers cette destination vers 1850 s'inscrit en réponse à un besoin de la clientèle qui est déjà présente dans le secteur: «Cette région existait en tant que territoire touristique, dotée de stations en puissance et d'une clientèle réelle et potentielle certaine; la navigation à vapeur est venue stimuler considérablement un développement déjà amorcé (1992: 103-104). » Cet énoncé vaut également pour La Malbaie et d'autres régions offrant un potentiel touristique important remarqué par des visiteurs dès la première moitié du siècle. Il confirme également la place des représentations, picturales et autres, sur l'attrait qu'exercent les paysages ruraux de l'époque. Les descriptions et les représentations d'artistes d'origine britannique comme George Heriot ou John Jeremiah Bigsby étaient donc très probablement connues par la bourgeoisie de l'époque.

Autre élément important: les innovations dans les transports et la ramification de certains circuits vers les régions périphériques sont issues d'un besoin créé par ces représentations. Les représentations peuvent donc modifier profondément un paysage. Le symbolisme qui y est associé crée un besoin et une demande qui se répercutent non seulement à l'échelle régionale, mais également à celle de la nation. Certains circuits apparaissent cependant à la suite du chemin de fer, comme dans les Cantons de l'Est qui deviennent populaires au cours de la décennie 1850-1860, après l'ouverture du tronçon Richmond-Québec du Grand Tronc en 1854 (Gagnon, 1992: 116-117). Dans les années 1860, le territoire touristique s'élargit vers l'est en Gaspésie et au Nouveau-Brunswick grâce à la nouvelle desserte maritime de ces régions. Dans les années 1870, les réseaux de communication - ferroviaires particulièrement - et les guides de voyage sont plus que jamais à l'origine de nouvelles destinations touristiques qui s'enfoncent de plus en plus loin à l'intérieur des terres, vers la vallée de la Matapédia, la Beauce, le Lac-Saint-Jean, etc. Le secteur de La Malbaie jouit donc d'une renommée touristique importante à partir de la décennie 1850-1860 liée à ses eaux salées jugées très bénéfiques pour la santé selon la nouvelle mode du thermalisme de l'époque. L'intensification des liaisons maritimes pendant la saison estivale à partir de Québec et de Montréal ainsi que le prolongement du Grand Tronc jusqu'à Rivière-du-Loup placent le secteur du Bas-Saint-Laurent et du Saguenay au rang de principal circuit touristique québécois pendant la seconde moitié du XIXe siècle (Gagnon, 1992: 121).

6.3.2 Le développement du tourisme dans Charlevoix à partir de la décennie 1850-1860

Cette vocation hâtive de Charlevoix, et plus précisément des terres face au mouillage de Pointe-au-Pic, est confirmée par la présence d'une spéculation foncière sur ces terres à partir de 1848 (Gagnon, 1996: 111). C'est leur potentiel en tant que site de villégiature qui est l'objet de cette spéculation. Leur appropriation foncière par la grande bourgeoisie débute avant même l'abolition du régime seigneurial en 1854. En 1846, William Bushy Lamb, un avocat de Montréal, aurait été séduit par la beauté du site lors d'une escale imprévue. Il achète les terres des cultivateurs Warren, McNicol et Blackburn. En un court laps de temps, les acquisitions de ce dernier auraient englobé presque tout le secteur de Pointe-au-Pic (Gagnon, 1996: 112, qui cite Simard, 1987). Cette réserve foncière aurait ensuite servi à la mise en valeur touristique de la région. C'est là que les grands hôtels de Pointe-au-Pic se sont installés à partir de 1870, notamment le célèbre Manoir Richelieu.

Les liaisons maritimes s'intensifient. Cette affluence des touristes, voyageant sur des vapeurs de gros tonnage, nécessite bientôt la construction d'un quai en eau profonde qui débute dès 1853 (figure 6.5). Les frais sont entièrement assumés par le gouvernement de Londres. Le village des Éboulements obtient également la construction d'une jetée sur pilotis la même année. Signalons que Baie-Saint-Paul ne se verra accorder un quai qu'en 1875, malgré ses fonctions socio-économiques importantes pour la région (Gagnon, 1996: 120). Selon Arthur Buies, trois bateaux se rendaient à La Malbaie chaque jour en 1872 (Brière, 1967: 90). Les services d'hébergement se développent d'abord sous la forme de petits hôtels familiaux et de villas à partir de 1860. «Dans les années postérieures à 1860, les villas et les hôtels poussèrent comme des champignons et tous les villageois aménagèrent leur maison pour accueillir des pensionnaires (Brière, 1967: 90).» Selon Philippe Dubé, le premier mouvement de vacanciers était intéressé principalement par la nature vierge et le milieu physique plus sain à Pointe-au-Pic. Ils recherchaient alors la vie rustique de l'habitant. Cette formule était parfaite pour les séjours estivaux: «L'habitacle rustique devient alors le home parfait pour la saison d'été, au beau milieu d'un univers paysan et naturel où l'on espère refaire ses forces (Dubé, 1995: 5).» Cette nouvelle activité fut accueillie comme une manne par la population locale, qui y voyait une nouvelle source de revenus lui permettant d'assurer son maintien et sa reproduction. On louait alors pour quelques dollars la maison familiale, un petit pavillon ou encore une chambre à ces touristes de la ville.

FIGURE 6.5

EDWARD JUMP, LE VAPEUR UNION ACCOSTÉ AU QUAI DE POINTE-AU-PIC AVANT SON RETOUR À QUÉBEC, 1872

Source : L'Opinion Publique, 29 août 1872. Archives nationales du Canada, Ottawa, C-58762.

Les premiers grands hôtels luxueux apparaissent dans les années 1870, avec la mode du thermalisme qui fait de La Malbaie, ou encore Murray Bay, une station balnéaire de renom. John William Chamard fait ériger le Chamard's Lorne House en 1872, au bas de la falaise de Pointe-au-Pic, non loin du site du futur Manoir Richelieu. Le Chamard's Lorne House possède 90 chambres. D'après Brière, «[En 1872], il y avait déjà cinq grands hôtels d'une capacité de 700 touristes et toutes les maisons étaient louées à des étrangers ou avaient des pensionnaires. Au-delà de 3000 estivants, formant une véritable petite ville, se réunissaient là pendant l'été (1967 : 90). » Buies écrit en 1878 :

> On ne vit jamais pareille invasion, pas même à Cacouna, le resort autrefois sans rival, où se faisaient des courses, et dont le grand hôtel a compté jusqu'à six cent pensionnaires pendant plusieurs semaines d'un même été. La Malbaie a été littéralement encombrée cette année-ci ; ses hôteliers ont été sur les dents, et ses nombreux caléchiers n'ont pas connu de chômage un seul jour (Buies, 1878 : 62).

À cette époque, la mode du thermalisme et de la villégiature de luxe donne l'impression aux bourgeois d'Ottawa, de Toronto, de New York, de Philadelphie, de Boston, de Montréal et de Québec (Brière, 1967 : 90) d'être de grands aristocrates. Pointe-au-Pic est alors le principal centre de villégiature du

Québec et certainement l'une des plus importants de l'Amérique du Nord. La liste des visiteurs du Chamard's Lorne House renferme les noms de Dow, Caverhill, Drummond et Molson de Montréal, les Dewell, Price, Garneau et Lemesurier de Québec et les Blake de Toronto (Gagnon, 1996: 121, qui cite Dubé, 1986: 88). Des visiteurs encore plus illustres visitent ce site à la fin du siècle, dont le président des États-Unis William Howard Taft qui érige sa propre villa d'été sur la falaise.

La troisième étape du développement touristique de Pointe-au-Pic débute à la fin des années 1870 alors que le grand capital canadien commence à s'intéresser au site. La compagnie de navigation du Richelieu and Ontario acquiert le monopole de la navigation de plaisance des Grands Lacs à l'Atlantique au cours de cette décennie. La propriété de grands hôtels de villégiature leur permettrait d'augmenter leurs profits en fournissant l'hébergement en plus du transport aux touristes. Ce désir se concrétise finalement en 1899 avec la construction par la Richelieu and Ontario du Manoir Richelieu sur les hauteurs de Pointe-au-Pic.

Les infrastructures d'hébergement, de transport et de loisir, qui sont, en début de période, assurés principalement par la population locale, passent graduellement aux mains du grand capital industriel au cours de la seconde moitié du siècle. Ce processus est semblable à celui qui a eu lieu dans l'exploitation des forêts du Saguenay, d'abord investies par les petits entrepreneurs forestiers de Charlevoix, qui sont graduellement dépossédés par William Price. La seconde moitié du siècle voit donc la population charlevoisienne déjouée dans ses entreprises économiques par le grand capital canadien qui monopolise le développement économique du pays. Le manque de capitaux constitue certes l'un des facteurs majeurs de cet échec de la part des petits entrepreneurs. En cela, ces petits entrepreneurs sont le symbole même des problèmes économiques des Canadiens français qui n'arrivent pas - à de rares exceptions près - à pénétrer les sphères du grand capital. Nous pouvons également nous interroger sur le poids des représentations projetées par l'élite sociale canadienne-française sur la paysannerie dans cette incapacité à dépasser le stade artisanal dans ses entreprises et à délaisser l'agriculture familiale et la pluriactivité comme modes privilégiés de reproduction sociale. Nous pouvons également y voir la manifestation de la distance qui sépare le système de représentation des urbains et celui des ruraux à la seconde moitié du siècle. Bref, tous ces éléments révèlent le fossé qui se creuse de plus en plus entre la ville et la campagne.

La seconde moitié du XIXᵉ siècle, plus particulièrement la décennie 1870-1880, marque le début des nouvelles relations entre le centre et la périphérie induites par l'ère capitaliste qui utilise les zones rurales à ses propres fins de loisirs, et ce, au mépris des besoins du développement local. Cette nouvelle fonction touristique du paysage riverain dans Charlevoix, qui s'accentue au début du XXe siècle, a imposé de plus en plus de limites au développement économique régional. L'esthétisme, le folklore et, plus tard, l'écologie devront primer sur le développement urbain et industriel. La population locale est donc mise au service de ce développement touristique en fournissant le cadre champêtre et pittoresque ainsi que les services divers nécessaires aux touristes. L'industrie touristique charlevoisienne vient donc modifier profondément le paysage, où plutôt le figer dans ses formes et ses fonctions historiques, au nom d'une représentation mythique forgée par les élites urbaines du milieu du XIXe siècle.

6.3.3 La spatialité du phénomène touristique dans Charlevoix

Au début du mouvement, dans les années 1860, les touristes se mêlent à la population paysanne dans leur désir de retrouver la vie simple et saine de ces gens. La mode de la villégiature de luxe à partir de la décennie 1870-1880 entraîne une ségrégation spatiale du phénomène touristique, même si une partie des villégiateurs continuent de loger chez l'habitant. Certains auteurs comme Serge Gagnon parlent même de l'existence d'une frontière entre la population locale et les villégiateurs (Gagnon, 1996: 121), symbolisée par l'aménagement d'un golf en 1876:

> Le quartier Rivière-Mailloux touche à la fois, en ses extrémités, la municipalité touristique de Pointe-au-Pic et le village rural de Sainte-Agnès. Il offre ainsi une composition contrastée à la fois urbaine et toute proche du monde agricole. Dans le secteur dit «de l'Accul», en raison de sa proximité avec la montagne, les maisons presque centenaires sont blotties les unes contre les autres, prises dans une sorte d'étau naturel. La modeste rivière Mailloux, qui traverse le territoire, et l'impressionnant Murray Bay Golf Club, inauguré en 1876, accaparent un vaste espace qui ne peut être habité. En montant la côte du chemin Mailloux, on croise le rutilant boulevard des Falaises, où s'élèvent les maisons de villégiature de la Pointe-au-Pic [...] (Gagnon, 1996: 121, qui cite Gauthier, 1989: 53).

En plus de marquer une séparation physique du domaine urbain par rapport au domaine rural, le terrain de golf marque, selon Dubé, la présence d'un point de contact entre deux réalités, celle de la ville qui cherche un lieu de récréation et celle du monde paysan qui réagit alors en terme de besoins vitaux, devant l'immense surface cultivable monopolisée par ce golf qui est alors l'un des plus vastes d'Amérique du Nord (Gagnon, 1996: 122). L'espace situé au sud-ouest du golf devient réservé à cette élite urbaine qui y construit petit à petit un monde idéal, dont l'architecture se veut en harmonie avec le milieu ambiant, formé du vaste panorama offert par le fleuve et les terrasses fluviales qui le surplombent. «En disant que les touristes semblent avoir exclu les aborigènes de la Malbaie, ceci ne doit s'entendre que de la Pointe-au-Pic; car le village proprement dit, autour de l'église, près du pont et le long de la rivière Murray, en gagnant l'intérieur, est fort populeux (Buies, 1870, 70, qui cite Lemoine, 1878 *** ***) » Lemoine parle explicitement d'une exclusion de la population locale, désignée sous le nom «d'aborigènes», du site de Pointe-au-Pic. Ils sont relégués au rang de pourvoyeurs de services aux touristes pendant la belle saison. Le village ne fait pas l'objet d'un intérêt particulier au plan touristique (Brière, 1967: 90).

Les données des recensements nominatifs de la période 1851-1871 relatives à l'hébergement et la domesticité révèlent également cette ségrégation spatiale du phénomène touristique à Pointe-au-Pic, même si de nombreux habitants de la région ont pu bénéficier d'emplois reliés à cette industrie. La publicité de l'époque parue dans les journaux et les chroniques d'Arthur Buies montrent l'importance prépondérante accordée au secteur La Malbaie – Pointe-au-Pic sur le plan touristique. Les Éboulements, Baie-Saint-Paul et l'Île-aux-Coudres reçoivent une attention marginale, particulièrement dans l'iconographie. Les routes régionales difficiles expliquent peut-être en partie le faible débordement du tourisme vers le sud-ouest de la région, qui offre pourtant des points de vue et des sites spectaculaires:

> Un autre désavantage de la Malbaie, c'est qu'il est à peu près impossible d'aller en voiture aux paroisses voisines, soit en descendant, soit en remontant le fleuve, à moins de se résigner à se faire broyer les os et à revenir en capilotade. Les côtes de ce pays sont effrayantes et on ne s'y hasarde, la conscience tranquille, que lorsqu'on est candidat libéral ou qu'on porte des pilules aux malades. Cependant, l'intérieur est fort praticable [...] (Buies, 1878: 73).

L'absence d'un quai à Baie-Saint-Paul constitue certainement un désavantage pour cette paroisse, compte tenu des routes inter et intrarégionales difficiles. Le relief contribue donc à restreindre les déplacements des touristes à travers la région. L'amélioration des moyens de transport au XXe siècle et la construction du quai en 1875 ont cependant remédié à ce problème. Le phénomène touristique est donc circonscrit à Pointe-au-Pic et ses environs au cours de la seconde moitié du XIXe siècle. Les hôtels et les villas de luxe, conçus afin de procurer l'ensemble des besoins et des divertissements des touristes, n'y sont sans doute pas étrangers. Les principaux sites d'intérêt pour les touristes sont localisés dans un rayon de quatre à dix milles de la Pointe-au-Pic. Ces attractions sont les chutes Fraser, le Trou, le Grand Ruisseau et le Grand Lac au nord de la paroisse de Sainte-Agnès. D'autres territoires du nord sont également recherchés par les sportifs pour la pêche.

6.3.4 L'intégration du tourisme à la socio-économie locale

La participation de la population locale aux nouvelles activités économiques générées par le tourisme en plein essor à partir des années 1850 s'inscrit dans le cadre de la pratique de la pluriactivité. Les Canadiens français sont exclus des grandes infrastructures touristiques qui s'implantent à partir des années 1870 dans Charlevoix, et ce, tant comme clients que comme entrepreneurs. Ils sont cependant omniprésents dans les infrastructures diffuses et non officielles, notamment comme fournisseurs de services (Gagnon, 1992). Ils fournissent l'hébergement chez l'habitant, ils louent des bateaux, les services de pilotes, de caléchiers (figure 6.5) et ils servent également de guides pour la chasse et la pêche. Cette répartition des revenus liés au tourisme n'est pas exclusive à Charlevoix. Elle se vérifie dans toutes les nouvelles régions qui s'ouvrent au tourisme au cours de la seconde moitié du XIXᵉ siècle (Gagnon, 1992). Un examen des données de recensements relatives à l'hébergement et à la domesticité dans Charlevoix à partir de 1852 permettent de constater une concentration graduelle des services qui requièrent un certain investissement en capital vers la grande bourgeoisie.

Le nombre d'hôtels croît rapidement dans la région et particulièrement dans le secteur La Malbaie–Pointe-au-Pic à partir des années 1860. Les quelques hôtels présents dans la région en 1852 et en 1861 sont de taille modeste et emploient peu de main-d'œuvre. Un seul hôtelier, Alexis Tremblay, est présent dans la région en 1852. Il est localisé au sud-ouest de la rivière Murray près de Pointe-au-Pic. En 1861, on trouve 2 hôteliers, l'un est localisé au village de Baie-Saint-Paul. Il s'agit d'un dénommé Aug. Simard. Son petit hôtel n'a qu'un étage et sa valeur est de 600 $. Par contre, l'hôtel de William Riverin, père, est plus important. Il a deux étages et emploie trois personnes, deux femmes et un homme. Sa mise de capital fut de 1 200 $ et sa valeur en 1861 était de 800 $. En 1871, on trouve neuf de ces petits hôtels dans la région, dont quatre à La Malbaie, trois à Saint-Urbain le long de la route menant au Saguenay et deux à Baie-Saint-Paul, l'un au village et l'autre à Saint-Benjamin, probablement le long de la route reliant Québec à Baie-Saint-Paul sur le plateau. Les premiers grands hôtels apparaissent peu de temps après cette date. Ils sont de taille considérable et emploient beaucoup de personnel. Les petits hôtels familiaux sont donc rapidement supplantés par les grands hôtels luxueux qui s'installent le long de la falaise de Pointe-au-Pic. Ces établissements attirent une part croissante de la clientèle touristique des grands centres. De petits hôtels de taille plus modeste se développent également. Ce phénomène témoigne d'une augmentation des besoins en hébergement pour la population générale. Ces petits hôtels s'installent dans les village évidemment, mais également aux carrefours routiers à l'entrée de la région en provenance du nord et du sud-ouest. Les mouvements migratoires de l'époque, en plus des besoins liés au commerce et à la circulation générale, ont rendu ces communications nécessaires.

Il est fort difficile d'évaluer la part de la population régionale qui occupe des emplois directement ou indirectement liés au tourisme. La nature saisonnière et souvent temporaire de ces emplois accentue la difficulté de la tâche. De plus, ces emplois se situent dans le cadre de la pratique de la pluriactivité et ne font pas l'objet de déclarations professionnelles précises. Il devient alors difficile d'évaluer le volume d'emplois et la part du revenu des ménages qui peut en découler. Nous pouvons toutefois postuler que la forte croissance de certaines productions alimentaires et artisanales comme le beurre et le textile observés entre 1851 et 1871 (chapitre 4) répondait à une demande générée par cette clientèle saisonnière. Cette affluence de touristes pendant la belle saison augmentait certainement la consommation de certains produits et la recherche de souvenirs typiques de la paysannerie de ce coin de pays, à offrir aux parents et aux amis. Les produits du tissage des femmes de Charlevoix gagnent une renommée croissante à travers la province à partir de la seconde moitié du siècle. À la manière du mode de vie et du paysage régional, ils sont perçus comme typiques des sociétés paysannes du Canada français.

Du côté de la main d'œuvre, deux professions au moins peuvent être reliées directement au tourisme. Il s'agit de celle des charretiers, affectés notamment au transport des touristes entre le quai de La Malbaie et les hôtels ainsi que dans leurs promenades en voiture dans la campagne environnante. Cette profession n'est présente qu'en 1871. On en dénombre 13 au recensement. Six d'entre eux sont localisés dans la paroisse de La Malbaie. Les domestiques représentent le groupe le plus important. En 1851, année de leur apparition au recensement, la région en compte 213 dont 97 (45,54 %) résident dans la paroisse de La Malbaie. Les domestiques comptent alors pour près de 10 % de la main-d'œuvre de la paroisse (tableau 6.1). Ce sont des femmes dans une proportion de 66,2 %. Elles sont plus âgées que leur collègues masculins (29,2 ans contre 24,4 ans pour les hommes). Beaucoup d'adolescents de 16 à 20 ans sont recensés comme domestiques. En 1871, les hommes constituent 43 % des domestiques. Leur âge moyen diffère toujours autant. Les hommes ont en moyenne 23,9 ans alors que les femmes ont 27,6 ans. Cette pratique s'inscrit probablement dans le cadre du service familial des enfants avant le mariage, qui contribuent ainsi au revenu familial en attendant leur établissement. L'âge moyen plus avancé des femmes témoigne d'une occupation à caractère beaucoup plus permanent pour celles-ci, qui remplissent cette tâche de façon saisonnière à côté de leurs occupations familiales.

TABLEAU 6.1

LES DOMESTIQUES DANS LA MAIN-D'ŒUVRE DES PAROISSES
CHARLEVOIX, 1851 À 1871

Paroisses	1851		1861		1871	
	N.	%	N.	%	N.	%
La Malbaie	97	9,54	50	6,37	7	1,41
Baie-Saint-Paul	34	2,15	22	2,04	19	2,81
Les Éboulements	33	8,11	18	3,13	10	1,82
Île-aux-Coudres	21	11,05	9	4,27	11	4,72
Saint-Irénée	14	8,54	8	3,11	3	3,26
Sainte-Agnès	12	2,51	1	0,3	4	2,65
Settrington	2	3,45	0	0	5	5,56
Petite-Rivière-Saint-François	0	0	7	3,7	10	4,33
Saint-Fidèle	0	0	1	0,72	3	5,56
Saint-Urbain	0	0	0	0	5	2,16
Saint-Siméon	-	-	-	-	2	7,69
Total	213	4,98	116	2,93	79	2,79

Source: Recensements nominatifs de Charlevoix, 1851, 1861 et 1871.

Le nombre de domestiques diminue cependant de manière constante dans la région en 1861 et 1871, alors qu'ils ne sont plus que 79 sur l'ensemble du territoire à cette date et représentent moins de 3% de la main-d'œuvre régionale. En 1871, c'est Baie-Saint-Paul qui possède le plus grand nombre de domestiques, avec seulement 19. Cette brusque diminution de ce groupe lié à l'hébergement et aux services peut être due à l'interprétation du recenseur quant au statut de cette main-d'œuvre qui gravite autour des services, qui aurait été recensée plus volontiers en 1852 comme domestiques, servant(e)s et serviteurs. Elle peut également être le reflet de la concentration progressive de l'hébergement et des loisirs dans le secteur de Pointe-au-Pic. Les grands hôtels engageaient peut-être une partie de leur personnel à la ville, la haute bourgeoisie étant probablement habituée à une certaine qualité dans les services.

Les revenus importants générés par le tourisme dans Charlevoix sont donc récupérés par le grand capital dès les années 1870. La population locale continue cependant de fournir certains services aux touristes. La base saisonnière de ces emplois permet aux habitants de les intégrer facilement à la gamme de productions et de petits emplois hors ferme typiques de la socio-économie régionale (chapitre 4). L'éclosion du tourisme de villégiature dans Charlevoix contribue au maintien du mode de reproduction sociale de la population basé sur l'agriculture familiale. Les occupations diverses fournies par le tourisme (transport, hébergement, guides, etc.) s'insèrent très bien dans des pratiques socio-économiques caractérisées notamment par le service familial des enfants avant leur établissement. Le jeune âge des hommes employés comme domestiques confirme cette tendance. De plus, plusieurs de ces occupations sont assurées par des femmes et des jeunes filles (domesticité, fabrication artisanale, etc.), leur fournissant ainsi de l'emploi dans les secteurs villageois. Les touristes des grands centres urbains de l'Amérique du Nord y gagnent l'occasion de côtoyer des paysans typiques des campagnes canadiennes-françaises du XIXe siècle. L'intégration de la population locale à l'industrie touristique dirigée par le grand capital bourgeois accentue le cachet pittoresque que revêt un séjour dans la campagne charlevoisienne. En plus des paysages grandioses et des eaux purificatrices, l'urbain a l'occasion d'entrer en contact avec la culture locale en côtoyant des caléchiers, des domestiques, des guides et des artisans du terroir.

6.3.5 Le tourisme dans Charlevoix : la manifestation de nouveaux rapports sociaux et économiques

Les caractéristiques de cette association sur un même territoire entre le grand capital et la population rurale rappellent celles qui sont observées dans d'autres espaces et dans d'autres secteurs économiques à la même époque. Un modèle de cette association économique entre les deux groupes sous le contrôle du grand capital a été développé par Gérard Bouchard à la fin des années 1980 au sujet de la socio-économie saguenayenne de la seconde moitié du XIXe siècle et du début du XXe siècle. Il s'agit de la co-intégration. Ce modèle a été élaboré dans le but de fournir un portrait des économies agraires qui entretiennent des relations étroites avec l'économie capitaliste sans en épouser les objectifs et se convertir totalement à ses règles. Selon Bouchard (1994), la co-intégration permettrait également de rendre compte des causes de l'échec de la proto-industrialisation dans certaines régions. Elle constitue également une critique des modèles économiques appliqués jusque-là aux économies paysannes (capitalisme classique, proto-industrialisation, économie paysanne). Bouchard souligne le peu d'importance accordé par ces modèles aux motivations individuelles des acteurs par rapport à l'économie de marché.

Les économies agricoles co-intégrées sont caractérisées par une croissance lente, inégale ou nulle. Elles doivent affronter de nombreuses difficultés, notamment de transport, en raison de leur éloignement. Leur technologie est peu développée. Elles se signalent également par la pratique d'activités diverses, plus ou moins rentables, structurées autour de l'exploitation agraire (Bouchard, 1992). La co-intégration se définit au moyen de six énoncés (Bouchard, 1992: 13-14). 1) La société locale est animée par une dynamique de la reproduction centrée sur les solidarités et les interactions familiales et communautaires. Cette dynamique vise à préserver un maximum d'indépendance ou d'autonomie collective par rapport à la société globale. 2) La société locale parvient à se perpétuer en tirant profit des sources d'emploi et de numéraire offertes par l'économie extrarégionale (travail saisonnier ou à temps partiel, vente des produits du travail domestique). Cette stratégie se traduit par la pluriactivité, caractéristique principale de ce type d'exploitation paysanne. Elle fait référence à la fois au caractère mixte de l'agriculture et à l'ensemble des activités non agricoles. Elle se traduit aussi par une grande mobilité géographique de la main-d'œuvre familiale. 3) L'économie paysanne en vient à entretenir des relations étroites et durables avec l'économie capitaliste par le biais de la pluriactivité, sans toutefois se convertir vraiment à son esprit et à ses structures. 4) La pluriactivité est rendue possible par l'existence d'une main-d'œuvre familiale nombreuse et relativement soumise, qui accepte de se sacrifier pendant plusieurs années au profit des aînés. Le «service familial» est partie intégrante d'une dynamique communautaire plus large (Bouchard, 1986). 5) L'ensemble des revenus d'appoint tirés des travaux «externes» permet à la société paysanne d'assurer son intégration, sa reproduction et même son développement. En même temps, le travail et les produits à bon marché qu'elle fournit au secteur industriel et à l'économie capitaliste en général contribuent également à la reproduction et à l'intégration de ce secteur. Les deux systèmes assurent leur survie et leur croissance respectives, mais dans la réciprocité ou l'interdépendance. À l'échelle locale, la pluriactivité en est l'expression économique; la dynamique communautaire, son expression sociale et l'éthique familiale, son expression culturelle. 6) Grâce aux liens établis avec le système économique de type «moderne», la société paysanne parvient à perpétuer pendant un temps ses traits les plus traditionnels (fécondité élevée, solidarité familiale et communautaire, scolarisation rudimentaire, etc.).

Le modèle est valable lorsque, pour des raisons qui varient selon le contexte particulier, les exploitants ne subviennent pas à leurs besoins à même leurs seules activités agricoles. Les rapports qui s'établissent alors entre l'économie paysanne et l'économie capitaliste sont dits de co-intégration dans la mesure où ils permettent aux deux systèmes d'assurer, chacun de leur côté, leur intégration et leur croissance comme s'ils s'utilisaient mutuellement, en interdépendance (ou en co-dépendance). D'un côté, l'économie extrarégionale tire profit des faibles coûts du travail paysan et de ses productions; de l'autre, le groupe familial s'accommode des maigres revenus de la pluriactivité puisqu'ils suffisent à assurer sa reproduction et même son expansion physique (en contexte de colonisation). Les deux systèmes sont étroitement reliés, mais ils sont axés sur des logiques très différentes de fonctionnement et de développement.

Les économies co-intégrées mettent en œuvre une allocation de ressources en fonction d'une rationalité sociale propre aux collectivités rurales
selon leurs contextes particuliers. Pour Charlevoix tout comme pour le
Saguenay, le système social axé sur les solidarités familiales, l'entraide communautaire et l'importance de l'agriculture familiale non seulement comme
moyen de subsistance, mais comme mode de reproduction sociale (chapitres 3
et 4), rendrait compte en partie de l'appropriation des activités génératrices des
plus importants revenus (l'hébergement en l'occurrence) par le grand capital.
Pour les habitants, le tourisme n'était perçu que comme une source de numéraire parmi d'autres, géré dans le cadre et l'esprit de la pluriactivité, destiné à la
reproduction familiale et l'établissement du plus grand nombre possible d'enfants sur des terres neuves (Bouchard, 1993). Ainsi les motivations individuelles
des agriculteurs de la région et leur système de représentation très différent du
monde urbain les auraient empêchés de saisir l'opportunité économique qui
s'offrait à eux. Ce modèle fournit un cadre d'explication supplémentaire de la
stagnation économique de la région de Charlevoix à partir du milieu du XIX
siècle, conséquence de son incapacité à s'insérer dans le nouveau contexte
capitaliste. L'exemple du tourisme vient éclairer ce phénomène. Nous pourrions
également le constater du côté de l'industrie forestière. Nous ne nions pas que
la concentration du capital industriel entre les mains de la grande bourgeoisie
britannique, le peu de capitaux disponibles en région et l'éloignement aient
constitué des difficultés de taille pour le développement industriel régional.
Nous croyons cependant que le système de représentation des sociétés rurales
bas-canadiennes construit par les élites, ajouté à celui des occupants qui résulte
d'une longue adaptation aux conditions du milieu, a certainement joué en défa-
veur d'une prise de conscience des occasions offertes par les nouvelles règles
économiques.

6.4 DE L'APPROPRIATION SYMBOLIQUE À L'APPROPRIATION PHYSIQUE DU TERRITOIRE

La seconde moitié du XIXe siècle voit donc non seulement une appropriation
symbolique du paysage à des fins esthétiques et idéologiques, mais également
son appropriation physique par la grande bourgeoisie urbaine. Le paysage
devient un archétype, celui de la campagne idéale du Canada français préservée
des méfaits de la ville et de l'industrie, pollueuses tant de l'âme que du corps.
Cette représentation tire ses racines du milieu du siècle, alors que les deux
grandes ethnies canadiennes tentent de définir leur identité en tant que nation.
Le mythe agriculturiste est au cœur de cette définition. La façon dont on l'insère
dans les deux idéologies varie cependant. Du côté de l'identité canadienne,
l'agriculture représente l'héritage du passé. On lui superpose maintenant la

science et la technique, garantes de la prospérité et de l'épanouissement de la nation. Le Romantisme et les courants artistiques qui en sont dérivés récupèrent ce mythe et lui donnent une coloration nostalgique. Du côté canadien-français par contre, le mythe est transposé en utopie. Il est partie intégrante du caractère original de la nation et garant de son devenir. La grande bourgeoisie s'approprie le paysage par le biais de l'industrie touristique dans la seconde moitié du siècle, alors que l'urbanisation et l'industrie pèsent plus lourdement sur le mode de vie bourgeois. La campagne devient alors un lieu de ressourcement physique et spirituel. Les courants artistiques mettent encore plus nettement en valeur le côté traditionnel et immuable du paysage, tant recherché par les bourgeois. Cette appropriation physique du paysage par la grande bourgeoisie s'inscrit donc en réponse à ces représentations idylliques des campagnes charlevoisiennes à partir des années 1830. Elle est également liée à l'urbanisation croissante du Canada, sous l'impulsion de l'industrie capitaliste. Ces facteurs sont à l'origine d'une polarisation des représentations du monde urbain et du monde rural, en réponse aux tensions qui s'expriment de plus en plus entre les deux milieux. Cette appropriation exprime également l'émergence des nouveaux rapports qui s'installent entre le milieu urbain et le milieu rural, celui-ci étant de plus en plus dépendant du premier. La ville draine les surplus démographiques des campagnes et en fait un centre d'extraction des matières premières (bois et minéraux). Par le tourisme, elle en fait également son lieu de récréation.

La nature des rapports établis entre le capital industriel et la population locale s'exprime également à l'échelle régionale. Par le biais de l'hôtellerie de luxe et du transport par vapeur, le grand capital impose les modalités et les flux touristiques et concentre la plupart de ses revenus. La population locale devient la pourvoyeuse des services de second ordre aux touristes. Les gens se font guides, caléchiers, domestiques, artisans, hôtes, etc. Il est toutefois très difficile de les repérer dans les données socioprofessionnelles fournies par les recensements en raison de leur manque d'uniformité d'une décennie à l'autre (voir la partie 6.3.4). Le tourisme vient s'ajouter à la gamme de productions et de petits emplois qui s'insèrent dans leur mode de reproduction sociale, caractérisé par la partique de l'agriculture familiale en association étroite avec la pluriactivité. À travers cette activité d'origine urbaine et industrielle, la région de Charlevoix est intégrée à la nouvelle économie capitaliste qui émerge au Québec à partir du milieu du XIXe siècle. La population y participe toutefois sans modifier de manière fondamentale son mode de reproduction sociale traditionnel. Ce mode de reproduction est basé sur une logique interne liée aux conditions géographiques du milieu ainsi qu'à la dynamique sociale particulière de ce groupe, où prédominent les solidarités familiales et communautaires, sous la supervision de l'institution religieuse catholique. Deux modes de représentation de l'espace s'y superposent: celui de

l'Autre, le bourgeois urbain d'origine britannique issu de la ville, et celui de l'occupant, marqué par des impératifs de survie et de reproduction dans ce paysage
résultant de deux siècles d'interaction avec le milieu.

Conclusion

Le paysage charlevoisien est soumis à de nombreuses mutations au cours du XIXᵉ siècle, tant dans la territorialité qui y est inscrite que dans les représentations qui en ont été faites. Notre objectif dans cet ouvrage était de rendre compte de l'évolution de ce paysage à travers ces deux grandes composantes et la façon dont elles se sont influencées mutuellement. Nous avons choisi le concept de paysage comme cadre global d'analyse de la socio-économie charlevoisienne du XIXᵉ siècle, en raison de sa globalité, de sa possibilité de saisir à la fois le matériel et l'imaginaire. Le paysage est en effet défini à la fois comme un support matériel, un témoin des structures spatiales et des faits de circulation qui s'expriment dans l'espace et comme un moyen d'expression culturelle, une matière première perçue et décodée en fonction de systèmes symboliques divers élaborés par les cultures (Mitchell, 1994: 1-2). « *Landscape is a medium of exchange between the human and the natural, the self and the other. As such, it is like money: good for nothing in itself, but expressive of a potentially limitless reserve of value* (Mitchell, 1994: 5). » Il revêt non pas une, mais plusieurs significations qui varient selon les cultures, les individus et le temps. Il est tributaire des idées élaborées sur l'espace et en est la manifestation tangible. Cette définition révèle l'association étroite entre les formes matérielles et les diverses représentations dont le paysage est l'objet. Celles-ci possèdent un pouvoir réel sur l'espace, celui de le transformer et d'orienter son évolution morphologique. Nous avons tenté de traduire ces deux grandes composantes et leur actualisation dans Charlevoix au XIXᵉ siècle.

Les représentations à la base de l'appropriation physique du territoire charlevoisien sont tributaires de codes symboliques européens. Cette première appropriation a imprimé une marque durable sur le paysage régional. L'exploitation économique des ressources naturelles du territoire de la Nouvelle-France - le bois et la fourrure notamment - a constitué la première motivation de la métropole à investir le territoire charlevoisien. Cette appropriation était le fait de l'élite politique française, qui voyait dans ce territoire encore vierge la possibilité de construire une industrie prospère au service de la France. Le clergé français a ensuite investi le même territoire à partir d'une utopie basée sur un renouveau mystique européen. Cette ferveur religieuse jumelée à l'apparition du mythe du bon sauvage à la suite de la découverte du nouveau continent ont mené à l'élaboration d'un projet de société idéale en Nouvelle-France.

Cette société reposait sur l'évangélisation des Amérindiens et la constitution de petites communautés agricoles autour de ceux-ci, dont l'église assurerait la cohésion et le développement. Le clergé a ainsi participé à la mise en place de mécanismes de colonisation agricole en Nouvelle-France qui se sont actualisés dans Charlevoix à partir de 1675 sous l'instigation des prêtres du Séminaire de Québec. Ces représentations ont commandé le choix du système de possession du sol, de contrôle social et institutionnel ainsi que les activités économiques principales du territoire charlevoisien. Même si ces deux utopies ont été un échec, les formes et les fonctions qu'elles ont générées ont déterminé le sens du développement économique et social dans Charlevoix. Le mode de division des terres typique du système seigneurial y est toujours visible. L'agriculture familiale et l'industrie forestière ont constitué les moyens d'existence privilégiés de cette population jusqu'au XXe siècle.

La population locale a adapté ce mode initial d'exploitation du territoire à sa situation et à ses besoins. Elle a développé un genre de vie reposant sur une pluriactivité centrée autour d'une agriculture familiale de type extensif, très diversifiée dans ses cultures et ses produits. Les nécessités d'assurer sa survie en produisant la plus grande partie de sa consommation et d'assurer l'avenir de ses enfants dans une région relativement isolée des grands centres coloniaux ont mené à ce développement socio-économique. Les solidarités familiales et communautaires ont été centrales dans le mécanisme de reproduction de cette société où l'encadrement institutionnel était minimal. Celui-ci était assuré en grande partie par le clergé, qui déterminait l'éthique sociale à observer et assurait ainsi la cohésion de la communauté. Les nécessités de la survie et l'éthique sociale ont médiatisé les relations des habitants avec le territoire, lesquelles en retour dépendaient ultimement des caractéristiques de celui-ci (disponibilité, localisation, coût). Il en est résulté une territorialité caractérisée par une grande consommation d'espace à des fins de reproduction sociale. La nécessité d'établir un nombre important de jeunes ménages en agriculture à chaque génération a mené à une saturation rapide du terroir agricole plutôt restreint de Charlevoix. La population a par la suite débordé vers les marges du territoire laurentien, s'enfonçant de plus en plus loin à l'intérieur du plateau, suivant de près la progression de l'industrie forestière, qui a agi comme catalyseur de la colonisation agricole à partir du début de l'occupation du territoire charlevoisien au XVIIe siècle. Ces migrations à caractère largement familial sont également dirigées vers le village, comme en fait foi l'augmentation rapide de la population villageoise, à Baie-Saint-Paul et à La Malbaie notamment, au milieu du siècle. Les migrations vers les grands centres bas-canadiens et en Nouvelle-Angleterre s'inscrivent également dans ce mouvement. Cette croissance de la population villageoise et éventuellement urbaine, généralisée au Bas-Canada, s'inscrit en réponse à une expansion démographique rapide du territoire bas-canadien et à la croissance de l'échange liée au développement de l'économie de marché d'abord, puis de l'éclosion du capitalisme au milieu du siècle. Cette montée de l'échange est également visible dans Charlevoix alors que la petite industrie croît en nombre et que le profil professionnel de la population se diversifie, particulièrement à l'intérieur et à proximité des villages. Elle aura également pour effet d'accentuer la mobilité géographique et sociale de la population par les nouveaux emplois générés par l'industrie et le commerce.

Loin d'être statique, le paysage évolue au cours du siècle. Des structures spatiales découlant de la territorialité locale se dessinent graduellement. Vers 1871, nous pouvons identifier la présence de trois grandes zones socio-économiques dans la vallée du Gouffre[119]. D'abord le village de Baie-Saint-Paul et les rangs environnants, qui concentrent les fonctions d'échange du sud-ouest de la région. L'industrie, le commerce et les services y sont rassemblés. Sa population y est également plus âgée et offre un profil socioprofessionnel nettement plus diversifié. Les grands axes de communication convergent également vers ce secteur, point d'entrée et de sortie de la région. Le second secteur se situe en périphérie du premier et s'étire vers le nord à l'intérieur des basses terres de la vallée du Gouffre. C'est la zone de grande production agricole et artisanale. Les grandes propriétés y sont concentrées et la plus grande partie des surplus agricoles et artisanaux y sont générés. Le troisième secteur regroupe les rangs occupés récemment sur le plateau intermédiaire, soit après 1831. Les rangs de ce secteur offrent un portrait beaucoup plus marginal. Les sols y sont beaucoup moins propices à l'agriculture. Leur occupation récente est également en cause, la mise en valeur des terres y étant nettement moins avancée que dans les basses terres d'occupation ancienne. La superficie des terres en culture y est réduite et les récoltes y sont faibles. Certains indices permettent également d'affirmer que la forêt occupe une place importante dans la socio-économie de ces secteurs, comme c'est souvent le cas dans les zones de colonisation récente. Cette structure spatiale, déjà présente en 1831, se précise et s'accentue après le milieu du siècle, alors que la pénurie de terres agricoles se fait de plus en plus sentir et que l'emploi hors ferme, en forêt particulièrement, devient plus accessible. Le courant migratoire qui déleste la région d'une part importante de sa population à partir des années 1840 accentue également le clivage socio-économique entre les basses terres et le plateau.

Les paramètres de cette territorialité changent cependant de façon sensible au cours du siècle en s'adaptant aux nouvelles règles économiques bas-canadiennes qui apparaissent vers le milieu du XIXᵉ siècle. Les changements sont visibles à l'intérieur du système de culture, qui délaisse le blé pour s'appuyer de

---

119. La même structure a été observée à l'intérieur de la vallée de la Malbaie en 1831 (Villeneuve, 1992).

plus en plus sur l'avoine et la pomme de terre. La superficie moyenne des terres, l'une des plus élevées au Bas-Canada en 1831, diminue sensiblement. Les petites propriétés (50 arpents et moins) et les très grandes propriétés (150 arpents et plus) croissent en proportion au détriment de celles de taille moyenne. Cet élément reflète un clivage qui s'accentue chez les petits producteurs tournés vers la subsistance et les gros propriétaires visant la production de surplus importants. On observe également une croissance de certaines productions artisanales comme le beurre et le textile qui témoigne de la croissance des marchés. Le fort mouvement migratoire observé dans la région à partir du milieu du XIXᵉ siècle déleste la région d'une part importante de jeunes ménages qui ne trouvent pas à s'établir dans les basses terres. Les migrations saisonnières sont également de plus en plus fréquentes et sont dirigées aussi loin que la Nouvelle-Angleterre. L'éclosion du tourisme de villégiature qui entraîne une forte demande en hébergement et en services vient également introduire de nouvelles sources d'emplois et une pression supplémentaire sur le sol charlevoisien, particulièrement au sud-ouest de La Malbaie sur les terrasses dominant le fleuve à Pointe-au-Pic. Le tourisme marque également un contact direct de la population locale et de la bourgeoisie urbaine. Le paysage en sera modifié en profondeur tant dans son identité que dans ses formes et ses fonctions. D'une campagne agricole typique du XIXᵉ siècle, à l'image de celles des basses terres laurentiennes de l'époque, la région se voit conférer une identité romantique et folklorique. Toutefois, ces mutations n'ont pas altéré en profondeur la territorialité résultant de deux siècles d'interaction entre l'homme, la société et le territoire. La population ne fait qu'adapter son mode de reproduction aux nouvelles contraintes et aux nouvelles opportunités économiques qui surgissent tout au long du siècle.

Une lecture particulière de cette territorialité et du genre de vie qui en est tributaire a été effectuée tout au long du siècle par les visiteurs de passage dans la région qui viennent goûter le milieu naturel et la richesse de la faune régionale déjà réputés à l'époque, sans doute grâce au seigneur John Nairne de Murray Bay. Des fonctionnaires coloniaux et des officiers militaires ont sillonné le territoire charlevoisien à la première moitié du siècle. Ils ont traduit ses formes de façon picturale à partir de leurs références européennes, où les critères de beauté des paysages sont dictés par des règles esthétiques très strictes, mettant en valeur les grands contrastes naturels. On a également tenté de traduire l'identité culturelle de ses habitants à partir du milieu du siècle. On y a alors transposé un mélange de mythe agriculturiste européen et de représentation de la collectivité canadienne-française de la part de la minorité britannique de la première moitié du XIXᵉ siècle. Parallèlement à cette définition de l'identité culturelle canadienne-française de la part des Britanniques, les Canadiens français eux-mêmes élaborent un discours identitaire qui s'abreuve également aux racines françaises, rurales et catholiques du groupe. Ce discours est visible dans Charlevoix à travers les représentations du peintre Joseph Légaré dans la première moitié du XIXᵉ siècle et du paysagiste français C. H. P. Gauldrée-Boilleau dans la seconde. Ces deux systèmes de représentation élaborés au moyen d'emprunts idéologiques mutuels se sont actualisés dans les représentations du paysage charlevoisien. Ils en ont fait un paysage mythique du Canada français caractérisé par un milieu naturel grandiose et un mode de vie rural centré autour de l'agriculture de subsistance, de l'aire villageoise et de l'église catholique. Certaines de ces images ont circulé à travers l'Amérique du Nord et l'Angleterre, notamment les quatre lithographies publiées par John Jeremiah Bigsby en 1850 et deux aquarelles peintes par James D. Duncan qui furent présentées à la première exposition de la Society of Canadian Artists à Montréal en 1868 (Baker, 1981 : 65). Ces images ont sans aucun doute contribué à populariser la région chez les bourgeois à la recherche d'air pur et de grands espaces.

Ceux-ci commencent à affluer dans la région au cours des années 1850, accentuant ainsi un mouvement initié par les sportifs depuis le début du siècle. Non seulement les touristes, mais des artistes canadiens réputés de la seconde moitié du siècle participent à ce mouvement. À leur tour, ces artistes viennent enrichir les représentations du territoire charlevoisien en tentant d'y traduire une identité culturelle typique des campagnes canadiennes-françaises. Les artistes qui parcourent alors le pays tentent de saisir la diversité des paysages canadiens en accord toutefois avec les goûts esthétiques de leur époque, centrés sur une recherche du romantique et du sublime. Ces images de la campagne charlevoisienne grandiose par ses paysages naturels et pittoresques et par son aspect agricole ont contribué à diffuser une certaine imagerie du Canada français à travers le pays et à l'étranger en renforçant les traits traditionnels du paysage et en délaissant ses traits modernes. Ce mouvement se poursuit au cours de la première moitié du XXᵉ siècle avec des artistes comme Clarence Gagnon et le Groupe des Sept qui tentent de plus en plus de définir l'identité des paysages canadiens et québécois à travers leurs traits ruraux traditionnels. En conséquence, le paysage présenté à travers l'iconographie et le texte ne témoigne que très peu de la territorialité locale. Celle-ci n'est traduite qu'à travers ses formes les plus évidentes en accord avec l'esthétique romantique et la représentation culturelle des Canadiens français par des Britanniques. Il en résulte un paysage réduit à ses formes les plus anciennes, celles qui témoignent des origines historiques du paysage. Elles renvoient à ses traits ruraux, français et catholiques d'origine.

Les représentations ne témoignent pas de l'évolution des liens homme-territoire au cours du siècle. Bien au contraire, elles réduisent ceux-ci à leur plus simple expression, à travers leurs traits passéistes. Elles ont toutefois pénétré cette territorialité à partir du milieu du siècle. La recherche de paysages sauvages et grandioses ainsi que de milieux ruraux pittoresques chez les bourgeois de l'époque a créé non seulement l'identité folklorique du paysage et de la culture locale, mais elle a également orienté son développement économique. La vocation touristique de Charlevoix se précise à partir de la fin du siècle alors que la région est l'objet d'un intérêt croissant non seulement chez les touristes, mais également chez les anthropologues et les artistes. Cette fonction socio-économique a eu un effet certain sur l'évolution des traits du paysage et de la territorialité de la population. Ces transformations ont été dirigées vers une conservation des traits ruraux et agricoles du paysage incompatibles avec l'implantation de la grande industrie. Le paysage charlevoisien a été transformé en un espace de loisirs pour les habitants aisés des zones urbaines de la fin du XIXᵉ siècle. La seule activité industrielle qui persiste est l'industrie forestière qui se développe dans l'arrière-pays agroforestier durant la seconde moitié du siècle. Cet espace disparaît toutefois des représentations à partir du milieu du siècle. Les activités économiques du littoral (pêcheries, construction navale, agriculture) demeurent confinées au stade artisanal contribuant ainsi à accentuer le caractère pittoresque du paysage régional.

Cette analyse d'un paysage de la périphérie laurentienne du XIXᵉ siècle à travers ses formes et les systèmes symboliques qui y ont été projetés a permis de l'appréhender d'une façon plus globale. Elle a mis en évidence des mécanismes importants de sa dynamique d'évolution, tributaires des idées qui y ont été formulées et de la façon dont elles se sont actualisées sur le territoire, au gré de l'évolution de la conjoncture historique du pays, des normes esthétiques en vigueur, des luttes de pouvoir, de l'émergence des nationalismes, des mouvements idéologiques, etc. Ces idées se sont parfois heurtées et ont été réinterprétées par une territorialité construite par les Charlevoisiens pendant plus de deux siècles. Il en est résulté une intégration de cette identité culturelle de la part de la population locale à ses propres fins de reproduction sociale sans toutefois épouser la logique capitaliste qui sous-tendait cette nouvelle vocation économique. Loin de répondre à toutes les questions cependant, cet ouvrage soulève certaines interrogations qui mériteraient une plus grande attention dans des études ultérieures. Ces questions se situent à l'intérieur des modalités internes de l'adaptation de la socio-économie charlevoisienne aux besoins du marché en fonction des mécanismes culturels évoqués dans cette analyse. Par exemple, où se situent les gros producteurs agricoles dans ce schéma: quel est leur degré d'intégration au marché et quelle est leur logique socio-économique? Représentent-ils l'émergence d'une classe d'habitants entrepreneurs ou y voient-ils tout simplement une façon plus rentable d'assurer leur reproduction sociale? La place des représentations de ce paysage dans la formation de la représentation culturelle de la société canadienne-française de la part de l'élite anglophone mériterait également une analyse spécifique.

Le paysage constitue une réalité mouvante au cours de l'histoire, tant dans sa définition que dans son évolution morphologique. Cet ouvrage constitue un essai d'analyse historique d'un paysage à la lumière de cette nouvelle définition qui affirme la place centrale des représentations dans la dynamique interne de celui-ci. Au-delà des grandes lignes de son évolution historique, c'est la complexité des mécanismes d'adaptation au changement que nous pouvons y déceler.

Bibliographie

Adams, A. J. (1994), «Competing Communities in the «Great Bog of Europe»: Identity and Seventeenth-Century Dutch Landscape Painting», dans W. J. T. Mitchell, *Landscape and power*, Chicago, The University of Chicago Press, p. 35-76.

Adam-Villeneuve, F., et C. Felteau (1978), *Les moulins à eau de la vallée du Saint-Laurent*, Montréal, Les Éditions de L'Homme.

Allodi, M. (1974), *Canadiana Watercolours and Drawings in the Royal Ontario Museum*, Toronto, Musée Royal de l'Ontario.

Aymard M. (1083)ı «Autooonoommotion ot marohóoı Chayanov, Labroucco ou LoRoy Laününle l ıı, üıııı⁄ıaⁱⁱⁱ⁄ⁱⁱⁱ ⁄ⁱⁱⁱⁱⁱⁱ ⁄ ⁱⁱⁱⁱ ⁄ⁱⁱⁱ ⁄ⁱⁱ ⁄ⁱⁱ ⁄ⁱⁱ ⁄ⁱⁱⁱⁱⁱⁱⁱⁱⁱⁱⁱⁱ

Baillargoon, N. (1072), *Lo Séminairo do Ouóbon couc l'épiccopat do Mᵉ do Laval*, Ouóbec ΓUL (Loo Cahioro do l'Inotitut d'hiotoiro, nᵒ 18).

Baker, A. R. H., et G. Biger (dir.) (1992), *Ideology and Landscape in Historical Perspective*, Cambridge, Cambridge University Press.

Baker, V. A. (1981), *Images de Charlevoix 1784-1950*, Montréal, Musée des beaux-arts de Montréal.

Barbichon, G. (1973), «Appropriation urbaine du milieu rural à des fins de loisirs», *Études rurales*, nᵒˢ 49-50, p. 97-105.

Barthes, R. (1957), *Mythologies*, New York, Hill and Wang.

Berg, M., *et al.* (1983), *Manufacture in Town and Country Before the Factory*, Cambridge, Cambridge University Press.

Bernard, J.-P. (1973), *Les idéologies québécoises au 19ᵉ siècle*, Montréal, Les Éditions du Boréal Express.

Bernier, G., et D. Salée (1995), *Entre l'ordre et la liberté. Colonialisme, pouvoir et transition vers le capitalisme dans le Québec du XIXᵉ siècle*, Québec, Les Éditions du Boréal.

Bernier, G., et D. Salée (1982): «Appropriation foncière et bourgeoisie marchande: éléments pour une analyse de l'économie marchande du Bas-Canada avant 1846», *RHAF*, vol. 36, nᵒ 2, p. 163-194.

Berque, A. (1995), *Les raisons du paysage, de la Chine antique aux environnements de synthèse*, Paris, Éditions Hazan.

Bervin, G. (1991), *Québec au XIXᵉ siècle. L'activité économique des grands marchands*, Sillery, Les Éditions du Septentrion.

Bigsby, J. J. (1850), *The Shoe and Canoe or Pictures of Travel in the Canadas*, 2 vol., New York, Paladin Press.

Bigsby, J. J. (1824), *Notes on the Geography and Geology of Lake Huron*, Londres, Richard Taylor.

Blanchard, R. (1935), *L'est du Canada français,* Tome 1, Montréal, Librairie Beauchemin Ltée.

Bluteau, M.-A. (1989), *Les maîtres canadiens de la collection Power Corporation du Canada,* Québec, La Société du Musée du Séminaire de Québec.

Bluteau, M.-A. (1984), «450 d'histoire en Charlevoix: les fils conducteurs», *Saguenayensia,* vol. 26, n° 2, p. 33-41.

Bluteau, M.-A., et S. Gauthier (1987), «Éléments de recherche en vue d'une étude historique du peuplement de Charlevoix», *Revue de la Société d'histoire de Charlevoix,* vol. 2, n° 1, p. 4-8.

Boily, R. (1979), *Le guide du voyageur à la Baie-Saint-Paul au XVIIIe siècle,* Québec, Les Éditions Leméac Inc.

Boisvert, M. (1996), «La production textile au Bas-Canada. L'exemple laurentien», *Les Cahiers de géographie du Québec,* vol. 40, n° 111, p. 421-437.

Bouchard, G. (1996), *Quelques arpents d'Amérique. Population, économie, famille au Saguenay 1838-1971,* Québec, Les Éditions du Boréal.

Bouchard, G. (1995), «Le Québec comme collectivité neuve. Le refus de l'américanité dans le discours de la survivance», dans G. Bouchard et Y. Lamonde (dir.), *Québécois et Américains. La culture québécoise aux XIXe et XXe siècles,* Québec, Fides, p. 15-60.

Bouchard, G. (1994), «Family Reproduction in New Rural Areas: Outline of a North American Model», *Canadian Historical Review,* vol. LXXV, n° 4, p. 475-510.

Bouchard, G. (1994), «Trois chemins de l'agriculture au marché: capitalisme, proto-industrialisation, co-intégration», *Histoire et société rurale,* n° 2, 2e semestre, p. 69-90.

Bouchard, G. (1993), «Une nation, deux cultures. Continuités et ruptures dans la pensée québécoise traditionnelle (1840-1960)», dans G. Bouchard (dir.) et S. Courville (coll.), *La construction d'une culture. Le Québec et l'Amérique française,* Sainte-Foy, PUL (coll. Culture française d'Amérique), p. 3-47.

Bouchard, G. (1992), «Modes d'intégration au marché et disparités spatiales dans l'agriculture québécoise (1921-1951)», manuscrit transmis par l'auteur.

Bouchard, G. (1991), «Sur un démarrage raté: industrie laitière et co-intégration au Saguenay (1880-1940)», *RHAF,* vol. 45, n° 1, p. 73-100.

Bouchard, G. (1988), «Co-intégration et reproduction de la société rurale. Pour un modèle saguenayen de la marginalité», *Recherches sociographiques,* vol. XXIX, n°s 2-3, p. 229-251.

Bouchard, G. (1987), «Sur la reproduction sociale en milieu rural: systèmes ouverts et systèmes clos», *Recherches sociographiques,* vol. XXVIII, n°s 2-3, p. 229-251.

Bouchard, G. (1986), «La dynamique communautaire et l'évolution des sociétés rurales québécoises aux 19e et 20e siècles. Construction d'un modèle», *RHAF,* vol. 40, n° 1, p. 51-71.

Bouchard, G., et J. Larouche (1988), «Dynamique des populations locales: la formation des paroisses rurales au Saguenay (1840-1911)», *RHAF,* vol. 41, n° 3, p. 363-388.

Bouchard, G., et C. Pouyez (1985), «Les catégories socio-professionnelles: une nouvelle grille de classement», *Labour/Le Travail,* vol. 15, printemps, p. 145-163.

Bouchard, G., et R. Thibault (1985), «L'économie agraire et la reproduction sociale dans les campagnes saguenayennes (1852-1971)», *Histoire sociale/Social History,* vol. XVIII, n° 36, p. 237-257.

Bouchard, J.-P., et J.-P.-M. Tremblay (1987), «La colonisation du Saguenay vue de la Baie-Saint-Paul (1837-1987)», Revue de la Société d'histoire de Charlevoix, vol. 2, n° 1, p. 05 00.

Bouchette, J. ([1815] 1978), Description topographique de la province du Bas-Canada, avec des remarques sur le Haut-Canada, Montréal, Éditions Élysée.

Bouchette, J. (1832), Topographical Dictionary of the Province of Lower Canada, Londres, Longman, Rees, Orme, Brown, Green, and Longman.

Boulet, R. (1977), Frederic Marlett Bell-Smith (1846-1923), Victoria, Art Gallery of Greater Victoria.

Boudreau, C. (1994), La cartographie au Québec: 1760-1840, Sainte-Foy, PUL.

Boudreau, C. (1986), L'analyse de la carte ancienne, essai méthodologique, la carte du Bas-Canada de 1831 de Joseph Bouchette, Québec, CÉLAT («Raports et Mémoires de recherche du CÉLAT», n° 7).

Boulizon, G. (1984), Le paysage dans la peinture au Québec: vu par les peintres des cent dernières années, La Prairie, M. Broquet.

Dowden, M. J. (1992), «The Invention of American Tradition», Journal of Historical Geography, vol. 18, n° 1, p. 3-26.

Draide, J. (1070), William Bijmmoi 1000 1000. Aporyo ichooupootif do l'ortiolo, Kingston, Agnes Etherington Art Centre, Queen's University.

Brassard, M. (1989), «Évolution de l'habitat à la Baie Saint Paul, des origines à nos jours», Revue de la Société d'histoire de Charlevoix, n° 9 (déc.), p. 7-10.

Brière, R. (1967), «Les grands traits de l'évolution du tourisme au Québec», Bulletin de l'Association des géographes de l'Amérique française, n° 11 (sept.), p. 83-95.

Bruneau, P. (1985), «Le rôle de l'État et des bourgeoisies urbaines dans la production d'espaces de loisirs au Québec», Cahiers de géographie du Québec, vol. 29, n° 76, p. 67-78.

Brunet, M. (1993), «Mensonge et vérité romantiques: l'institutionnalisation du Romantisme au XIXᵉ siècle québécois», dans M. Lemire (dir.), Le romantisme au Canada, Québec, Nuit Blanche Éditeur (Les Cahiers du CRELIQ), p. 135-154.

Buies, A. (1878), Petites chroniques pour 1877, Québec, Imprimerie de C. Darveau.

Burant, J. (1988), «The Military Artist and the Documentary Art Record», Archivaria, n° 26, p. 33-51.

Bureau, L. (1984), Entre l'Éden et l'Utopie, Les fondements imaginaires de l'espace québécois, Montréal, Les Éditions Québec/Amérique.

Clarkson, L. A. (1985), Proto-Industrialization: The First Phase of Industrialization? Londres, MacMillan Publishers Ltd. (Studies in Economic and Social History).

Claval, P. (1968), Régions, nations, grands espaces. Géographie générale des ensembles territoriaux, Paris, Génin.

Cogniat, R. (1966), Le Romantisme, Lausanne, Éditions Rencontre.

Coleman D. C. (1983), «Proto-Industrialization: A Concept too Many», The Economic History Review, vol. XXXVI, n° 3, p. 435-448.

Collard, C. (1991), «Idéologie et pratique de la parenté: de la classification des parents aux stratégies familiales», dans G. Bouchard, et M. DeBraekeleer (dir.), Histoire d'un génôme, Québec, Les Presses de l'Université du Québec, p. 123-144.

Cosgrove, D. E. (1979), «John Ruskin and the Geographical Imagination», *Geographical Review,* n° 69, p. 43-62.

Cosgrove, D.E., et S. Daniels (dir.) (1988), *The Iconography of Landscape,* Cambridge, Cambridge University Press.

Courville, S. (1995), *Introduction à la géographie historique,* Sainte-Foy, PUL (Coll. Géographie historique).

Courville, S. (1993), «De l'écart entre les faits de croissance et les représentations collectives: l'exemple du Québec», dans G. Bouchard et S. Courville, *La construction d'une culture. Le Québec et l'Amérique française,* Sainte-Foy, PUL (Coll. Culture française d'Amérique), p. 75-92.

Courville, S. (1993), «Tradition et modernité. Leurs significations spatiales», *Recherches sociographiques,* vol. XXXIV, n° 2, p. 211-231.

Courville, S. (1991), «De l'espace au territoire. La démarche géographique», dans J. Mathieu (dir.), *Les dynamismes de la recherche au Québec,* Sainte-Foy, PUL (Coll. Culture française d'Amérique), p. 23-43.

Courville, S. (1990), *Entre ville et campagne,* Sainte-Foy, PUL.

Courville S. (1988), «Le marché des subsistances. L'exemple de la plaine de Montréal au début des années 1830: une perspective géographique», *RHAF,* vol. 42, n° 2, p. 193-239.

Courville S. (1987), «Un monde rural en mutation: le Bas-Canada dans la première moitié du XIXᵉ siècle», *Histoire sociale/Social History,* vol. 20, n° 40, p. 237-258.

Courville, S. (1986), «L'habitant canadien dans la première moitié du XIXᵉ siècle: survie ou survivance?», *Recherches sociographiques,* vol. XXXII, n° 2, p. 177-193.

Courville S. (1985), «Croissance villageoise et industries rurales dans les seigneuries du Québec (1815-1851)», *Sociétés villageoises et rapports villes-campagnes au Québec et dans la France de l'Ouest, XVIIᵉ-XXᵉ siècles. Actes du Colloque franco-québécois (Québec, 1985),* Trois-Rivières, Université du Québec à Trois-Rivières et Presses Universitaires de Rennes 2, p. 205-219.

Courville, S. (1985), «Le développement québécois: de l'ère pionnière aux conquêtes post-industrielles», *Le Québec statistique. Édition 1985-1986,* Québec, Les Publications du Québec, p. 37-55.

Courville, S., J.-C. Robert et N. Séguin (1995), *Atlas historique du Québec. Le pays laurentien au XIXᵉ siècle. Les morphologies de base,* Sainte-Foy, PUL.

Daniel, dit Donaldson, A. (1983), *Une merveilleuse odyssée. François Gaudreault en Charlevoix. De Charlevoix à Mistassini, Lac-Saint-Jean,* 2 vol., Chicoutimi, Éditions Science Moderne.

Daniels, S. (1993), *Fields of Vision. Landscape Imagery and National Identity in England and the United States,* Princeton, Princeton University Press.

Davis, A. (1983), *A Distant Harmony. Comparisons in the Painting of Canada and the United States of America,* Hamilton, Art Gallery of Hamilton.

Dechêne, L. (1981), «La rente du faubourg Saint-Roch à Québec, 1750-1850», *RHAF,* vol. 34, n° 4, p. 569-596.

De Roussan, J. (1988), *Charlevoix en peinture/in painting,* Pointe-Claire, Roussan éditeur inc.

Dessureault, C. (1989), «Crise ou modernisation? La société maskoutaine durant le premier tiers du XIXe siècle», *RHAF,* vol. 42, n° 3, p. 359-387.

Deyon P. (1984), «Fécondité et limites du modèle proto-industriel Premier plan», *Annales ESC,* vol. 39, n° 5, p. 867-881.

Deyon P., et F. F. Mendels (1981), «La proto-industrialisation: théorie et réalité», *Revue du Nord* (Programme de la section A2 du huitième congrès international d'histoire économique), tome LXIII, n° 248, p. 11-19.

Dickinson, J.-A., et B. Young (1992), *Brève histoire socio-économique du Québec,* Québec, Les Éditions du Septentrion.

Dubé, P. (1995), «La villégiature dans Charlevoix: une tradition séculaire, un patrimoine encore vivant», *Téoros,* vol. 14, n° 2, p. 4-7.

Dubé, P. (1986), *Deux cents ans de villégiature dans Charlevoix. L'histoire du pays visité,* Québec, PUL.

Dubé, R., et F. Tremblay (1989), *Peindre un pays. Charlevoix et ses peintres populaires,* Laprairie, Éditions Broquet Inc.

Dumont, F. (1993), *Genèse de la société québécoise,* Québec, Les Éditions du Boréal.

Dumont, F., J. Hamelin et al. (1974), *Idéologies au Canada français 1900-1929,* Québec, PUL.

Dumont, F., et al. (1971), *Idéologies au Canada français 1850-1900,* Québec, PUL.

Duncan, J., et D. Ley (dir.) (1993), *Place/Culture/Representation,* Londres et New York, Routledge.

Finley, G. (1983), *George Heriot, Postmaster-Painter of the Canadas,* Toronto, University of Toronto Press.

Fortier, N. (1984), «Les recensements canadiens et l'étude de l'agriculture québécoise 1852-1901», *Histoire sociale/Social History,* vol. XVII, n° 34, p. 257-286.

Gagan, D. P. (1974), «Enumerator's Instructions for the Census of Canada 1852 and 1861», *Histoire sociale/Social History,* vol. VII, n° 14, p. 353-365.

Gagnon, F. (1992), «Du cheval au rail: l'évolution des circuits touristiques québécois au XIXe siècle», dans S. Courville, J.-C. Robert, et N. Séguin, *Le pays laurentien au XIXe siècle,* Université Laval, Université du Québec à Montréal, Université du Québec à Trois-Rivières, p. 101-133.

Gagnon, S. (1996), *L'émergence du tourisme au XIXe siècle: l'exemple de Charlevoix,* mémoire de maîtrise, Département de géographie, Université Laval.

Gallichan, G. (1993), «Le romantisme et la culture politique au Bas-Canada», dans M. Lemire (dir.), *Le romantisme au Canada,* Québec, Nuit Blanche Éditeur (Les Cahiers du CRELIQ), p. 119-131.

Gauldrée-Boilleau, C.-H.-P. ([1862] 1968), «Paysan de Saint-Irénée de Charlevoix en 1861 et 1862», dans *Paysans et ouvriers québécois d'autrefois,* Québec, PUL (coll. Les cahiers de l'Institut d'histoire, II), p. 19-76.

Gauthier, S. (1990), «L'agriculture dans Charlevoix (1660-1990): une histoire de subsistance et d'enracinement», *Revue de la Société d'histoire de Charlevoix,* n° 10, p. 2-7.

Gauthier, S. (1990), «Images de l'histoire de Charlevoix», *Revue de la Société d'histoire de Charlevoix,* n° 11, p. 2-9.

Gauthier, S. (1989), «La Malbaie», *Continuité,* n° 44, p. 53.

Gauthier, S. (1988), «Histoire des 3 pays de Charlevoix», *Revue de la Société d'histoire de Charlevoix,* n° 7, p. 4-6.

Gauthier, S. (1986), «Léon Gérin à Saint-Irénée: un sociologue au pays de Charlevoix», *Revue de la Société d'histoire de Charlevoix,* vol. 1, n° 3, p. 4-8.

Gauthier, S. (1984), «Le village de Sainte-Agnès: histoire et profil démographique (1830-1983)», *Revue de la Société d'histoire de Charlevoix,* vol. 26, n° 2, p. 51-56.

Gauvreau, D., et M. Bourque (1988), «Mouvements migratoires et familles: le peuplement du Saguenay avant 1911» *RHAF,* vol. 42, n°. 2, p. 167-192.

Gauvreau, D., M. Guérin et M. Hamel (1991), «De Charlevoix au Saguenay: mesure et caractéristiques du mouvement migratoire avant 1911», dans G. Bouchard et M. DeBraekeleer (dir.), *Histoire d'un génôme,* Sainte-Foy, PUL, p. 145-159.

Gendreau, A. (1992), «L'image appropriée. Figures de Charlevoix», dans J. Melançon (dir.), *Les métaphores de la culture,* Sainte-Foy, PUL, p. 39-57.

Gendreau, A. (1989), «Une analyse anthropologique des formes», *Sociologie du Sud-Est. Revue de sciences sociales,* n°ˢ 59-62, janvier-décembre, p. 151-178.

Gendreau, A. (1983), «L'énonciation dans la peinture à Charlevoix: le cas de Clarence Gagnon», *Études littéraires,* avril, p. 79-98.

Gendreau, A. (1982), *Charlevoix, terre d'origine, lieu de l'autre,* thèse de doctorat, Faculté des sciences sociales, Université Laval, Québec.

Gérin, L. (1938), «Le paysan du Bas Saint-Laurent, colonisateur du Saguenay», *Le type économique et social des Canadiens,* Montréal, Éditions de l'ACF, p. 13-54.

Gillis, J. R. (1994), «Memory and Identity: the History of a Relationship», dans J. R. Gillis, *Commemorations. The Politics of National Identity,* Princeton, Princeton University Press, p. 3-24.

Girard, J. (1934), «La goudronnerie de la Baie-Saint-Paul», *Bulletin des recherches historiques,* vol. 40, p. 467-486.

Girard, J. (1934), «Moulin à scie et industrie des mâts à la Baie Saint-Paul», *Bulletin des recherches historiques,* vol. 40, p. 741-750.

Gombrich, E. H. (1996), «Icon», *The New York Review,* 15 févier, p. 29-30.

Gombrich, E. H. (1977), *Art and Illusion. A study in the Psychology of Pictorial Representation,* Oxford, Phaidon Press Limited.

Goodman, N. (1968), *Languages of Art,* New York, The Bobbs-Merrill Company inc.

Greer, A. (1985), *Peasant, Lord and Merchant: Rural Society in Three Quebec Parishes 1740-1840,* Toronto, University of Toronto Press.

Guérin, M. (1988), *Peuplement et dynamique démographique de Charlevoix des origines à aujourd'hui,* mémoire de maîtrise (études régionales), Université du Québec à Chicoutimi.

Hamel, M. (1993), «De Charlevoix au Saguenay: caractéristiques des familles émigrantes au XIXᵉ siècle», *RHAF,* vol. 47, n° 1, p. 5-25.

Hamel, M. (1990), *L'émigration de Charlevoix vers le Saguenay au milieu du XIXᵉ siècle: étude à partir du lieu d'origine,* mémoire de maîtrise (études régionales), Université du Québec à Chicoutimi.

Handler, R. (1988), *Nationalism and the Politics of Culture in Quebec,* Londres, The University of Wisconsin Press.

Hardy, R. (1996), *Catholicisme et culture dans le Québec du XIX⁰ siècle,* Trois-Rivières, Centre interuniversitaire d'études québécoises, Université du Québec à Trois-Rivières.

Hardy, R., P. Lanthier et N. Séguin (1986), « Les industries rurales et l'extension du réseau vil lageois dans la Mauricie pré-industrielle : l'exemple du comté de Champlain durant la seconde moitié du XIX⁰ siècle », dans *Sociétés villageoises et rapports villes-campagnes au Québec et dans la France de l'Ouest, XVIIᵉ-XXᵉ siècles. Actes du Colloque franco-québécois (Québec 1985),* Trois-Rivières, Université du Québec à Trois-Rivières et Presses Universitaires de Rennes 2, p. 239-253.

Hardy, R., et N. Séguin (1984), *Forêt et société en Mauricie, la formation de la région de Trois-Rivières 1830-1930,* Montréal, Boréal Express/Musée national de l'Homme.

Hardy, R., N. Séguin *et al.* (1980), *L'exploitation forestière en Mauricie. Dossier statistique : 1850-1930,* Trois-Rivières, Université du Québec à Trois-Rivières (Groupe de recherche sur la Mauricie, cahier n° 4).

Harley, J. D. (1988), « Maps, Knowledge and Power », dans D.E. Cosgrove et S. Daniels (dir), *The Iconography of Landscape,* Cambridge, Cambridge University Press, p. 277-313.

Harper, J. R. (1970), *Early Painters and Engravers in Canada,* Toronto, University of Toronto Press.

Harper, J. R. (1966), *La Peinture au Canada des origines à nos jours,* Québec, PUL.

Harris, R. C. (1966), *The Seigneurial System in Early Canada. A Geographical Study,* Québec, PUL et University of Wisconsin Press.

Heriot, G. (1807), *Travels Through the Canadas Containing a Descriptive of the Picturesque Scenery on some of the Rivers [...],* 2 vol., Londres, Printed for Richard Philips.

Heriot, G. (1804), *The History of Canada from its First Discovery,* Londres, T. N. Longman and O. Rees.

Hill, C. C. (1975), *Peinture canadienne des années trente,* Ottawa, Galerie nationale du Canada.

Hubscher, R., et G. Garrier (1988), *Entre faucilles et marteaux. Pluriactivités et stratégies paysannes,* Lyon, Presses Universitaires de Lyon et Éditions de la Maison des sciences de l'Homme.

Humbolt, A.Von (1852), *Personnal Narrative of Travels to the Equinoctial Regions of America during the Years 1799-1804,* vol. 1, Londres, Henry G. Bohn.

Hunt, D. (1979), « Chayanov's Model of Peasant Household Resource Allocation », *Journal of Peasant Studies,* vol. 6, n° 3, p. 247-285.

Jetté, R., D. Gauvreau et M. Guérin (1991), « Aux origines d'une région : le peuplement fondateur de Charlevoix avant 1850 », dans G. Bouchard et M. De Braekeleer, *Histoire d'un génôme,* Sainte-Foy, PUL, p. 77-106.

Kammen, M. (1993), *Mystic Chord of Memory. The Transformation of Tradition in American Culture,* New York, Random House.

Karel, D. (1995), « L'expérience continentale de l'art québécois au XIX⁰ siècle », dans G. Bouchard et Y. Lamonde (dir.), *Québécois et Américains. La culture québécoise aux XIX⁰ et XX⁰ siècles,* Québec, Fides, p. 197-225.

Lalancette, M. (1985), «Essai sur la répartition de la propriété foncière à La Malbaie, au pays de Charlevoix», *Sociétés villageoises et rapports villes-campagnes au Québec et dans la France de l'Ouest, XVIIe-XXe siècles. Actes du Colloque franco-québécois (Québec, 1985),* Trois-Rivières, Université du Québec à Trois-Rivières et Presses Universitaires de Rennes 2, p. 63-77.

Lefrançois, Y. (1984), «L'exploitation forestière dans les Seigneuries de Charlevoix 1672-1750», *Saguenayensia,* vol. 26, n° 8, p. 76-80.

Lemoine, M.J.M. (1872), *L'album du touriste,* Québec.

Lepage, A. (1988), «Les armateurs de Charlevoix et la pêche à la morue sur la Côte Nord du golfe Saint-Laurent vers 1860», *Revue de la Société d'histoire de Charlevoix,* n° 7 (déc.), p. 12-16.

Lewis, W. A. (1954), «Economic Development with Unlimited Supplies of Labour», *Manchester School of Economic and Social Studies,* n° XXII, p. 139-191.

Linteau, P.-A. (1976), «Quelques réflexions autour de la bourgeoisie québécoise 1850-1914», *RHAF,* vol. 30, n° 1, p. 55-66.

Livingstone, D. (1992), *The Geographical Tradition,* Cambridge, Mass., Blackwell Publishers.

Lowenthal, D. (1994), «Identity, Heritage and History», dans J. R. Gillis, *Commemorations. The Politics of National Identity,* Princeton, Princeton University Press, p. 41-57.

Lowrey, C. (1995), *Engagé dans le mouvement de l'art moderne: l'Impressionnisme dans la peinture au Canada, 1885-1920,* Québec, Musée du Québec.

Mack, B. (1994), «Grant, George Monro», *Dictionnaire biographique du Canada,* volume XIII, *de 1901 à 1910,* Sainte-Foy, PUL, p. 437-443.

Mailhot, L. (1978), *Anthologie d'Arthur Buies,* Montréal, Cahiers du Québec/Hurtubise HMH.

Marchand, L. W. (1880), *Voyage de Kalm en Amérique,* Montréal, T. Berthiaume (Mémoires de la Société historique de Montréal, septième livraison).

Martin, J. (1995), *Scieurs et scieries au Bas-Canada, 1830-1870,* thèse de doctorat (géographie), Université Laval.

Mathieu, J., et J. Lacoursière (1991), *Les mémoires québécoises,* Sainte-Foy, PUL.

Médéric, P. (1975), *Messieurs du Séminaire,* Montréal (Cahiers d'histoire régionale, Série A, n° 2).

Mendels, F. F. (1984), «Des industries rurales à la protoindustrialisation: historique d'un changement de perspective», *Annales,* vol. 9, n° 5, p. 977-1008.

Mendels, F. F. (1982), «Proto-industrialization: Theory and Reality. General Report», *Eight International Economic History Congress* ('A' Themes), Budapest, p. 69-107.

Mendels, F. F. (1981), «Les temps de l'industrie et les temps de l'agriculture. Logique d'une analyse régionale de la proto-industrialisation», *Revue du Nord,* LXIII, n° 248, p. 21-33.

Mendels, F. F. (1972), «Protoindustrialization: The First Phase of the Industrialization Process», *Journal of Economic History,* n° 32, p. 241-261.

Mendels, F. F. (1969), *Industrialization and population pressure in eighteenth century Flanders,* Madison, University of Wisconsin.

Ministère des Affaires culturelles (1978), *L'art du paysage au Québec (1800-1940)/Landscape Painting in Québec (1800-1940),* Québec, Therrien Frères Ltée.

Mitchell, W. J. T. (1994), *Landscape and power,* Chicago, The University of Chicago Press.

Mitchell, W. J. T. (1986), *Iconology: Image, Text, Ideology,* Chicago et Londres, The University of Chicago Press.

Morissonneau, C. (1978), *La Terre promise: le mythe du Nord québécois,* Montréal, Cahiers du Québec/Hurtubise HMH (coll. Ethnologie).

Nora, P. (1989), «Between Memory and History: Les Lieux de Mémoire», *Représentations,* n° 26 (printemps), p. 7-25.

O'Brien, L. R., et G. M. Grant (édit.) (1882-1884), *Picturesque Canada: the Country as it was and is,* 2 vol., Toronto, Belden Bros.

Osborne, B. S. (1995), « «Grounding» National Mythologies: The Case of Canada», dans S. Courville et N. Séguin (dir.), *Espace et culture/Space and Culture,* Sainte-Foy, PUL, p. 264-274.

Osborne, B. S. (1992), «Interpreting a Nation's Identity: Artists as Creators of National Consciousness», dans A. R. H. Baker et G. Biger (dir.), *Ideology and Landscape in Historical Perspective,* Cambridge, Cambridge University Press, p. 230-254.

Osborne, B. S. (1988), «The Iconography of Nationhood In Canadian Art», dans D. Cosgrove et D. Daniels (édit.), *The Iconography of Landscape,* Cambridge, Cambridge University Press, p. 162-178.

Osborne, B. S. (1984), «The Artist as Historical Commentator: Thomas Burrowes and the Rideau Canal», *Archivaria,* n° 17, hiver 1983-1984, p. 41-59.

Ouellet, F. (1976), *Le Bas-Canada 1791-1840. Changements structuraux et crise,* Ottawa, Les Éditions de l'Université d'Ottawa.

Ousby, I. (1990), *The Englishman's England: Taste, Travel and the Rise of Tourism,* Cambridge, Cambridge University Press.

Panofsky, E. (1972), *Studies in Iconology. Humanistic Themes in the Art of Renaissance,* New York, Icon Editions.

Paquet, G., et J.-P. Wallot (1982), «Sur quelques discontinuités dans l'expérience socio-économique du Québec: une hypothèse», *RHAF,* vol. 35, n° 4, p. 483-521.

Paquet, G., et J.-P. Wallot (1972), «Crise agricole et tensions socio-ethniques dans le Bas-Canada 1802-1812: éléments pour une réinterprétation», *RHAF,* vol. 26, n° 2, p. 185-237.

Porter, J. R., *et al.* (1978), *Joseph Légaré 1795-1855. L'œuvre,* Ottawa, Galerie nationale du Canada.

Pratt, M. L. (1992), *Imperial Eyes: Travel Writing and Transculturation,* Londres, Routledge.

Prioul, D. (1993), *Joseph Légaré, paysagiste,* thèse de doctorat, Faculté des Lettres, Université Laval, Québec, 2 vol.

Raffestin, C. (1980), *Pour une géographie du pouvoir,* Paris, Librairies Techniques (LITEC).

Raffestin, C. (1977), «Paysage et territorialité», *Cahiers de géographie de Québec,* vol. 21, n° 53-54, p. 123-134.

Raffestin, C., et J.-B. Racine (1990), *Nouvelle géographie de la Suisse et des Suisses,* 2 vol., Suisse, Éditions Payot Lausanne.

Ramsay, E. (1992), «Picturing the Picturesque: Lucius O'Brien's Sunrise on the Saguenay», dans P. Simpson-Housley et G. Norcliffe (édit.), *A Few Acres of Snow,* Toronto et Oxford, Dundurn Press, p. 158-170.

Raveneau, J. (1977), «Analyse morphologique, classification et protection des paysages: le cas de Charlevoix», *Cahiers de géographie de Québec,* vol. 21, nᵒˢ 53-54, p. 135-186.

Rees, R. (1973), «Geography and Landscape Painting: an Introduction to a Neglected Field», *Scottish Geographical Magazine,* vol. 89, n° 3, p. 147-157.

Reid, D. (1989), *Notre patrie le Canada,* Ottawa, Galerie nationale du Canada.

Rinaudo, Y. (1987), «Un travail en plus: les paysans d'un métier à l'autre (vers 1830 – vers 1950)», *Annales ESC,* vol. 42, n° 2, p. 283-302.

Robson, A. H. (1932), *Canadian Landscape Painters,* Toronto, Ryerson Press.

Rosenthal, M. (1982), *British Landscape Painting,* Ithaca et New York, Cornell/Phaidon Books et Cornell University Press.

Roy, F. (1993), *Histoire des idéologies au Québec aux XIXᵉ et XXᵉ siècles,* Québec, Les Éditions du Boréal.

Roy, R., G. Bouchard et M. Declos (1988), «La première génération de Saguenayens: provenance, apparentement, enracinement», *Cahiers québécois de démographie,* vol. 17, n° 1, p. 113-133.

Rudin, R. (1992), «Revisionism and the Search for a Normal Society: a Critique of Recent Quebec Historical Writing», *Canadian Historical Review,* vol. LXXIII, n° 1, p. 30-61.

Sack, R. D. (1986), *Human territoriality. Its theory and history,* Cambridge, Cambridge University Press.

Saint-Hilaire, M. (1996), *Peuplement et dynamique migratoire au Saguenay 1840-1960,* Sainte-Foy, PUL (Coll. Géographie historique).

Samson, M. (1988), «La route des villégiateurs», *Continuité,* n° 40 (été), p. 12-15.

Sauer, C.O. ([1925] 1963), «The Morphology of Landscape», dans J. Leighly (dir.), *Land and Life. A Selection from the Writings of Carl Ortwin Sauer,* Berkeley et Los Angeles, University of California Press, p. 315-350.

Séguin, M. (1970), *La «nation canadienne» et l'agriculture (1760-1850),* Trois-Rivières, Boréal Express.

Séguin, N. (1995), «La paroisse dans l'expérience historique québécoise», dans J. Mathieu (dir.), *La mémoire dans la culture,* Sainte-Foy, PUL (coll. Culture française d'Amérique), p. 195-202.

Séguin, N. (1982), «L'agriculture de la mauricie et du Québec 1850-1950», *RHAF,* vol. 35, n° 4, p. 537-563.

Séguin, N. (1980), *Agriculture et colonisation au Québec,* Montréal, Boréal Express.

Séguin, N. (1977), *La conquête du sol au XIXᵉ siècle,* Sillery, Les Éditions du Boréal Express.

Simard, L. (1987), *La petite histoire de Charlevoix,* La Malbaie, Le Club Lions.

Smith, P. (1995), *L'artiste impressionniste,* Paris, Flammarion.

Thirsk, J. (1961), «Industries in the Countryside», dans F. J. Fisher, *Essays in the Economic and Social History of Tudor and Stuart England,* Cambridge, Cambridge University Press, p. 70-88.

Tilly, C. (1983), «Flows of Capital and Forms of Industry in Europe, 1500-1900», *Theory and Society,* vol. 12, n° 2, p. 123-142.

Tremblay, J.-P.-M. (1986), *Tout un été de guerre. La Conquête anglaise vue de la Baie Saint-Paul 1735-1785,* Baie Saint-Paul, Société d'histoire de Charlevoix (Cahiers d'histoire régionale, série 2, n° 3).

Tremblay, N. (1956), *Saint-Pierre et Saint-Paul de la Baie Saint-Paul,* Québec, Imprimerie Laflamme Ltée.

Tromblay, R. (1077), *Un pays à bâtir, Saint Urbain en Charlevoix,* Québec, Les Éditions La Liberté.

Trépanier, E. (1995), « L'expérience américaine de la peinture québécoise (1900-1940) : entre le modèle étatsunien et la construction d'une vision américaine », dans G. Bouchard et Y. Lamonde (dir.), *Québécois et Américains. La culture québécoise aux XIXe et XXe siècles,* Québec, Fides, p. 227-256.

Trépanier, P. (1988), « Un héritage romantique », *Continuité,* été, n° 40, p. 5-7.

Trudel, M. (1956), *Le régime seigneurial,* Ottawa, Société historique du Canada (Coll. Brochure historique, n° 6).

Tuan, Yi-Fu (1974), *Topophilia, a Study of Environmental Perception, Attitudes and Values,* Englewood Cliffs, Prentice-Hall Inc.

Vézina, H. (1977), « L'art documentaire au service des sciences humaines : le cas du comté de Charlevoix au Québec », *Cahiers de géographie de Québec,* vol. 21, n° 53-54, p. 293-308.

Vézina, R. (1976), *Inventaire des sites et arrondissements culturels de Charlevoix. Charlevoix et les arts figuratifs,* 2 vol., Groupe PAISAGE, Département de géographie, Université Laval, Québec.

Villeneuve, L. (1998), *Paysage, mythe et territorialité : Charlevoix au XIXe siècle,* thèse de doctorat, Département de géographie, Université Laval, Québec.

Villeneuve, L. (1996), « Mythe et vécu territorial : Charlevoix à travers l'art du paysage au XIXe siècle », *Cahiers de géographie du Québec,* vol. 40, n° 111, p. 341-362.

Villeneuve, L. (1992), *La socio-économie de Charlevoix au début des années 1830,* mémoire de maîtrise, Département de géographie, Université Laval, Québec.

Wallot, J.-P. (1986), « Évolution et éclatement du monde rural en France et au Québec », *Interface,* sept.-oct. 1986, p. 16-19.

Wallot, J.-P. (1981), « L'impact du marché sur les campagnes canadiennes au début du XIXe siècle », *Société rurale dans la France de l'Ouest et au Québec (XVIIe-XXe siècles). Actes des colloques de 1979 et 1980,* Montréal et Paris, Université de Montréal, École des hautes études en sciences sociales, p. 226-250.

Wallot, J.-P. (1973), « Le régime seigneurial et son abolition au Canada », dans *Un Québec qui bougeait,* Montréal, Les Éditions du Boréal Express, p. 225-251.

White, M. et L. (1977), *The Intellectual versus the City. From Thomas Jefferson to Frank Lloyd Wright,* New York, Oxford University Press.

Wien, T. (1990), « "Les travaux pressants", Calendrier agricole, assolement et productivité au Canada au XVIIIe siècle », *RHAF,* vol. 43, n° 4, p. 535-558.

Willis, J. (1988), « Subsistence, Space and Plebian Agency. A Discussion of the Concept of Proto-Industrialization », champs d'exploration pour le doctorat, essai n° 2, Département de géographie, Université Laval, Québec.

Wynn, G. (1988), «Ideology, Identity, Landscape and Society in the Lower Colonies of British North America, 1840-1860», dans D. Cosgrove et S. Daniels, *The Iconography of Landscape,* Cambridge, Cambridge University Press, p. 197-229.

Zelinsky, W. (1988), *Nation into State,* Chapel Hill, The University of North Carolina Press.

Zeller, S. (1987), *Inventing Canada: Early Victorian Science and the Idea of a Transcontinental Nation,* Toronto, University of Toronto.

Zemon Davis, N., et R. Starn (1989), «Introduction», *Representations,* n° 26 (printemps), p. 1-6.

DOCUMENTS

Recensements du Bas-Canada (district du Saguenay)

Archives nationales du Canada

1831   Bobine C-721

1851   Bobines C-1137 et C-1138

1861   Bobines C-1273 et C-1274

1871   Bobines C-10347 et C-10348

Cartes et plans

Anonyme, *Charlevoix s. 1, s. éd. 1850,* Échelle 1"=18 milles. Coll. Archives Publiques du Canada, Ottawa, H12 320.

Du Tremblay, P. P. V. (1881), *Plan officiel de la paroisse de Saint-Urbain, comté de Charlevoix. 28 octobre 1881,* Échelle de 10 arpents au pouce. Gouvernement du Québec, Ministère des Terres et Forêts, Service du cadastre.

Du Tremblay, P. P. V. (1881), *Plan officiel de la paroisse de Baie-Saint-Paul, comté de Charlevoix. 2 novembre 1881,* Échelle de 10 arpents au pouce. Gouvernement du Québec, Ministère des Terres et Forêts, Service du cadastre.

Gouvernement du Québec (1863), *Cadastres abrégés des seigneuries du district de Québec (Seigneuries de Beaupré et du Gouffre),* vol. 1, Québec, Imprimés par Georges Desbarats, Imprimeur de la Reine, Bibliothèque de la législature.

Ministère des Terres et Forêts, Direction des relevés techniques et service de la cartographie (1975), *Cadastre de Charlevoix,* Feuillets 21M Baie-Saint-Paul et 21N Rivière-du-Loup. Échelle 1: 200000.

Partie de Bouchette, J. (1831), *To His Most Excellent Majesty King William IV. This Topographical map of the districts of Quebec, Three Rivers, St. Francis and Gaspe, Lower Canada, exhibiting the new civil divisions of the districts into counties pursuant to a recent act of the provincial legislature; [...], dedicated by His Majesty's most devoted and loyal Canadian subject, Joseph Bouchette,* Collection nationale des cartes et plans, Ottawa, Archives nationales du Canada.

Service de l'arpentage de Québec, Procès verbaux d'arpentage n°. 1, 11, 14, 15: Cartes des anciennes municipalités de comte, *Charlevoix-Est et Charlevoix-Ouest,* Échelle 1 mille au pouce.

ANNEXE A

LISTE DES DOCUMENTS ICONOGRAPHIQUES

Période 1798-1824

1. Heriot, George: *View of St. Paul's Bay, River St. Lawrence.* Royal Ontario Museum, Toronto, 73.1.106.

2. Heriot, George: *View of St. Paul's Bay, on the River St. Lawrence, c. 1807.* ANC, Ottawa, C-12784.

3. Bigsby, John Jeremiah: *St. Paul's Bay, Quebec, Aug. 19, 1819.* ANC, Ottawa, C-11633.

4. Bigsby, John Jeremiah: *Bay of St. Paul, Quebec, Aug., 1819.* ANC, Ottawa, C-11634.

5. Bigsby, John Jeremiah: *Mr. Rousseau's house, Bay of St. Paul.* ANC, Ottawa, C-11635.

6. Bigsby, John Jeremiah: *A lake and Clearance 2 miles N. of the Valley of St. Etienne Malbay.* ANC, Ottawa, C-11638.

7. Roebuck, William: *Le pont à Mal Baie, vue de près de l'église, vers 1820.* ANC, Ottawa, C-104266.

8. Roebuck, John Arthur: *Isle aux Coudres et Cap Corbeau vue du chemin à la Baie St-Paul, Québec, 1821-1824.* ANC, Ottawa, C-121256.

9. Roebuck, John Arthur: *Vue du pont de Murray Bay près de l'église, Québec, 1821-1824.* ANC, Ottawa, C-121262.

10. Roebuck, John Arthur: *Cap Corbeau et Les Éboulements vue de la Petite Rivière, Québec, 1821-1824.* ANC, Ottawa, C-121288.

11. Roebuck, John Arthur: *La maison de Mme Nairne et l'église à la Malbaie, vue de la Pointe Fraser, Québec, 1821-1824.* ANC, Ottawa, C-121259.

12. Roebuck, John Arthur: *Vue sur le chemin conduisant au lac Nairne, près de la scierie, Québec, 1821-1824.* ANC, Ottawa, C-121290.

13. Roebuck, John Arthur: *Large Lake Nairne from the Heights, Quebec, ca. 1821-1824.* ANC, Ottawa, C-121257.

14. Roebuck, John Arthur: *Cap aux Oies, vu du chemin principal avec une partie de Les Eboulements en foin, Québec, 1821-1824.* ANC, Ottawa, C-121289.

Période 1830-1858

15. Légaré, Joseph: *Baie-Saint-Paul, ca 1830.* Musée de la civilisation, Dépôt du Séminaire de Québec, 1994.24989.

16. Warre, Henry James: *The village of La Malbaie, Quebec, July 11-12, 1840.* ANC, Ottawa, C-58168.

17. Bainbrigge, Philip John: *Baie-Saint-Paul, 1841.* ANC, Ottawa, C-11833.

18. Warre, Henry James: *Malbose on Murray Bay, near River Saguenay, River St. Lawrence, 1845.* ANC, Ottawa, C-3963.

19. Bigsby, John Jeremiah: *Village of St. Paul, 1850.* ANC, Ottawa, C-11696.

20. Bigsby, John Jeremiah: *Malbay, 1850.* ANC, Ottawa, C-11700.

21. Bigsby, John Jeremiah: *The Valley of St. Etienne, Malbaie, 1850.* ANC, Ottawa, C-11701.

22. Bigsby, John Jeremiah: *Cape Tourment and the N. Shore of the St. Lawrence from the Heights of Les Eboulements.* ANC, Ottawa.

23. Bigsby, John Jeremiah: *Bay of St. Paul, 1850.* ANC, Ottawa.

24. Bigsby, John Jeremiah: *Bay of St. Paul, 1850.* ANC, Ottawa.

25. Duncan, James D.: *Baie-Saint-Paul, ca 1854.* Royal Ontario Museum, Toronto, 73.1.176.

26. Duncan, James D.: *Le village et les collines de La Malbaie.* Musée McCord d'histoire canadienne, Montréal, 21588.

27. Durnford, Jane: *La Malbaie, ca août 1858.* ANC, Ottawa, C-96682.

Période 1862-1900

28. Jacobi, Otto Reinhold: *Le Rocher de Moïse, près de La Malbaie, 1862.* Musée des beaux-arts du Canada, Ottawa, 15048.

29. Wilson, Daniel: *Mailloux River near Pointe-au-Pic, Canada East, c. 1865.* ANC, Ottawa, C-40210.

30. Wilson, Daniel: *Fisher's Rock at Murray Bay, P. Q., 1867.* ANC, Ottawa, C-40216.

31. Jump, Edward: *The Beach at Murray Bay, 1871. Canadian Illustrated News,* 12 août, 1871. Bibliothèque nationale du Canada, Ottawa.

32. Jump, Edward: *Le vapeur Union accosté au quai de Pointe au Pic avant son retour à Québec, 1872. L'Opinion publique,* 29 août 1872. ANC, Ottawa, C-58762.

33. Jump, Edward: Arrivée du bateau de Québec à La Malbaie, 1872. *L'Opinion publique,* 31 juillet 1873. ANC, Ottawa, C-59257.

34. Anonyme: *Murray Bay. A Hay-Cart Ride to the Lake, 1872.* Canadian Illustrated News, 7 sept. 1872. Bibliothèque nationale du Canada, Ottawa.

35. Way, Charles Jones: *Paysage de Charlevoix, 1872.* Power Corporation du Canada, Montréal.

36. Way, Charles Jones: *Cap-à-l'Aigle.* Musée du Québec, Québec, 78.51.

37. Way, Charles Jones: *La Malbaie.* Collection privée, Toronto.

38. Anonyme: *Murray Bay, 1874.* ANC, Ottawa.

39. Raphael, William. *Campement indien sur le Bas-Saint-Laurent, 1879.* Musée des beaux-arts du Canada, Ottawa, 59.

40. Anonyme. *Central House, 1881.* ANC, Ottawa.

41. O'Brien, Lucius Richard: *Isle aux Coudres, and the St. Lawrence, from Les Eboulements, 1882. Picturesque Canada,* 1882. ANC, Ottawa, C-85476.

42. Schell, Frederick Boley: *Murray Bay, 1882. Picturesque Canada,* 1882. ANC, Ottawa, C-85479.

43. Anonyme: *Baie Saint-Paul, 1882. Picturesque Canada,* 1882. ANC, Ottawa, C-85478.

44. Way, Charles Jones: *Cap-Blanc, La Malbaie, 1882.* Collection privée, Montréal.

45. Brymner, William: *Ils aimaient à lire dans les ruisseaux fuyants, 1885.* Collection privée.

46. Brymner, William: *Quatre jeunes filles dans un pré, 1885.* Collection privée.

47. O'Brien, Lucius Richard: *Jour de pluie, Pointe-au-Pic, 1890.* Art Gallery of Hamilton.

48. O'Brien, Lucius Richard: *La Malbaie, la rive du Cap-à-l'Aigle, 1890.* Collection privée, Toronto.

49. Maxwell et Shattuck: *Hotel at Murray Bay, ca 1890-1899.* Musée McCord d'histoire canadienne, Montréal, 3259.

50. Grier, E. Wyly: *Le Trou, La Malbaie, vers 1891.* Collection privée, Toronto.

51. Brymner, William: *Charlevoix, 1896.* Localisation inconnue.

52. Bell-Smith, Frederic Marlett : *Vue de la vallée de La Malbaie (près de Clermont), 1896 ou 1898.* Collection privée, Toronto.

53. Brymner, William : *Baie Saint-Paul, vers 1900.* Collection privée.

54. Brymner, William : *Île-aux-Coudres, vers 1900.* Musée des beaux-arts du Canada, Ottawa, 1888.

ANNEXE B

SECTEURS GÉOGRAPHIQUES

Nº. Nom (figure 3.2, carte 2)

Secteur du bas de la Baie

14   Rang du Bras-du-Nord-Ouest
15   Rang de l'Église
16   Côte du Moulin
17   Côte du Fond
18   Rang de la Batture
19   Rang du Cap-au-Corbeau

Secteur vallée du Gouffre

8   Côte Saint-Antoine
9   Côte Saint-Gabriel
11   Côte Saint-Jérôme
12   Côte Saint-Lazare
13   Côte de la Mare-à-la-Truite
28   Ier et IIe rangs de la Goudronnerie
29   Ier et IIe rangs du Cap-Martin (Baie-Saint-Paul)
30   Rang Sainte-Croix
31   Ier et IIe rangs du Cap-Martin (Saint-Urbain)
32   Ier et IIe rangs Saint-George
33   Ier et IIe rangs du Racourcy
37   Rang Saint-Urbain

Rangs occupés entre 1831 et 1852

5   Côte Saint-Flavien

6   Côte Saint-Joseph

7   Côte Saint-Jean

21 Rang Saint-Pamphile

22 Ier et IIe rangs du Gouffre

23 Rang Sainte-Marie

26 Rang Saint-Ours Sud

27 Rang Saint-Ours Nord

38 Rang Saint-Jérôme

Rangs occupés entre 1852 et 1871

2   Côte Saint-Félix

3   Côte Saint-Benjamin

24 Rang Saint-Pierre

25 Rang Sainte-Catherine

34 Ier et IIe rangs du Cran Blanc

35 Rang de la Décharge

39 Rang Saint-Thomas

40 Rang des Crais-Crais

ANNEXE C

CATÉGORIES PROFESSIONNELLES
BAIE-SAINT-PAUL ET SAINT-URBAIN, 1831 À 1871

Cultivateurs, éleveurs et assimilés

- Cultivateur
- Habitant
- Fermier
- Cultivateur fermier
- Cultivateur + chasseur
- Jardinier

Manœuvres

- Journalier
- Navigateur
- Cultivateur + navigateur
- Pilote
- Voilier

Artisans

- Menuisier	- Modiste	- Boucher	-Meunier + cultivateur
- Charpentier	- Couturier (ère)	- Potier	
- Forgeron	- Laveuse	- Chap. femme	
- Cordonnier	- Brideur	- Apprenti	
- Meunier	- Boulanger	- Apprenti forgeron	

- Cardeur	- Maçon	- Apprenti charron
- Sellier	- Peintre	- Apprenti tanneur
- Chaumier	- Plâtreur	- Apprenti cordonnier
- Charretier	- Tailleur	- Cardeur + cultivateur
- Charron	- Tanneur	- Forgeron + cultivateur
- Ferblantier	- Statuaire	- Cultivateur + charron

Petits commerçants

- Marchand (e)	- Voyageur	-Hôtelier
- Commerçant	- Seigneur	
- Négociant	- Marchand + hôtelier	

Professions libérales et services spécialisés

- Prêtre	- Messager anoteur
- Prêtre vicaire	- Maîtresse musique
- Prêtre et curé	- Notaire
- Religieuse	- Photographe
- Religieuse supérieure	- Commis
- Garde-malade	- Avocat
- Huissier	- Arpenteur
- Instituteur (trice)	- Dit instituteur
- Maître d'école	- Docteur
- Médecin	- Chirurgien
- Dentiste	

Domestiques

- Domestique	- Serviteur	- Servante

Ouvriers spécialisés

- Foreman	- Gardien phare	- Gardien quai

Autres professions

- Bedeau
- Rentier (ère)
- Bourgeois rentier
- Ancien cultivateur

- Pêcheur
- Chasseur
- Mendiant

Liste des figures

Liste des tableaux

Liste des graphiques

Liste des abréviations

ANC   Archives nationales du Canada, Ottawa.

CÉLAT   Centre d'études interdisciplinaire sur les lettres,
les arts et les traditions, Université Laval, Québec.

CIEQ   Centre Interuniversitaire d'Études Québécoises,
Université Laval, Québec et Université du Québec à Trois-Rivières.

IRFP   Institut de recherches sur les populations,
Université du Québec à Chicoutimi.

PUL   Presses de l'Université Laval.

RHAF   *Revue d'histoire de l'Amérique française.*

AGMV MARQUIS

Québec, Canada
1999